# SHERLOCK

# O RETORNO DE SHERLOCK HOLMES

## SIR ARTHUR CONAN DOYLE

Tradução: Michele de Aguiar Vartuli

Copyright © Introdução, 2014, Mark Gatiss
Copyright © 2015, Companhia Editora Nacional

Diretor superintendente: Jorge Yunes
Diretora adjunta editorial: Soraia Reis
Editora: Luciana Bastos Figueiredo
Assistência editorial: Rafael Fulanetti
Preparação de texto: Vivian Miwa Matsushita
Revisão: Lilian Aquino
Coordenação de arte: Márcia Matos
Assistência em arte: Aline Hessel

Publicado em 2014 pela BBC Books, um selo da Ebury Publishing, empresa do grupo Random House.

Este livro foi publicado como acompanhamento da série de televisão *Sherlock*, transmitida pela BBC 1 em 2010. *Sherlock* é uma produção da Hartswood Films para a BBC Wales, em coprodução com a MASTERPIECE.
Produtores executivos: Beryl Vertue, Mark Gatiss e Steven Moffat
Produtora executiva da BBC: Bethan Jones
Produtora executiva da MASTERPIECE: Rebecca Eaton
Produtora da série: Sue Vertue
Fotos de capa: Colin Hutton © Hartswood Films Ltd
Design da capa original: Two Associates

CIP-BRASIL. CATALOGAÇÃO NA PUBLICAÇÃO
SINDICATO NACIONAL DOS EDITORES DE LIVROS, RJ

D784s

Doyle, Arthur Conan, Sir, 1859-1930
Sherlock: o retorno de Sherlock Holmes / Arthur Conan Doyle ; tradução Michele de Aguiar Vartuli. - 1. ed. - São Paulo : Companhia Editora Nacional, 2015.
472 p.

Tradução de: Sherlock: the return of Sherlock Holmes
ISBN 978-85-04-01974-2

1. Holmes, Sherlock (Personagem fictício) - Ficção. 2. Watson, John H. (Personagem fictício) - Ficção. 3.Detetives particulares - Inglaterra - Ficção. 4. Ficção policial inglesa. I. Vartuli, Michele de Aguiar. II. Título.

15-25530                          CDD: 823
                                               CDU: 821.111-3

12/08/2015 12/08/2015

1ª edição - São Paulo - 2015
Todos os direitos reservados

Av. Alexandre Mackenzie, 619 – Jaguaré
São Paulo – SP – 05322-000 – Brasil – Tel.: (11) 2799-7799
www.editoranacional.com.br – editoras@editoranacional.com.br

# Sumário

Introdução de Mark Gatiss.................................................5

1. A casa vazia.....................................................9
2. O construtor de Norwood..................................43
3. Os homenzinhos dançantes.............................81
4. O ciclista solitário.........................................121
5. A escola do Priorado.....................................153
6. Black Peter....................................................203
7. Charles Augustus Milverton..........................237
8. Os seis Napoleões.........................................265
9. Os três estudantes.........................................299
10. O pince-nez dourado...................................327
11. O três-quartos desaparecido........................363
12. Abbey Grange..............................................397
13. A segunda mancha.......................................433

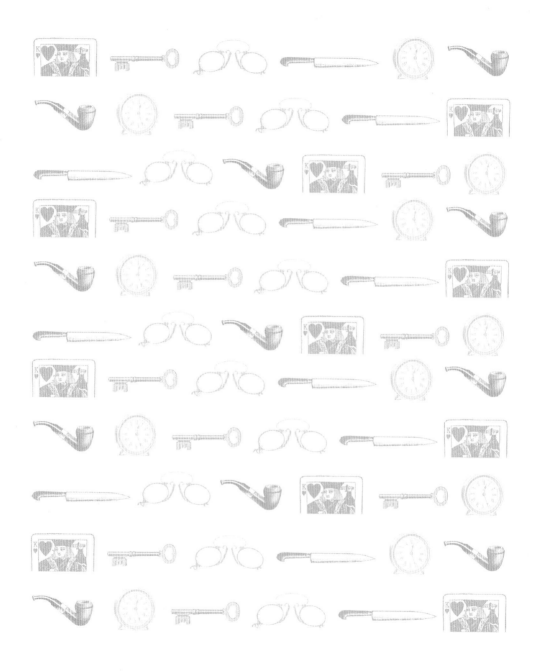

# INTRODUÇÃO

Depois de ter trabalhado até tarde nesta introdução, perdi-me em devaneios e toquei a sineta para pedir café e clarear a mente. Quando lembrei que, na verdade, não tenho nenhum criado, eu mesmo desci para pegar o Nescafé.

Ao voltar, dois breves minutos depois, descobri que a introdução desaparecera! Meio enlouquecido pela ansiedade, desabalei para a rua — *sem chapéu* — e fui, então, importunado pela aparição mais assustadora com que já topei: um lascar mulato de sessenta centímetros de altura, com um fundilho de madeira e brincos nas orelhas! Ele pôs um telegrama em minhas mãos e desapareceu no nevoeiro, com o hálito recendendo a confeitos de alcaçuz. "Vá sem demora ao Banco Cox's, caso ache conveniente", dizia o cabograma. "Caso ache inconveniente, não se dê ao trabalho." Corri para Charing Cross, e ali, sob um tapete manchado, em cima de um trem do metrô, dentro de uma caixa de despacho de lata amassada, finalmente encontrei... *isto*.

## O RETORNO DE SHERLOCK HOLMES

Todos nós, envolvidos na produção de *Sherlock*, estamos emocionados, encantados e surpresos com o sucesso do seriado. O modo como nossa visão da Baker Street foi aceita pelos espectadores vai além de qualquer coisa que pudéssemos ter imaginado. Mas talvez o aspecto mais gratificante de toda essa aventura tenha sido o número de pessoas que leram as histórias originais de Conan Doyle pela primeira vez. Porque tudo começa com Sir Arthur — o gênio relutante e suas criações acidentalmente imortais. E aqui, em *O retorno de Sherlock Holmes*, você tem realmente algumas de suas melhores histórias. Depois de *As aventuras...*, esta com certeza é a minha coletânea favorita de histórias de Holmes.

Em 1893, cansado de seu sensacionalmente popular detetive, Conan Doyle o fez despencar das quedas de Reichenbach, preso ao tenebroso amplexo do Professor Moriarty. O público ficou pasmo, homens crescidos choraram e Doyle foi agredido nas ruas. Mas nada abalava a pétrea determinação edimburguense do autor. Sherlock Holmes estava definitivamente morto.

Então, em 1902, Doyle publicou *O cão dos Baskerville*, cuja história se passava algum tempo antes da morte de Holmes. O livro se tornou um grande campeão internacional de vendas. A tal ponto que uma editora americana ofereceu uma quantia francamente assombrosa para que ele ressuscitasse o grande homem. Doyle resistiu quanto pôde antes de comunicar sua anuência num telegrama tipicamente lacônico — "Muito bem".

## INTRODUÇÃO

Mas quem esperava que as novas histórias fossem um retorno preguiçoso e relutante à ativa, ficou surpreso e encantado. Reunidos mais tarde com o título de *O retorno de Sherlock Holmes*, esses contos continuam tão frescos quanto uma camada nova de tinta. Em "O construtor de Norwood", "Os homenzinhos dançantes", "Os seis Napoleões" e sobretudo em "Charles Augustus Milverton", encontramos Doyle não apenas no ápice de seus poderes, mas também aparentemente felicíssimo em escrever mais uma vez sobre suas criações. Há um brio alegre, uma irreverência e uma fartura de ótimas ideias à mostra nessas histórias, até em casos mais discretos, como "Os Três Estudantes" e "O três-quartos desaparecido". E talvez não haja alegria maior do que a descarada volta de Sherlock à vida no primeiro conto, "A casa vazia". Sistemas japoneses de luta grafados erroneamente não eram admissíveis, ao menos para a crítica contemporânea. Mas Doyle sabia que a questão não era a mecânica da ressurreição de Sherlock. O público, os milhões de jubilantes leitores, simplesmente o queriam de volta.

Se você acaba de conhecer estas histórias, ou mesmo se vai lê-las de novo, terá momentos maravilhosos. Mas logo descobrirá que amar Sherlock Holmes leva você a fazer coisas improváveis. Um dia, em 2002, eu estava no Centro de TV da BBC, agora tristemente desativado. Enquanto andava pelos intermináveis e tortuosos corredores, eu não pensava muito na grande notícia da semana: que a milhares de quilômetros dali, em Cabul, o odioso regime Talibá havia sido derrubado.

Fui surpreendido pela figura imponente e pela juba branca de ninguém menos que o veterano correspondente da BBC, John Simpson, saindo do elevador, recém-chegado do local da revolução. Eu não conhecia o Sr. Simpson pessoalmente, mas sabia que aquela era uma oportunidade única na vida. Quando ele passou por mim, toquei o seu braço e sussurrei:

— Percebo que esteve no Afeganistão.

Ter Sherlock no sangue pode assumir as formas mais estranhas.

*Mark Gatiss*

*um*
# A CASA VAZIA

Foi na primavera do ano de 1894 que toda a Londres ficou interessada — e o mundo elegante desolado — pelo assassinato do honorável Ronald Adair nas circunstâncias mais incomuns e inexplicáveis. O público já está ciente daqueles detalhes do crime que foram divulgados pela investigação policial; mas muita coisa foi omitida na ocasião, já que os argumentos da acusação eram tão avassaladoramente fortes que não foi necessário apresentar todos os fatos. Somente agora, ao fim de quase dez anos, estou autorizado a fornecer os elos faltantes que formam o todo daquela peculiar cadeia. O crime em si era interessante, mas esse interesse não era nada, para mim, comparado à sua inconcebível consequência, que me proporcionou o maior choque e surpresa entre todos os acontecimentos da minha vida tão cheia de aventuras. Até mesmo agora, depois desse longo intervalo, sinto-me empolgado ao pensar nisso, e volto a experimentar aquela onda repentina de alegria, assombro e incredulidade que submergiu por completo a minha mente. Permitam-me dizer aos membros do público que mostraram algum interesse pelos vislumbres que ocasionalmente forneci das ideias e ações de um homem tão notável que não devem me culpar se não compartilhei com todos o meu conhecimento, pois consideraria fazer isso meu dever primordial, caso não tivesse sido vetado por uma proibição veemente que ouvi dos lábios do próprio, e que somente foi revogada dia 3 do mês passado.

Como se pode imaginar, minha intimidade com Sherlock Holmes fez com que eu me interessasse profundamente pelo mundo do crime, e após seu desaparecimento, nunca deixei de ler com atenção os vários problemas apresentados ao público, e até tentei mais de uma vez, para minha satisfação pessoal, empregar os métodos do homem na solução destes, ainda que com resultados inexpressivos. Não houve nenhum, todavia, que tivesse me interessado mais do que essa tragédia de Ronald Adair. Enquanto eu lia as evidências do inquérito que levavam a um veredicto de homicídio deliberado, imputado a uma ou mais pessoas desconhecidas, dei-me conta, mais claramente do que nunca, da perda sofrida pela comunidade com a morte de Sherlock Holmes. Havia aspectos daquele estranho caso que iriam, eu tinha certeza, atraí-lo sobremaneira, e os esforços da polícia teriam sido suplementados, ou mais provavelmente antecipados, pela observação bem treinada e pela mente alerta do agente criminalístico número um da Europa. O dia todo, a caminho de minhas consultas, eu revirava o caso em minha mente e não encontrava nenhuma explicação que me parecesse adequada. Correndo o risco de fazer um relato pela segunda vez, recapitularei os fatos de que o público foi informado quando da conclusão do inquérito.

O honorável Ronald Adair era o segundo filho do Conde de Maynooth, na época governador de uma das colônias australianas. A mãe de Adair retornara da Austrália para submeter-se a uma operação de catarata, e ela, seu filho Ronald e sua filha Hilda moravam juntos no número 427 da Park Lane. O jovem transitava pelos melhores salões da sociedade e não tinha, até onde se sabia, nenhum inimigo e nenhum vício em especial. Fora noivo da Srta. Edith Woodley, de Carstairs, mas o noivado fora desfeito consensualmente alguns meses antes, e não havia indícios de que algum sentimento profundo resultasse disso. Quanto ao resto, a vida desse homem transcorria num círculo restrito e convencional, pois seus hábitos eram tranquilos e sua natureza, pouco emotiva. No entanto, foi sobre esse jovem e cordial aristocrata que a morte se abateu da forma mais estranha e inesperada entre as 22 horas e as 23h20 de 30 de março de 1894.

Ronald Adair gostava das cartas e jogava continuamente, mas jamais por um cacife que pudesse prejudicá-lo. Era membro dos clubes de carteado Baldwin, Cavendish e Bagatelle.

Ficou provado que após o jantar, na data de sua morte, ele participara de uma rodada de uíste neste último clube. Ele também jogara ali à tarde. Os depoimentos daqueles que estavam à mesa com ele — o Sr. Murray, Sir John Hardy e o Coronel Moran — revelaram que o jogo era uíste e que fora uma partida bastante equilibrada. Adair teria perdido talvez umas cinco libras, não mais do que isso. Sua fortuna era considerável, e tal perda não o afetaria de forma alguma. Ele jogava quase todo dia neste ou naquele clube, mas era um apostador cauteloso, e normalmente saía do jogo quando estava ganhando. Surgiram evidências de que, em parceria com o Coronel Moran, ele chegara a ganhar até 420 libras de Godfrey Milner e do Lorde Balmoral numa partida, algumas semanas antes. Essa era a sua história recente, conforme foi revelada no inquérito.

Na noite do crime, ele voltou do clube exatamente às 22 horas. Sua mãe e sua irmã haviam saído para passar a noite com um parente. A criada depôs dizendo que o ouviu entrar pela sala da frente do segundo andar, geralmente usada como sua sala particular. Ela acendera o fogo ali, e como havia muita fumaça, também abrira a janela. Nenhum som se ouviu da sala até as 23h20, hora do regresso de Lady Maynooth e da filha. Desejando dar boa-noite ao filho, ela tentou entrar em seu quarto. A porta estava trancada por dentro, e não houve resposta aos seus gritos e batidas. Pediu ajuda e a porta foi arrombada. O desventurado jovem foi encontrado no chão, perto da mesa. Sua cabeça fora horrivelmente mutilada por uma bala dundum de revólver, mas nenhuma arma de qualquer tipo foi encontrada no aposento. Sobre a mesa havia duas cédulas de dez libras, e 17 libras e 10 xelins em moedas de prata e ouro, o dinheiro organizado em pilhas de valores variados. Havia também alguns números numa folha de papel, junto com os nomes de alguns amigos do clube, pelo que se conjecturou que antes de sua morte ele estivesse tentando contabilizar suas perdas ou ganhos nas cartas.

Um exame minucioso das circunstâncias só serviu para tornar o caso mais complexo. Para começar, nenhum motivo pôde ser dado para o jovem ter trancado a porta por dentro. Havia a possibilidade de que o assassino tivesse feito isso e depois escapado pela janela. A altura era de mais de seis metros, no entanto, e havia um canteiro de açafrão em flor diretamente embaixo. As flores e a terra não traziam qualquer marca, tampouco a estreita faixa de grama que separava a casa da estrada. Aparentemente, portanto, fora o próprio jovem que trancara a porta. Mas como ele morrera? Ninguém poderia ter escalado até a janela sem deixar marcas. Supondo que um homem tivesse atirado pela janela, somente alguém de pontaria fenomenal poderia infligir um ferimento tão mortal com um revólver. Além disso, a Park Lane é uma via movimentada, e há um ponto de táxi a menos de cem metros da casa. Ninguém ouvira um tiro. No entanto, lá estava o morto, e também a bala de revólver, que se expandira à guisa de cogumelo, como fazem esses projéteis ocos, provocando um ferimento que deve ter causado a morte instantânea. Essas eram as circunstâncias do Mistério de Park Lane, complicadas ainda mais pela total ausência de motivo, já que, como eu disse, não se sabia de qualquer inimigo do jovem Adair, e ninguém tentara levar o dinheiro ou os objetos de valor do aposento.

O dia todo revirei esses fatos em minha mente, tentando chegar a alguma teoria que pudesse reconciliar todos eles e encontrar aquela linha de menor resistência que meu pobre amigo declarava ser o ponto de partida de toda investigação. Confesso que fiz poucos progressos. Ao entardecer, andei pelo parque e me vi, por volta das 18 horas, na extremidade da Park Lane que dá para a Oxford Street. Um grupo de desocupados na calçada, todos olhando para cima, para uma janela em particular, me guiou até a casa que eu fora ver. Um homem alto e magro com óculos coloridos, o qual uma forte suspeita me dizia ser um detetive à paisana, estava apresentando alguma teoria própria, enquanto os outros se apinhavam ao seu redor, escutando o que ele dizia. Cheguei tão perto quanto podia, mas suas observações me pareceram absurdas, por isso me afastei novamente, um tanto revoltado. Ao fazê-lo, esbarrei num homem idoso e encarquilhado que estava atrás de mim e derrubei vários livros que ele carregava. Lembro que, ao pegá-los, observei o título de um deles, *A origem da adoração de árvores*, e supus que o camarada devesse ser algum pobre bibliófilo que, profissionalmente ou como passatempo, colecionava tomos obscuros. Tentei me desculpar pelo incidente, mas era óbvio que aqueles livros, que tão desventuradamente eu maltratara, eram objetos muito preciosos aos olhos do proprietário. Com um rosnado de desprezo, ele deu meia-volta, e vi suas costas encurvadas e costeletas brancas desaparecerem em meio à multidão.

Minhas observações do número 427 da Park Lane pouco ajudaram a esclarecer o problema que me interessava. A casa era separada da rua por um muro baixo e um trilho, tudo com menos de um metro e meio de altura. Seria fácil demais, portanto, para qualquer um entrar no jardim; mas a janela era completamente inacessível, pois não havia nenhum cano, nem nada que pudesse ajudar o homem mais ágil que fosse a escalar. Mais intrigado do que nunca, voltei sobre meus passos até Kensington. Eu não estava no meu consultório nem havia cinco minutos quando a criada entrou para anunciar que uma pessoa desejava me ver. Para meu assombro, era ninguém menos que o meu estranho velhinho colecionador de livros, com seu rosto astuto e enrugado espreitando de uma moldura de cabelo branco, e com seus preciosos volumes, uma dúzia deles pelo menos, metidos debaixo do braço direito.

— Está surpreso em me ver, senhor — ele disse, numa voz estranha e rouca.

Reconheci que estava.

— Bem, tenho uma consciência, senhor, e quando o vi, por acaso, entrar nesta casa, enquanto claudicava em seu encalço, pensei comigo mesmo: vou subir e visitar aquele gentil cavalheiro e lhe dizer que se fui um tanto ríspido em meus modos, não foi por mal, e que sou-lhe muito grato por recolher meus livros.

— Está se incomodando demais por uma bobagem — eu disse. — Posso perguntar como sabia quem eu era?

— Bem, senhor, se não é liberdade em demasia, sou seu vizinho, pois minha pequena livraria fica na esquina da Church Street, e certamente fico muito feliz em vê-lo. Talvez o senhor mesmo também colecione; aqui estão *Aves inglesas*, *Catulo* e *A Guerra Santa*, pechinchas, cada um deles. Com cinco volumes, poderia preencher aquele vão na segunda prateleira. Parece desarrumada, não parece, senhor?

Virei a cabeça para olhar a estante atrás de mim. Quando me virei de novo, Sherlock Holmes estava ali, sorrindo para mim, do outro lado da minha escrivaninha. Pus-me de pé, olhei para ele por alguns segundos, totalmente maravilhado, e então, aparentemente, desmaiei pela primeira e última vez na vida. O certo é que uma névoa cinza se agitou diante dos meus olhos, e quando ela se dissipou, encontrei meu colarinho desabotoado e o gosto residual de *brandy* formigando em meus lábios. Holmes estava debruçado sobre minha poltrona, com seu cantil de bolso na mão.

— Meu caro Watson — disse a voz que eu lembrava tão bem —, devo-lhe mil desculpas. Eu não fazia ideia de que iria afetá-lo dessa forma.

Eu o segurei pelo braço.

— Holmes! — exclamei. — É mesmo você? Pode mesmo estar vivo? É possível que você tenha conseguido escalar aquele abismo pavoroso?

— Um momento! — ele disse. — Tem certeza de que está em condições de conversar? Causei um choque grave com minha aparição desnecessariamente dramática.

— Estou bem; mas de fato, Holmes, mal acredito em meus olhos. Pelos céus, pensar que você, logo você, está aqui, no meu consultório! — Mais uma vez o segurei pela manga e senti seu braço fino e rijo por baixo. — Bem, você não é um espírito, ao que parece — eu disse. — Caro camarada, estou encantado em vê-lo. Sente-se e conte-me como saiu vivo daquele abismo horripilante.

Ele se sentou diante de mim e acendeu um cigarro, à sua maneira displicente de sempre. Estava usando o casaco puído do livreiro, mas o resto daquele indivíduo jazia numa pilha de cabelos brancos e livros velhos sobre a mesa. Holmes parecia ainda mais magro e alerta do que de costume, mas o cadavérico tom pálido de seu rosto aquilino me dizia que sua vida não andava saudável recentemente.

— Fico feliz em poder me alongar, Watson — ele disse. — Não é brincadeira, para um sujeito alto, ter que reduzir sua estatura em trinta centímetros por várias horas a fio. Agora, caro colega, quanto a essas explicações, temos, se eu puder pedir sua colaboração, uma noite de trabalho duro e perigoso pela frente. Talvez fosse melhor que eu relatasse toda a situação depois que esse trabalho terminasse.

— Estou cheio de curiosidade. Preferiria muito ouvi-la agora.

— Você irá comigo esta noite?

— Quando você quiser e aonde você quiser.

— É, de fato, como antigamente. Temos tempo para abocanhar o jantar antes de irmos. Pois bem, então, sobre aquele abismo. Não tive grandes dificuldades para sair dele pelo simples motivo de que jamais estive nele.

— Jamais esteve nele?

— Jamais, Watson, jamais estive nele. Meu bilhete para você era absolutamente genuíno. Eu pouco duvidava de que havia chegado ao final da minha carreira quando percebi a figura um tanto sinistra do falecido Professor Moriarty obstruindo o estreito caminho que levava à salvação. Li um propósito inexorável em seus olhos cinzentos. Assim, troquei algumas palavras com ele e obtive sua cortês permissão para escrever o curto bilhete que você receberia depois. Deixei o papel junto com minha cigarreira e minha bengala e andei pela trilha, com Moriarty ainda atrás de mim. Quando cheguei ao final dela, mantive a distância. Ele não puxou nenhuma arma, mas correu na minha direção e lançou seus longos braços ao meu redor. Moriarty sabia que tudo estava acabado para ele, e sua única vontade era vingar-se de mim. Cambaleamos juntos à beira do precipício. Tenho algum conhecimento, porém, de *baritsu*, o sistema japonês de luta, que mais de uma vez me foi muito útil. Desvencilhei-me de seus braços, e ele, com um grito horrível, esperneou loucamente por alguns segundos e tentou agarrar-se ao ar com ambas as mãos. Mas mesmo com todo o seu esforço, não conseguiu recuperar o equilíbrio e caiu. Com o rosto debruçado sobre a borda, eu o vi cair por muito tempo. Então ele bateu numa pedra e foi lançado para a água.

Eu ouvi com assombro essa explicação, que Holmes proferiu entre baforadas do seu cigarro.

— Mas as pegadas! — exclamei. — Vi com meus próprios olhos que dois pares delas seguiam pela trilha e nenhum voltava.

— Aconteceu assim: no instante em que o professor desapareceu, percebi a extraordinária e afortunada oportunidade que o destino pusera em meu caminho. Eu sabia que Moriarty não era o único homem que me jurara de morte. Havia pelo menos três outros cujo desejo de vingança sobre mim só aumentaria com a morte do seu líder. Todos eram homens muito perigosos. Um ou outro certamente me alcançaria. Por outro lado, se o mundo todo acreditasse que eu estava morto, eles tomariam liberdades, esses homens; baixariam a guarda, e cedo ou tarde eu poderia destruí-los. Só então seria o momento de anunciar que eu continuava entre os vivos. O cérebro trabalha tão rápido que acredito que pensei em tudo isso antes que o Professor Moriarty chegasse ao fundo das quedas de Reichenbach.

"Eu me levantei e examinei a parede rochosa atrás de mim. Em seu pitoresco relato do caso, que li com grande interesse alguns meses depois, você afirma que a parede era nua. Isso não era literalmente verdade. Umas pequenas reentrâncias se apresentavam, e havia alguma indicação de laje. O penhasco é tão alto que escalá-lo todo era uma impossibilidade óbvia, e seria igualmente impossível caminhar pela trilha molhada sem deixar algum rastro. Eu poderia, é verdade, ter calçado minhas botas ao contrário, como já fiz em ocasiões parecidas, mas a visão de três pares de pegadas numa só direção certamente sugeriria uma fraude. De maneira geral, portanto, era melhor que eu me arriscasse na escalada. Não foi uma empreitada agradável, Watson. O precipício rugia abaixo de mim. Não sou uma pessoa fantasiosa, mas dou minha palavra de que eu parecia ouvir a voz de Moriarty gritando comigo do abismo. Um erro teria sido fatal. Mais de uma vez, quando tufos de grama se soltaram na minha mão ou meu pé escorregou nas protuberâncias úmidas da rocha, pensei que fosse ser meu fim. Mas lutei para subir, e finalmente cheguei a uma laje com poucos metros de largura, coberta de musgo verde e macio, onde poderia me deitar com total conforto sem ser visto. Lá estava eu estendido, enquanto você, meu caro Watson, e todo o seu séquito investigavam da forma mais solidária e ineficiente as circunstâncias da minha morte.

"Finalmente, depois de chegar às suas inevitáveis e totalmente errôneas conclusões, vocês todos partiram para o hotel, e eu fiquei sozinho. Imaginava ter chegado ao fim das minhas aventuras, mas uma ocorrência deveras inesperada me mostrou que ainda havia surpresas reservadas para mim. Uma grande pedra, caindo do alto, passou ao meu lado com estrondo, bateu na trilha e repicou para o abismo. Por um instante, achei que tivesse sido um acidente, mas um momento depois, olhando para cima, vi a cabeça de um homem recortada no céu que escurecia, e outra pedra atingiu a própria laje sobre a qual eu me estendia, batendo a menos de meio metro da minha cabeça. Naturalmente, o significado disso era óbvio. Moriarty não viera sozinho. Um comparsa — e mesmo vê-lo de relance me revelara quão perigoso ele era — montava guarda enquanto o professor me atacava. A distância, sem ser visto por mim, ele testemunhara a morte do amigo e a minha fuga. Ele esperara, e então, dando a volta até o topo do penhasco, tentara lograr êxito onde seu camarada fracassara.

"Não demorei muito a pensar nisso, Watson. Mais uma vez, vi aquele rosto macabro olhando do alto e soube que ele precedia mais uma pedra. Desci rapidamente até a trilha. Acho que não conseguiria ter feito isso a sangue-frio. Foi mil vezes mais difícil do que subir. Mas não tive tempo para pensar no perigo, pois outra pedra passou voando por mim enquanto eu me segurava na borda da laje com as mãos. No meio da descida, escorreguei, mas com a graça de Deus pousei, arranhado e sangrando, na trilha. Passei sebo nas canelas, percorri mais de quinze quilômetros sobre as montanhas na escuridão, e, uma semana depois, me vi em Florença, com a certeza de que ninguém no mundo sabia o que me acontecera.

"Eu só tinha um confidente — o meu irmão, Mycroft. Devo muitas desculpas a você, meu caro Watson, mas era de vital importância que todos me considerassem morto, e com certeza você não teria escrito um relato tão convincente sobre meu desventurado fim se também não pensasse que era verdade. Várias vezes, nestes últimos três anos, lancei mão da pena para lhe escrever, mas sempre temi que sua afeição por mim pudesse tentá-lo a cometer alguma indiscrição que traísse o meu segredo. Por esse motivo lhe dei as costas hoje à tarde, quando você derrubou meus livros, pois eu estava em perigo, naquele momento, e qualquer demonstração sua de surpresa e emoção poderia ter chamado atenção para a minha identidade, levando a resultados assaz deploráveis e irreparáveis. Quanto a Mycroft, precisava confidenciar-me com ele para obter o dinheiro de que necessitava. A sequência dos acontecimentos em Londres não correu tão bem quanto eu esperava, pois o julgamento da quadrilha de Moriarty deixou dois de seus membros mais perigosos, e meus inimigos mais vingativos, em liberdade. Viajei por dois anos pelo Tibete, portanto, e me diverti visitando Lhasa e passando alguns dias com o Dalai Lama. Talvez você tenha lido sobre as notáveis explorações de um norueguês chamado Sigerson, mas tenho certeza de que nunca ocorreu a você estar recebendo notícias deste seu amigo. Passei, então, pela Pérsia, visitei Meca e fiz uma breve, porém interessante, visita ao califa de Cartum, cujos resultados comuniquei ao Ministério do Exterior. Regressando à França, passei alguns meses às voltas com uma pesquisa sobre derivados do alcatrão da hulha, que conduzi num laboratório em Montpellier, no sul daquele país. Depois de concluí-la a meu contento, e ser informado de que só restava um dos meus inimigos em Londres, eu estava prestes a voltar, quando minhas ações foram apressadas pela notícia desse notável Mistério da Park Lane, que não apenas me atraía por seus próprios méritos, mas parecia oferecer algumas oportunidades pessoais bastante peculiares. Vim imediatamente para Londres, visitei a mim mesmo na Baker Street, causando na Sra. Hudson um violento ataque histérico, e descobri que Mycroft preservara meus aposentos e documentos exatamente como sempre estiveram. E foi assim, meu caro Watson, que às 14 horas de hoje me vi em minha velha poltrona, na minha velha sala, desejando apenas poder ver meu velho amigo Watson na outra poltrona, que ele tão amiúde adornava."

Essa foi a notável narrativa que ouvi naquela tarde de abril — uma narrativa que teria sido completamente inacreditável, para mim, não fosse confirmada pela visão da própria figura alta e magra e de rosto astuto e sôfrego que pensei nunca mais fosse ver de novo. De alguma forma, ele soubera de minha própria triste desolação, e sua solidariedade transpareceu mais em suas atitudes do que em suas palavras.

— O trabalho é o melhor antídoto para o sofrimento, meu caro Watson — ele disse —, e tenho cá um trabalho para nós dois esta noite que, se puder ser levado a bom termo, por si só já justifica a vida de um homem neste planeta. — Em vão implorei que me contasse mais. — Você ouvirá e verá o suficiente antes do amanhecer — ele respondeu. — Temos três anos do passado para discutir. Que isso baste até 21h30, quando começaremos a notável aventura da casa vazia.

Foi, de fato, como nos velhos tempos quando, naquela hora, me vi sentado ao lado dele num *hansom*, com meu revólver no bolso e o êxtase da aventura no coração. Holmes estava frio, sério e silencioso. Quando o brilho dos lampiões da rua iluminou seus traços austeros, vi que seu cenho estava franzido em reflexão, e seus lábios finos, apertados. Eu não sabia que fera selvagem estávamos prestes a caçar na floresta escura da Londres criminosa, mas tinha certeza, pela expressão desse mestre da caçada, que a aventura seria muito perigosa, e o sorriso sardônico que ocasionalmente rompia sua sisudez ascética era um mau presságio para o objeto de nossa busca.

Eu imaginava que iríamos para a Baker Street, mas Holmes parou o táxi no ângulo da Cavendish Square. Observei que, ao descer, ele lançou um olhar minucioso para a direita e a esquerda, e a cada esquina, depois disso, tomava o máximo cuidado para certificar-se de que não estava sendo seguido. Nosso itinerário era certamente singular. O conhecimento de Holmes dos becos de Londres era extraordinário, e nessa ocasião ele atravessou rapidamente, e com passo firme, uma rede de estrebarias e estábulos que eu jamais sequer soubera que existiam. Emergimos, finalmente,

# A CASA VAZIA

numa pequena estrada, ladeada por casas velhas e sombrias, que nos levou à Manchester Street, e de lá seguimos para a Blandford Street. Ali ele enveredou velozmente por uma passagem estreita, saindo, através de uma cancela de madeira, num pátio deserto, e com uma chave, abriu a porta dos fundos de uma casa. Entramos juntos, e ele a fechou atrás de nós.

O lugar estava escuro como breu, mas era evidente, para mim, tratar-se de uma casa vazia. Nossos pés rangiam e estalavam sobre o assoalho nu, e minha mão estendida tocou uma parede cujo papel pendia rasgado em tiras. Os dedos frios e finos de Holmes se fecharam em volta do meu pulso e me conduziram por um longo corredor, até que avistei indistintamente a luz baça que saía pela bandeira acima de uma porta. Ali Holmes virou de súbito para a direita, e nos encontramos numa sala grande, quadrada e vazia, com cantos muito escuros, mas fracamente iluminada no centro pelas luzes da rua. Não havia nenhuma lâmpada por perto, e uma espessa camada de poeira cobria a janela, de modo que só podíamos distinguir a silhueta um do outro lá dentro. Meu colega pôs a mão no meu ombro e encostou os lábios no meu ouvido.

— Sabe onde estamos? — ele murmurou.

— Com certeza, esta é a Baker Street — respondi, olhando pela janela embaçada.

— Exatamente. Estamos na Camden House, que fica bem em frente ao nosso antigo quartel-general.

— Mas por que estamos aqui?

— Porque ela tem uma vista excelente daquele pitoresco edifício. Posso pedir, meu caro Watson, que chegue mais perto da janela, tomando todo o cuidado para não se mostrar, e então olhe para cima, para nossos antigos aposentos — o ponto de partida de tantas das nossas pequenas aventuras? Veremos se meus três anos de ausência tiraram-me por completo o poder de surpreender você.

Eu me esgueirei para a frente e olhei para o outro lado da rua, na direção daquela janela familiar. Quando pus os olhos nela, soltei um suspiro e uma exclamação de assombro. A veneziana estava fechada, e uma luz forte ardia no quarto. A sombra de um homem sentado numa poltrona era projetada em contorno nítido e escuro sobre a tela luminosa da janela. Não havia como não reconhecer a postura da cabeça, o ângulo dos ombros, a definição dos traços. O rosto estava virado parcialmente de lado, e o efeito era o mesmo de uma daquelas silhuetas negras que nossos avós adoravam emoldurar. Era uma reprodução perfeita de Holmes. Tão estarrecido fiquei que estendi a mão para me assegurar de que o próprio continuava ao meu lado. Ele se agitava com um riso silencioso.

— E então? — ele perguntou.

— Pelos céus! — exclamei. — É maravilhoso.

— Acredito que a idade não murchou, nem o hábito mofou minha infinita variedade — ele disse, e reconheci em sua voz a alegria e o orgulho que o artista sente pela própria criação. — Realmente se parece um pouco comigo, não?

— Eu estaria disposto a jurar que era você.

— O crédito da execução vai para Monsieur Oscar Meunier, de Grenoble, que passou alguns dias fazendo o molde. É um busto de cera. O resto, eu mesmo preparei, durante minha visita a Baker Street hoje à tarde.

— Mas por quê?

— Porque, meu caro Watson, eu tinha os mais fortes motivos possíveis para desejar que certas pessoas pensassem que era eu ali, quando na realidade eu estava em outro lugar.

— E você achava que os aposentos estavam sendo vigiados?

— Eu *sabia* que eles estavam sendo vigiados.

— Por quem?

— Pelos meus velhos inimigos, Watson. Pela encantadora sociedade cujo líder jaz no fundo das quedas de Reichenbach. Você precisa lembrar que eles sabiam, e eram os únicos que sabiam, que eu ainda estava vivo. Cedo ou tarde, acreditavam que eu voltaria aos meus aposentos. Vigiavam-nos continuamente, e esta manhã me viram chegar.

— Como você sabe?

— Porque reconheci a sentinela deles quando dei uma olhada pela minha janela. É um sujeito bastante inofensivo, chamado Parker, magarefe por profissão e notável tocando a guimbarda. Eu nem me importava com ele. Mas me importava sobremaneira com a pessoa muito mais formidável que estava por trás dele, o amigo do peito de Moriarty, o homem que jogou as pedras do penhasco, o criminoso mais astuto e perigoso de Londres. Esse é o homem que está atrás de mim esta noite, Watson, e que nem desconfia que estamos atrás *dele*.

Os planos do meu amigo aos poucos iam se revelando. Daquele refúgio conveniente, os observadores estavam sendo observados, e os rastreadores, rastreados. Aquela sombra angular lá em cima era a isca, e nós, os caçadores. Em silêncio ficamos na escuridão, observando as figuras apressadas que iam e vinham diante de nós. Holmes permanecia silencioso e imóvel; mas eu percebia que ele estava intensamente alerta, e que seus olhos vigiavam fixamente o rio de transeuntes. Era uma noite esquálida e tempestuosa, e o vento silvava alto pela longa rua. Muitas pessoas iam de um lado para o outro, a maioria metida em casacos e cachecóis. Uma ou duas vezes pareceu-me ter visto a mesma figura mais de uma vez, e notei sobretudo os dois homens que pareciam estar se abrigando do vento na soleira de uma casa, a alguma distância rua acima. Tentei chamar a atenção do meu colega para eles, mas Holmes reagiu com uma pequena exclamação de impaciência e continuou a fitar a rua. Mais de uma vez remexeu os pés e tamborilou rapidamente com os dedos na parede. Era evidente, para mim, que ele começava a ficar desconfortável e que seus planos não estavam correndo exatamente como esperava. Por fim, com a meia-noite se aproximando e a rua ficando mais deserta, ele começou a andar pela sala, numa agitação incontrolável. Eu ia fazer algum comentário, quando ergui o olhar para a janela iluminada e mais uma vez tive uma surpresa quase tão grande quanto a primeira. Segurei o braço de Holmes e apontei para cima.

— A sombra se moveu! — exclamei.

De fato, não era mais seu perfil, mas suas costas que estavam viradas para nós.

Três anos certamente não suavizaram as asperezas do temperamento do meu amigo, nem sua impaciência com uma inteligência menos ativa do que a sua.

— É claro que se moveu — ele disse. — Sou um paspalhão tão atrapalhado, Watson, a ponto de construir um boneco óbvio e esperar que alguns dos homens mais perspicazes da Europa sejam enganados por ele? Estamos nesta sala há duas horas, e a Sra. Hudson fez mudanças naquele manequim oito vezes, uma a cada quarto de hora, manipulando-o pela frente, para que a sombra dela nunca seja vista. Ah! — Ele inspirou bruscamente, empolgado. À luz fraca, vi sua cabeça projetar-se para a frente, toda a sua postura enrijecida pela atenção. Talvez os dois homens ainda estivessem agachados na soleira, mas eu não conseguia mais vê-los. Tudo estava imóvel e escuro, menos aquela tela amarela brilhante diante de nós, com a figura negra recortada em seu meio. Mais uma vez, no silêncio total, ouvi aquela nota aguda e sibilante que revelava uma empolgação intensa e contida. Um instante depois, ele me puxou de volta para o canto mais escuro da sala, e senti sua mão sobre meus lábios, acautelando-me. Os dedos que me seguravam estavam trêmulos. Jamais vira

# O RETORNO DE SHERLOCK HOLMES

meu amigo tão agitado; no entanto, a rua escura continuava deserta e imóvel diante de nós.

Mas de repente percebi o que seus sentidos mais aguçados já haviam discernido. Um som baixo e sutil chegou aos meus ouvidos, não da direção da Baker Street, mas dos fundos da própria casa onde nos escondíamos. Uma porta se abriu e se fechou. Um instante depois, passos vieram do corredor — passos que pretendiam ser silenciosos, mas que reverberavam asperamente pela casa vazia. Holmes agachou-se contra a parede e eu fiz o mesmo, fechando a mão sobre o cabo do meu revólver. Observando a penumbra, vi o contorno vago de um homem, um pouco mais escuro do que a escuridão da porta aberta. Ele parou por um instante e depois avançou, abaixado, ameaçador, sala adentro. Estava a três metros de nós, essa figura sinistra, e eu me preparava para fazer frente ao seu ataque, quando percebi que ele não fazia ideia da nossa presença. Passou muito perto de nós, esgueirou-se até a janela, e mui delicada e silenciosamente ergueu-a quinze centímetros. Ao abaixar-se para essa abertura, a luz da rua, não mais diminuída pelo vidro empoeirado, banhou em cheio o seu rosto. O homem mal parecia capaz de conter a empolgação. Seus olhos brilhavam como estrelas, e seus traços agitavam-se convulsivamente. Era um ancião, com um nariz fino e adunco, testa alta e calva e bigode grisalho. Uma cartola cobria-lhe a nuca, e a frente de sua camisa elegante brilhava através do sobretudo aberto. Seu rosto era magro e escuro, vincado por rugas profundas e selvagens. Na mão ele trazia o que parecia ser uma bengala, mas quando a pôs no chão, ela emitiu um ruído metálico. Então, do bolso do sobretudo, ele puxou um objeto volumoso e ocupou-se com alguma tarefa que culminou num estalo alto e agudo, como se uma mola ou trava tivesse sido engatilhada. Ainda ajoelhado no chão, ele se curvou para a frente e jogou todo o seu peso e sua força sobre alguma alavanca, resultando num longo som mecânico que acabou mais uma vez com um potente estalo. Ele se endireitou, então, e vi que aquilo que ele segurava era uma espécie de arma, com um cabo curiosamente deformado. Ele abriu a culatra, pôs algo no tambor e a engatilhou. Então, agachando-se, apoiou a ponta do cano na sacada da janela aberta, e vi seu longo bigode cobrir a coronha e seu olho brilhar ao alinhar-se com a alça de mira. Ouvi um breve suspiro de satisfação quando ele posicionou o cabo contra o ombro, divisando aquele alvo assombroso, a figura negra sobre o fundo amarelo, claramente em sua mira. Por um instante, o homem ficou rígido e imóvel. Então seu dedo apertou o gatilho. Houve um estranho assobio ruidoso e um prolongado tilintar de vidros partidos. Naquele instante, Holmes saltou como um tigre nas costas do atirador e o jogou de bruços no chão. Ele se levantou num instante, e com força convulsiva agarrou Holmes pela garganta; mas eu o atingi na cabeça com a coronha do meu revólver, e mais uma vez o homem desabou no chão. Joguei-me em cima dele, e enquanto o segurava, meu camarada deu um agudo alarme com um apito. Ouviram-se pés correndo pela rua, e dois policiais uniformizados, com um detetive à paisana, irromperam pela porta da rua e entraram na sala.

—- É você, Lestrade? — perguntou Holmes.

— Sim, Sr. Holmes, eu mesmo assumi o caso. É bom vê-lo de volta a Londres, senhor.

— Acho que está precisando de um pouco de ajuda extra-oficial. Três assassinatos não resolvidos em um ano é algo inadmissível, Lestrade. Mas você cuidou do Mistério de Molesey sem sua costumeira... quero dizer, cuidou dele muito bem.

Todos estávamos de pé, nosso prisioneiro ofegante, com um robusto agente policial de cada lado. Alguns desocupados já haviam começado a se reunir na rua. Holmes foi até a janela, fechou-a e cerrou a veneziana. Lestrade arranjara duas velas, e os policiais descobriram suas lanternas. Pude finalmente ver bem nosso prisioneiro.

Era um rosto tremendamente viril, porém sinistro, que estava diante de nós. Encimado pela testa de um filósofo e terminando na mandíbula de um sensualista, aquele homem decerto tinha, de início, grandes capacidades para o bem ou para o mal. Mas era impossível olhar seus cruéis olhos azuis, com as pálpebras cínicas e semicerradas, ou seu nariz ferino e agressivo e o cenho ameaçador e vincado sem ler os mais evidentes sinais de perigo da natureza. Ele não dava atenção a nenhum de nós, mas seus olhos estavam pregados no rosto de

Holmes, com uma expressão na qual via-se um misto equânime de ódio e assombro.

— Seu canalha — ele murmurava sem parar —, esperto, esperto canalha!

— Ah, coronel — disse Holmes, ajeitando o colarinho amarfanhado —, as jornadas terminam no encontro dos amantes, como diz o antigo drama. Acho que não tenho o prazer de vê-lo desde que me favoreceu com sua atenção, enquanto eu jazia na laje acima das quedas de Reichenbach.

O coronel continuava fitando o meu amigo como um homem enfeitiçado.

— Astuto, astuto canalha! — era tudo o que ele conseguia dizer.

— Ainda não o apresentei — disse Holmes. — Este, cavalheiros, é o Coronel Sebastian Moran, anteriormente do Exército Indiano de Sua Majestade, e o melhor caçador de grandes feras que nosso Império Oriental já produziu. Acredito que estou correto, coronel, em dizer que sua contagem de tigres continua sem rival?

O velho furibundo não disse nada, mas continuou fitando o meu colega; com seus olhos selvagens e bigode eriçado, ele próprio lembrava maravilhosamente um tigre.

— Eu me pergunto como meu simples estratagema pôde enganar tão velho *shikari* — disse Holmes. — O truque deve ser bastante familiar ao senhor. Nunca pendurou um cabritinho em uma árvore, postou-se em cima dela com seu rifle e esperou que a isca trouxesse seu tigre? Esta casa vazia é minha árvore, e o senhor é meu tigre. Possivelmente, o senhor teria outros atiradores postados, para o caso de aparecerem vários tigres, ou na improvável hipótese de o senhor mesmo errar a mira. Estes — ele apontou ao seu redor — são meus outros atiradores. O paralelo é exato.

O Coronel Moran saltou para a frente com um rosnado de raiva, mas os policiais o seguraram. A fúria em seu rosto era terrível de se contemplar.

— Confesso que o senhor me fez uma pequena surpresa — disse Holmes. — Eu não antecipei que o senhor mesmo faria uso desta casa vazia e desta conveniente janela. Imaginei que agiria da rua, onde meu amigo Lestrade e seus alegres camaradas o aguardavam. À parte isso, tudo correu como eu esperava.

O Coronel Moran se virou para o detetive oficial.

— O senhor pode ou não ter motivos justificados para me prender — ele disse —, mas ao menos não há razão alguma para que eu seja submetido às galhofas desta pessoa. Se estou nas mãos da lei, que tudo seja feito de forma legal.

— Bem, isso é aceitável — disse Lestrade. — Não tem mais nada a declarar, Sr. Holmes, antes que partamos?

Holmes havia pegado do chão a poderosa arma de pressão e estava examinando o mecanismo.

— Um armamento admirável e singular — ele disse —, silencioso e tremendamente potente. Conheci Von Herder, o mecânico alemão cego, que o construiu sob encomenda para o falecido Professor Moriarty. Há anos eu sabia de sua existência, embora jamais pudesse tê-lo segurado nas mãos. Recomendo que preste especial atenção nele, Lestrade, e também nos projéteis que usa.

— Pode ter certeza de que verificaremos isso, Sr. Holmes — disse Lestrade, enquanto todos se dirigiam à porta. — Tem mais algo a dizer?

— Apenas perguntar que acusação pretende usar?

— Que acusação, senhor? Ora, naturalmente, a tentativa de assassinato do Sr. Sherlock Holmes.

— Isso não, Lestrade. Não pretendo aparecer de forma alguma neste caso. A você, e somente a você, pertence o crédito pela prisão notável que efetuou. Sim, Lestrade, meus parabéns! Com sua costumeira mistura feliz de sagacidade e audácia, você o pegou.

— Peguei! Peguei quem, Sr. Holmes?

— O homem que toda a força policial tem procurado em vão — o Coronel Sebastian Moran, que atingiu o honorável Ronald Adair com uma bala dundum disparada de uma arma de pressão através da janela aberta do segundo andar do número 427 da Park Lane, no dia 30 do mês passado. Essa é a acusação, Lestrade. E agora, Watson, se você for capaz de suportar a corrente de ar de uma janela quebrada, acho que meia hora no meu escritório com um charuto poderá lhe proporcionar uma diversão proveitosa.

Nossos velhos aposentos haviam permanecido intocados, graças à supervisão de Mycroft Holmes e aos cuidados imediatos da Sra. Hudson. Ao entrar, vi, é verdade, uma ordem incomum, mas os velhos marcos estavam todos em seus lugares. Lá estavam o canto do laboratório químico e a mesa com tampo de pinho manchado por ácido. Sobre uma prateleira estava a fileira de formidáveis cadernos de recortes e volumes de referência que muitos de nossos concidadãos teriam ficado tão felizes em queimar. Os diagramas, o estojo do violino e o suporte dos cachimbos — até a chinela persa que continha o tabaco —, tudo saltava-me aos olhos enquanto eu olhava ao redor. Havia duas figuras na sala — uma era a Sra. Hudson, que nos recebeu a ambos com um largo sorriso quando entramos; a outra, o estranho boneco que tivera um papel tão importante nas aventuras daquela noite. Tratava-se de um modelo cor de cera do meu amigo, tão admiravelmente realizado que era um perfeito fac-símile. Estava sobre uma mesinha, enrolado num velho roupão de Holmes, de tal forma que da rua a ilusão era absolutamente perfeita.

— Espero que tenha observado todas as precauções, Sra. Hudson — disse Holmes.

— Cheguei perto dele de joelhos, senhor, como mandou.

— Excelente. Cumpriu sua parte muito bem. Observou aonde a bala foi?

— Sim, senhor. Infelizmente, estragou seu belo busto, pois atravessou a cabeça e se achatou na parede. Eu a recolhi do tapete. Aqui está!

Holmes mostrou-a para mim.

## A CASA VAZIA

— Uma bala de revólver de ponta oca, como pode observar, Watson. Há genialidade nisso — pois quem esperaria que tal coisa fosse disparada por uma arma de pressão? Muito bem, Sra. Hudson, fico imensamente grato por sua assistência. E agora, Watson, ocupe mais uma vez seu velho assento, pois há vários aspectos que eu gostaria de discutir com você.

Ele despira seu casaco puído, e agora era o Holmes de antigamente, usando o roupão cinza-rato que tirara de sua efígie.

— Os nervos do velho *shikari* não perderam sua firmeza, tampouco seus olhos a acuidade — ele disse rindo, ao inspecionar a testa destruída do busto. — Entrou perpendicularmente pelo meio da nuca e atravessou o cérebro. Ele era o melhor atirador da Índia, e imagino que haja poucos melhores em Londres. Já tinha ouvido falar dele?

— Não, nunca ouvi.

— Bem, bem, assim é a fama! Por outro lado, se bem me lembro, você não tinha ouvido o nome do Professor James Moriarty, que possuía um dos melhores cérebros do século. Alcance-me o índice bibliográfico ali na prateleira.

Ele virou as páginas preguiçosamente, recostando-se em sua poltrona e soprando grandes baforadas de fumaça do seu charuto.

— Minha coleção da letra M é excelente — ele disse. — O próprio Moriarty bastaria para tornar qualquer letra ilustre, e aqui estão Morgan, o envenenador, Merridew, de abominável memória, Mathews, que arrancou meu canino esquerdo na sala de espera de Charing Cross, e, finalmente, eis o nosso amigo desta noite.

Ele me entregou o volume e eu li:

— *Moran, Sebastian, Coronel.* Desempregado. Pertenceu ao Primeiro Batalhão de Pioneiros de Bengalore. Nascido em Londres em 1840. Filho de Sir Augustus Moran, Cavaleiro de Bath, Ex-Ministro britânico na Pérsia. Estudou em Eton e Oxford. Serviu nas campanhas de Jowaki e afegã, em Charasiab (despachos), Sherpur e Cabul. Autor de *Caçando grandes feras nos himalaias ocidentais*, 1881; *Três meses na selva*, 1884. Endereço: Conduit Street. Clubes: Anglo-Indiano, Tankerville, Clube de Carteado Bagatelle.

Na margem estava escrito, com a caligrafia precisa de Holmes: "O segundo homem mais perigoso de Londres".

— É assombroso — eu disse, devolvendo o volume. — A carreira do sujeito é a de um soldado honrado.

— É verdade — Holmes respondeu. — Até certo ponto, ele viveu bem. Sempre foi um homem com nervos de aço, e na Índia ainda se conta a história de como ele rastejou para dentro de um bueiro atrás de um tigre ferido que havia devorado um homem. Existem algumas árvores, Watson, que crescem até uma certa altura e então desenvolvem de repente alguma excentricidade repulsiva. Você vê isso amiúde em humanos. Tenho uma teoria de que o indivíduo representa em seu desenvolvimento toda a procissão de seus ancestrais, e que uma tal mudança repentina para o bem ou para o mal indica alguma forte influência que interferiu em sua linhagem. A pessoa se torna, de fato, a epítome da história de sua própria família.

— Certamente é uma teoria um tanto fantasiosa.

— Bem, não insisto nela. Seja qual for a causa, o Coronel Moran começou a agir errado. Mesmo sem nenhum escândalo escancarado, tornou-se *persona non grata* na Índia. Reformou-se, veio para Londres, e novamente adquiriu má reputação. Foi nessa época que ele foi procurado pelo Professor Moriarty, para quem trabalhou como chefe de operações durante algum tempo. Moriarty dava-lhe dinheiro liberalmente, e só o usou em um ou dois serviços de alto nível, que nenhum criminoso comum poderia ter realizado. Talvez você se lembre da morte da Sra. Stewart, de Lauder, em 1887. Não? Bem, tenho certeza de que Moran estava por trás dela; porém, nada pôde ser provado. Tão habilmente o coronel se ocultava que até quando a quadrilha de Moriarty foi desmantelada, não pudemos incriminá-lo. Lembra, naquela ocasião, quando visitei você em seus aposentos, como fechei as folhas das janelas por medo de armas de pressão? Sem dúvida você pensou que fosse uma fantasia minha. Eu sabia exatamente o que estava fazendo, pois estava ciente da existência dessa arma formidável, e também sabia que um dos melhores atiradores do mundo a usaria. Quando estivemos na Suíça, ele nos seguiu com Moriarty, e sem dúvida foi ele que me proporcionou aqueles péssimos cinco minutos sobre a laje de pedra em Reichenbach.

"Você pode ter certeza de que li os jornais com alguma atenção durante minha estada na França, em busca de qualquer oportunidade de deitar as mãos nele. Enquanto ele estivesse à solta em Londres, minha vida não valeria muito a pena ser vivida. Noite e dia, sua sombra estaria sobre mim, e cedo ou tarde sua oportunidade chegaria. O que eu podia fazer? Não podia atirar nele se o visse, ou eu mesmo iria parar no xadrez. Nem adiantaria apelar para algum magistrado. Eles não poderiam interferir com base no que lhes pareceria uma suspeita tresloucada. Portanto, eu não podia fazer nada. Mas vigiei o noticiário criminal, sabendo que cedo ou tarde eu o pegaria. Então aconteceu a morte desse Ronald Adair. Minha oportunidade finalmente chegara! Sabendo o que eu sabia, não era uma certeza que o culpado fosse o Coronel Moran? Ele jogara cartas com o rapaz; seguira-o até sua casa desde o clube; atirara nele pela janela aberta. Não restava dúvida. Só os projéteis já seriam suficientes para meter seu pescoço na forca. Fui para lá imediatamente. Fui visto pelo vigia, que iria, eu sabia, chamar a atenção do coronel para a minha presença. Ele não deixaria de associar minha volta repentina com seu crime e de ficar terrivelmente alarmado. Eu tinha certeza de que ele tentaria tirar-me do caminho *sem demora*, e que traria sua arma assassina com essa finalidade. Deixei um excelente alvo para ele na janela e, depois de avisar a polícia de que poderia precisar dela — a propósito, Watson, você avistou os agentes naquela soleira com precisão infalível —, assumi o que me parecia ser um posto judicioso de observação, nem sonhando que ele escolheria o mesmo lugar para desferir seu ataque. Bem, meu caro Watson, ainda resta algo por explicar?"

— Sim — eu disse. — Você não deixou claro qual o motivo do Coronel Moran para assassinar o honorável Ronald Adair.

— Ah! Caro Watson, aí entramos naquele território da conjectura no qual a mente mais lógica está sujeita a falhar. Cada um pode formular sua própria hipótese sobre os presentes acontecimentos, e a sua tem tanta probabilidade de estar correta quanto a minha.

— Você formulou uma, então?

— Acho que não é difícil explicar os fatos. Descobriu-se pelos depoimentos que o Coronel Moran e o jovem Adair ganharam juntos uma quantia considerável. Bem, Moran indubitavelmente roubava no jogo, disso eu tinha ciência havia muito tempo. Acredito que, no dia do assassinato, Adair descobrira que Moran trapaceava. Muito provavelmente, falou com Moran em particular e ameaçou denunciá-lo caso ele não deixasse voluntariamente de ser membro do clube e não prometesse parar de jogar cartas. É improvável que um jovem como Adair fizesse de imediato um escândalo pavoroso, denunciando um homem muito conhecido e tão mais velho do que ele. Provavelmente, ele agiu conforme descrevi. A exclusão dos seus clubes significaria a ruína para Moran, que vivia de suas vitórias fraudulentas nas cartas. Portanto, ele assassinou

Adair enquanto este estava tentando calcular quanto dinheiro ele próprio deveria devolver, já que não queria lucrar com as trapaças do parceiro. Ele trancou a porta para que as damas não o flagrassem e não insistissem em saber o que ele estava fazendo com aqueles nomes e moedas. Acha passável?

— Não tenho dúvidas de que você descobriu a verdade.

— Isso será comprovado ou descartado no julgamento. Enquanto isso, haja o que houver, o Coronel Moran não nos criará mais problemas, a famosa arma de pressão de Von Herder enfeitará o Museu da Scotland Yard, e mais uma vez o Sr. Sherlock Holmes estará livre para devotar sua vida a examinar aqueles probleminhas interessantes que a complexa vida londrina apresenta com tanta abundância.

*dois*

# O CONSTRUTOR DE NORWOOD

— Do ponto de vista do especialista criminal — disse o Sr. Sherlock Holmes —, Londres tornou-se uma cidade peculiarmente desinteressante desde a morte do saudoso Professor Moriarty.

— Acho que não encontrará muitos cidadãos de bem que concordem com você — respondi.

— Bem, bem, não devo ser egoísta — ele disse com um sorriso, afastando a cadeira da mesa do desjejum. — A comunidade certamente saiu ganhando, e ninguém perdeu, a não ser o pobre especialista sem trabalho, cuja ocupação se foi. Com aquele homem à solta, o jornal matutino apresentava infinitas possibilidades. Muitas vezes, era apenas o rastro mais ínfimo, Watson, a indicação mais tênue, no entanto, era suficiente para me revelar que o grande cérebro maligno estava ali, como os tremores mais suaves das bordas da teia nos remetem à aranha imunda que ocupa seu centro. Pequenos furtos, agressões injustificadas, ultrajes sem sentido — para quem estivesse de posse das pistas, tudo podia ser inserido num conjunto interconectado. Para o estudioso científico do mais alto mundo criminal, nenhuma capital da Europa oferecia as vantagens que Londres então possuía. Mas agora... — Ele deu de ombros, em jocoso desprezo ao estado de coisas que ele mesmo tanto fizera para produzir.

Na época de que falo, Holmes já estava de volta havia alguns meses, e eu, a pedido dele, vendera meu consultório e voltara a ocupar com ele os velhos aposentos da Baker Street. Um jovem médico chamado Verner comprara meu pequeno consultório em Kensington e pagara com uma surpreendente falta de relutância o preço mais alto que ousei pedir — um incidente que só foi explicado alguns anos mais tarde, quando descobri que Verner era parente distante de Holmes, e que fora meu amigo, na verdade, quem providenciara o dinheiro.

Nossos meses de parceria não foram tão desprovidos de acontecimentos como ele disse, pois verifico, consultando minhas anotações, que esse período inclui o caso dos documentos do ex-presidente Murillo e também o chocante incidente do vapor holandês *Friesland*, que quase custou-nos a vida a ambos. Sua natureza fria e altiva sempre abominou, todavia, qualquer coisa que se parecesse com os aplausos do público, e ele me fez prometer, nos termos mais severos, que eu não diria mais uma palavra sobre ele, seus métodos ou seus êxitos — uma proibição que, conforme expliquei, somente agora foi revogada.

O Sr. Sherlock Holmes se refestelava em sua poltrona depois de seu caprichoso protesto, e abria seu jornal matutino de maneira despreocupada, quando nossa atenção foi interrompida por um tremendo retinir da campainha, seguido imediatamente por um rufar abafado, como se alguém estivesse esmurrando a porta da rua. Quando ela se abriu, ouviu-se um tropel tumultuado no corredor, pés rápidos tamborilaram escada acima, e um instante depois, um jovem de olhar tresloucado e gestos frenéticos, pálido, descabelado e palpitante, irrompeu na sala. Ele correu os olhos entre mim e meu colega, e sob o nosso olhar inquisidor, percebeu que alguma desculpa era necessária para sua entrada pouco cerimoniosa.

— Sinto muito, Sr. Holmes — ele exclamou. — Não deve me recriminar. Estou quase louco. Sr. Holmes, sou o infeliz John Hector McFarlane.

Ele anunciou isso como se só seu nome pudesse explicar tanto sua visita quanto seus modos, mas eu podia ver, pelo rosto sem reação do meu colega, que não significava nada mais para ele do que para mim.

— Aceite um cigarro, Sr. McFarlane — ele disse, oferecendo sua cigarreira. — Tenho certeza de que, pelos seus sintomas, meu amigo Dr. Watson aqui receitaria um sedativo.

O tempo tem estado tão quente nos últimos dias. Agora, se estiver se sentindo um pouco mais restabelecido, eu ficaria feliz se se sentasse naquela poltrona e nos contasse mui lenta e calmamente quem é o senhor e o que deseja. Mencionou seu nome como se eu devesse reconhecê-lo, mas garanto que, além dos fatos óbvios de que o senhor é solteiro, advogado, maçom e asmático, não sei absolutamente nada a seu respeito.

Familiarizado como eu estava com os métodos do meu amigo, não me foi difícil seguir suas deduções e observar o amarfanhamento das roupas, o maço de documentos jurídicos, o pingente na corrente do relógio e a respiração ofegante que as motivaram. Nosso cliente, no entanto, nos fitava estarrecido.

— Sim, sou tudo isso, Sr. Holmes, e além disso, sou o homem mais desventurado de Londres, no momento. Pelo amor dos céus, não me abandone, Sr. Holmes! Se vierem me prender antes que eu termine meu relato, faça com que me deem tempo, para que eu possa lhe contar toda a verdade. Eu iria feliz para a cadeia, sabendo que o senhor está trabalhando para mim aqui fora.

— Prendê-lo! — exclamou Holmes. — Isso é realmente assaz grati... assaz interessante. Sob que acusação espera ser preso?

— Acusado de assassinar o Sr. Jonas Oldacre, de Lower Norwood.

O rosto expressivo do meu colega mostrou uma comiseração que não era, lamento dizer, livre de satisfação.

# O CONSTRUTOR DE NORWOOD

— Pelos céus! — ele disse. — Um momento atrás, no desjejum, eu dizia ao meu amigo, o Dr. Watson, que os casos sensacionais haviam desaparecido dos nossos jornais.

Nosso visitante estendeu uma mão trêmula e pegou o *Daily Telegraph*, que ainda estava sobre o joelho de Holmes.

— Se tivesse olhado, senhor, teria visto imediatamente o que me traz ao senhor esta manhã. Sinto que meu nome e meu infortúnio devem estar na boca de todos. — Ele virou o jornal para expor a página central. — Aqui está, e com sua permissão, lê-lo-ei para os senhores. Escute isto, Sr. Holmes. Os títulos são: CASO MISTERIOSO EM LOWER NORWOOD, DESAPARECIMENTO DE UM CONHECIDO CONSTRUTOR. SUSPEITA DE ASSASSINATO E INCÊNDIO CRIMINOSO. UMA PISTA DO CULPADO. Essa é a pista que já estão seguindo, Sr. Holmes, e eu sei que ela leva infalivelmente a mim. Fui seguido desde a Estação da Ponte de Londres, e tenho certeza de que só estão aguardando o mandado para me prender. Isso vai partir o coração de minha mãe, vai partir o coração dela! — Ele torcia as mãos numa agonia apreensiva, e balançava para a frente e para trás na poltrona.

Eu olhava com interesse para aquele homem acusado de ter cometido um crime violento. Era louro e atraente de uma forma desenxabida e negativa, com olhos azuis assustadiços, rosto bem barbeado e uma boca fraca e sensível. Sua idade poderia ser uns 27 anos; suas vestes e seu porte, os de um cavalheiro. Do bolso de seu sobretudo leve de verão saía o maço de documentos assinados que proclamava sua profissão.

— Precisamos usar o tempo que temos — disse Holmes. — Watson, faria a gentileza de pegar o jornal e ler para mim o parágrafo em questão?

Abaixo dos títulos vigorosos que nosso cliente mencionara, li a instigante narrativa a seguir:

Nesta madrugada, ou bem cedo pela manhã, um incidente ocorreu em Lower Norwood que teme-se apontar para um crime grave. O Sr. Jonas Oldacre é um conhecido residente desse bairro, onde desempenhou sua profissão de construtor por muitos anos. O Sr. Oldacre é solteiro, tem 52 anos, e mora na Deep Dene House, na extremidade da estrada de mesmo nome que dá para Sydenham. Ele tinha a reputação de ser um homem de hábitos excêntricos, discreto e reservado. Há alguns anos já, praticamente aposentou-se do seu negócio, com o qual dizem que acumulou fortuna considerável. Uma pequena madeireira ainda existe, no entanto, nos fundos da casa, e noite passada, por volta da meia-noite, foi dado o alarme de que uma das pilhas de madeira estava em chamas. Os carros dos bombeiros logo

# O CONSTRUTOR DE NORWOOD

chegaram ao local, mas a madeira seca ardia com grande fúria, e foi impossível deter a conflagração antes que toda a pilha se consumisse por completo. Até esse ponto, o caso aparentava ser um acidente comum, mas novas evidências parecem indicar um crime grave. Causou surpresa a ausência do proprietário do estabelecimento no local do incêndio, e uma investigação se seguiu, revelando que ele havia desaparecido da casa. Um exame de seu quarto mostrou que a cama não estava desfeita, que um cofre que lá havia estava aberto, que vários documentos importantes estavam espalhados pelo quarto, e finalmente, que havia sinais de um embate homicida, pequenos traços de sangue tendo sido encontrados no aposento, bem como uma bengala de carvalho que também trazia manchas de sangue no cabo. Sabe-se que o Sr. Jonas Oldacre recebeu uma visita tardia em seu dormitório naquela noite, e a bengala encontrada foi identificada como sendo de propriedade dessa pessoa, um jovem advogado londrino chamado John Hector McFarlane, sócio minoritário do escritório Graham & McFarlane, situado em Gresham Buildings, 426, E. C. A polícia acredita estar de posse de provas que fornecem um motivo muito convincente para o

# O RETORNO DE SHERLOCK HOLMES

crime, e já não se pode duvidar que seguir-se-ão desdobramentos sensacionais.

Mais Tarde — Quando o presente texto ia ao prelo, rumores davam conta de que o Sr. John Hector McFarlane realmente foi preso, acusado do assassinato do Sr. Jonas Oldacre. É certo, no mínimo, que um mandado de prisão foi expedido. Descobriram-se novos e sinistros desdobramentos na investigação em Norwood. Além dos sinais de luta no aposento do desventurado construtor, agora sabe-se que as janelas à francesa de seu quarto (que fica no térreo) foram encontradas abertas, que havia marcas, como se algum objeto volumoso tivesse sido arrastado até a pilha de madeira, e finalmente, garante-se que restos carbonizados foram encontrados nas cinzas do incêndio. A teoria da polícia é de que um crime sensacional foi cometido, que a vítima foi morta a cacetadas em seu dormitório, seus documentos vasculhados e seu cadáver arrastado até a pilha de madeira, que foi então incendiada para ocultar todas as pistas do crime. A condução da investigação criminal está nas experientes mãos do inspetor Lestrade, da Scotland Yard, que está seguindo as pistas com a energia e sagacidade de sempre.

# O CONSTRUTOR DE NORWOOD

Sherlock Holmes ouviu de olhos fechados e dedos unidos esse extraordinário relato.

— O caso certamente tem alguns pontos de interesse — ele disse, à sua maneira lânguida. — Posso perguntar, em primeiro lugar, Sr. McFarlane, como é que o senhor ainda se encontra em liberdade, já que parece haver evidências suficientes para justificar a sua prisão?

— Eu moro em Torrington Lodge, Blackheath, com meus pais, Sr. Holmes; mas noite passada, por ter negócios muito tarde com o Sr. Jonas Oldacre, hospedei-me num hotel em Norwood, e dali fui à reunião. Não sabia nada a respeito desse caso até embarcar no trem, onde li o que o senhor acaba de ouvir. Imediatamente percebi o perigo terrível de minha situação, e me apressei em pôr o caso em suas mãos. Não tenho dúvidas de que deveria ter sido preso no meu escritório na cidade ou em minha casa. Um homem me seguiu desde a Estação da Ponte de Londres, e não tenho dúvidas... Pelos céus, o que é isso?

Era o toque da sineta, seguido instantaneamente por passos pesados na escada. Um momento depois, nosso velho amigo Lestrade assomou à porta. Por cima de seu ombro, vislumbrei um ou dois policiais uniformizados lá fora.

— Sr. John Hector McFarlane — disse Lestrade.

Nosso desventurado cliente se levantou, com o rosto lívido.

— Está preso pelo homicídio doloso do Sr. Jonas Oldacre, de Lower Norwood.

McFarlane voltou-se para nós com um gesto de desespero, e afundou na poltrona mais uma vez, como um homem esmagado.

— Um momento, Lestrade — disse Holmes. — Meia hora a mais ou a menos não fará diferença para você, e o cavalheiro estava prestes a fazer um relato desse caso tão interessante, que poderá nos ajudar a esclarecê-lo.

— Acho que não haverá dificuldade em esclarecê-lo — disse Lestrade em tom sombrio.

— Mesmo assim, com sua permissão, estou muito interessado em ouvir o relato dele.

— Bem, Sr. Holmes, para mim é difícil lhe negar qualquer coisa, pois já foi útil à força policial umas poucas vezes no passado, e estamos em dívida com o senhor na Scotland Yard — disse Lestrade. — Por outro lado, preciso permanecer com meu preso, e sou obrigado a avisá-lo de que qualquer coisa que diga poderá ser usada como prova contra ele.

— Não desejo mais do que isso — respondeu nosso cliente. — Só o que peço é que ouçam e reconheçam a verdade absoluta.

Lestrade olhou para o seu relógio.

— Vou lhe dar meia hora — ele disse.

— Antes preciso explicar — começou McFarlane — que eu não sabia nada sobre o Sr. Jonas Oldacre. Seu nome me era familiar; por muitos anos, meus pais mantiveram relações sociais com ele, mas foram se afastando. Fiquei muito surpreso, portanto, quando ontem, por volta das 15 horas, ele entrou no meu escritório na cidade. Mas o assombro foi muito maior quando ele me contou o motivo de sua visita. Ele trazia nas mãos várias páginas de caderno, cobertas por uma escrita rabiscada, aqui estão elas, e as espalhou sobre a minha mesa.

"'Aqui está o meu testamento', ele disse. 'Quero que o senhor lhe dê a forma legal necessária. Ficarei aqui enquanto faz isso.'

"Eu me preparei para copiá-lo, e podem imaginar meu assombro ao descobrir que, com algumas reservas, ele deixaria todos os seus bens para mim. Era um homenzinho estranho, com jeito de fuinha, cílios brancos, e quando olhei para ele, encontrei seu olhar cinzento pregado em mim, com uma expressão divertida. Eu mal conseguia acreditar nos meus sentidos ao ler as disposições do testamento; mas ele explicou que era um solteirão quase sem nenhum parente vivo, que conhecera meus pais na juventude, e que sempre ouvira falar de mim como um jovem de muitos méritos, e lhe garantiram que seu dinheiro estaria em ótimas mãos. Naturalmente, só consegui gaguejar um agradecimento. O testamento foi devidamente concluído, assinado e testemunhado por meu ajudante. Aí está ele nas folhas azuis, e estas outras folhas, como já expliquei, são o rascunho. Então o Sr. Jonas Oldacre me informou de que havia vários documentos — escrituras de edifícios, títulos, hipotecas, bônus e assim por diante — que era necessário que eu visse e entendesse. Ele disse que não teria sossego enquanto a transação toda não fosse concluída, e implorou para que eu fosse até sua casa em Norwood naquela noite, levando comigo o testamento, para preparar tudo. 'Lembre-se, meu rapaz, não diga uma palavra aos seus pais sobre o assunto até que tudo esteja arranjado. Vamos fazer-lhes uma surpresinha.' Ele insistiu muito nisso, e me fez prometer solenemente.

"Pode imaginar, Sr. Holmes, que eu não estava predisposto a negar qualquer coisa que ele pedisse. Ele era meu benfeitor, e tudo o que eu desejava era realizar suas vontades em todos os detalhes. Mandei um telegrama para casa, portanto, avisando que ia cuidar de um negócio importante e que me era impossível prever a que horas regressaria. O Sr. Oldacre me dissera que gostaria que eu jantasse com ele às 21 horas, pois talvez não voltasse para casa antes disso. Tive alguma dificuldade para encontrar sua residência, porém, e eram quase 21h30 quando lá cheguei. Eu o encontrei..."

— Um momento! — Holmes disse. — Quem abriu a porta?

— Uma mulher de meia-idade, que supus fosse sua criada.

— E foi ela, presumo, que mencionou seu nome no inquérito?

— Exatamente — disse McFarlane.

— Por favor, prossiga.

O Sr. McFarlane enxugou o suor da testa e continuou sua narrativa:

— A mulher me levou a uma sala de estar, onde um jantar frugal estava servido. Depois, o Sr. Jonas Oldacre foi comigo para o seu dormitório, onde havia um pesado cofre. Ele o abriu e tirou um maço de documentos, que examinamos juntos. Eram entre 23 horas e meia-noite quando terminamos. Ele comentou que não devíamos perturbar a criada. Acompanhou-me até a janela à francesa do seu quarto, que estivera aberta o tempo todo.

— A persiana estava fechada? — perguntou Holmes.

— Não tenho certeza, mas acredito que estava descida só até a metade. Sim, lembro que ele a ergueu para abrir mais a janela. Eu não encontrava minha bengala, e ele disse: "Não se preocupe, meu filho; agora vamos nos ver com frequência, espero, e guardarei sua bengala até que volte para pegá-la". Eu o deixei ali, com o cofre aberto e os documentos em pilhas sobre a mesa. Estava tão tarde que não consegui voltar para Blackheath, por isso pernoitei no Anerley Arms, e não soube mais nada até ler sobre esse caso pavoroso pela manhã.

— Mais alguma coisa que deseje perguntar, Sr. Holmes? — indagou Lestrade, cujas sobrancelhas haviam se erguido uma ou duas vezes durante essa notável explicação.

— Não antes que eu vá para Blackheath.

— Norwood, o senhor quer dizer — corrigiu Lestrade.

— Ah, sim; sem dúvida foi isso que eu quis dizer — respondeu Holmes, com seu sorriso enigmático. Lestrade aprendera, em mais ocasiões do que desejava admitir, que aquele cérebro afiado como uma navalha podia atravessar o que era impenetrável para o inspetor. Eu o vi olhar para o meu colega com curiosidade.

— Acho que gostaria de ter uma palavrinha agora, Sr. Sherlock Holmes — ele disse. — Sr. McFarlane, dois dos meus agentes estão lá fora, e uma carruagem está esperando. — O jovem desolado se levantou, e com um último olhar suplicante em nossa direção, saiu da sala. Os policiais o levaram até o táxi, mas Lestrade permaneceu.

Holmes havia pegado as páginas que formavam o rascunho do testamento e as estava examinando com o interesse mais pronunciado no semblante.

— Há alguns aspectos neste documento, concorda, Lestrade? — ele disse, passando-lhe as folhas.

O policial olhou para elas com uma expressão intrigada.

—Consigo ler as primeiras linhas, e estas no meio da segunda página, e uma ou duas no final. Estão tão claras quanto um texto impresso — ele disse —; mas o resto da escrita é muito ruim, e há três trechos que absolutamente não consigo ler.

— O que acha disso? — perguntou Holmes.

— Bem, o que *o senhor* acha disso?

— Que as folhas foram escritas a bordo de um trem; a boa caligrafia representa estações, a ruim, movimento, e a péssima, passagem por entroncamentos. Um especialista científico declararia imediatamente que isto foi redigido numa linha de subúrbio, pois em nenhum lugar, a não ser nas cercanias imediatas de uma grande cidade, poderia haver uma sucessão tão rápida de entroncamentos. Considerando que a viagem toda foi usada para redigir o testamento, então o trem era um expresso, parando apenas uma vez entre Norwood e a Ponte de Londres.

Lestrade começou a rir.

— O senhor é demais para mim quando começa a tecer suas teorias, Sr. Holmes — ele disse. — Que relevância isso tem para o caso?

— Bem, corrobora a versão do jovem, no tocante ao testamento ter sido redigido por Jonas Oldacre em sua viagem de ontem. É curioso, não é?, que alguém prepare um documento tão importante de forma tão atabalhoada. Sugere que ele não imaginava que fosse ter muita importância prática. Se um homem fosse redigir um testamento que jamais pretendesse que fosse efetivado, poderia fazê-lo assim.

— Bem, ele redigiu a própria condenação à morte ao mesmo tempo — disse Lestrade.

— Ah, você acha?

— O senhor não?

— Bem, é bastante possível; mas o caso ainda não está claro para mim.

— Não está claro? Bem, se isso não está claro, *o que* poderia ser mais claro? Temos um jovem que descobre de repente que se um certo senhor morrer, ele herdará uma fortuna. O que ele faz? Não diz nada a ninguém, mas se prepara para sair, com algum pretexto, para ver seu cliente naquela noite; espera até que a única outra pessoa presente na casa vá dormir, e então, no isolamento do quarto do velho, assassina este, queima seu cadáver na pilha de madeira e parte para um hotel próximo. As manchas de sangue no quarto e também na bengala são ínfimas. É provável que ele imagine que seu crime tenha sido sem derramamento de sangue, e espera, queimando o corpo, ter ocultado todos os rastros do método da morte, rastros que, por alguma razão, deviam incriminá-lo. Não é tudo óbvio?

— Parece-me, meu bom Lestrade, um tanto óbvio demais — disse Holmes. — Você não soma imaginação às suas outras excelentes qualidades; mas se pudesse por um momento colocar-se no lugar desse jovem, você escolheria exatamente a noite seguinte à redação do testamento para cometer seu crime? Não lhe pareceria perigoso estabelecer uma relação tão próxima entre os dois incidentes? Ademais, escolheria uma ocasião em que se sabe que você está na casa, quando uma criada o fez entrar? E finalmente, dar-se-ia ao grande trabalho de ocultar o cadáver, deixando no entanto sua bengala para sinalizar que é o culpado? Confesse, Lestrade, que tudo isso é assaz improvável.

— Quanto à bengala, Sr. Holmes, sabe tão bem quanto eu que o criminoso muitas vezes está alvoroçado e faz coisas que alguém calmo evitaria. Muito provavelmente, ele teve medo de voltar para o quarto. Dê-me outra teoria que se encaixe nos fatos.

— Posso facilmente lhe dar meia dúzia delas — disse Holmes. — Aqui está, por exemplo, uma muito possível e até provável. Dou-a de presente. O velho está mostrando documentos que têm valor evidente. Um vagabundo de passagem os vê pela janela, cuja persiana só está descida até a metade. O advogado sai. O vagabundo entra! Ele pega uma bengala que vê no local, mata Oldacre e foge depois de queimar o corpo.

— Por que o vagabundo queimaria o corpo?

— A respeito disso, por que McFarlane o queimaria?

— Para ocultar alguma prova.

— Possivelmente, o vagabundo queria ocultar que um assassinato fora cometido.

— E por que esse vagabundo nada roubou?

— Porque eram documentos que ele não poderia negociar.

Lestrade balançou a cabeça, embora me parecesse que sua atitude fosse menos absolutamente convicta do que antes.

— Bem, Sr. Sherlock Holmes, pode procurar o seu vagabundo, e enquanto o faz, vamos manter nosso homem sob custódia. O futuro vai mostrar quem tem razão. Apenas note o seguinte, Sr. Holmes, que até agora, ao que sabemos, nenhum documento foi subtraído, e que o preso é o único homem no mundo que não tinha nenhum motivo para subtraí-los, pois como é o herdeiro legal, viria a possuí-los de qualquer maneira.

Meu amigo pareceu ser afetado por esse comentário.

— Não pretendo negar que as evidências, sob alguns aspectos, estão fortemente favoráveis à sua teoria — ele disse. — Só desejo salientar que outras teorias são possíveis. Como você diz, o futuro decidirá. Bom dia! Ouso dizer que ainda hoje aparecerei em Norwood e verei como você está se saindo.

Quando o detetive se foi, meu amigo se levantou e fez seus preparativos para o trabalho do dia, com o ar alerta de um homem que tem diante de si uma tarefa agradável.

— Meu primeiro movimento, Watson — ele disse, vestindo apressadamente o casaco —, deve ser, como eu disse, na direção de Blackheath.

— E por que não Norwood?

— Porque, neste caso, temos um incidente singular seguindo de perto outro incidente singular. A polícia está cometendo o engano de concentrar sua atenção no segundo incidente, porque parece ser aquele que é verdadeiramente criminoso. Mas é evidente para mim que a maneira lógica de abordar o caso é tentar lançar alguma luz sobre o primeiro incidente, o curioso testamento, elaborado de forma tão abrupta, e para um beneficiário tão inesperado. Isso pode ajudar a simplificar o que se seguiu. Não, caro colega, acho que você não poderá me ajudar. Não há a perspectiva de perigo, senão eu nem sonharia em sair sem você. Acredito que, quando nos virmos à noite, poderei relatar que fui capaz de fazer algo por esse desventurado jovem que apelou para a minha proteção.

Era tarde quando meu amigo voltou, e pude perceber num olhar, por seu semblante esgotado e ansioso, que as grandes esperanças com as quais partira não haviam se concretizado. Por uma hora ele fez gemer o violino, procurando apaziguar seu espírito em polvorosa. Por fim, largou o instrumento e lançou-se a um relato detalhado de suas desventuras.

— Está tudo dando errado, Watson, tão errado quanto poderia dar. Mantive a compostura diante de Lestrade, mas juro pela minha alma, acredito que desta vez o sujeito está na pista certa, e nós, na errada. Meu instinto aponta totalmente um caminho, e os fatos, totalmente outro, e temo muito que os jurados britânicos não tenham alcançado a inteligência necessária para dar preferência às minhas teorias, em detrimento dos fatos de Lestrade.

— Você foi a Blackheath?

— Sim, Watson, fui para lá e descobri sem demora que o finado Oldacre era um considerável velhaco. O pai havia saído à procura do filho. A mãe estava em casa, uma pessoinha meiga, de olhos azuis, tremendo de medo e indignação. Naturalmente, ela não admitia nem a possibilidade da culpa do filho. Mas não manifestou nem surpresa, nem dor com o destino de Oldacre. Ao contrário, falou dele com tamanha amargura que inconscientemente fortaleceu de forma considerável a teoria da polícia; pois, é claro, se o filho a tivesse ouvido falar do sujeito daquela forma, isso o predisporia ao ódio e à violência. "Ele estava mais para um símio maligno e astuto do que para um ser humano", ela disse, "e sempre foi assim, desde jovem".

"'A senhora já o conhecia, então?', perguntei.

"'Sim, conhecia-o bem; aliás, ele era um meu antigo pretendente. Agradeço aos céus o bom senso de tê-lo rejeitado e me casado com um homem melhor, ainda que mais pobre. Eu estava noiva dele, Sr. Holmes, quando ouvi a história chocante de como ele soltara um gato dentro de um aviário, e fiquei tão horrorizada com sua crueldade brutal que não quis mais nada com ele.' Ela remexeu num gabinete e finalmente apresentou o retrato de uma mulher, vergonhosamente desfigurado e mutilado com uma faca. 'Esta é a minha fotografia', ela disse. 'Ele a enviou para mim nesse estado, com sua maldição, na manhã do meu casamento.'

"'Bem', eu disse, 'pelo menos ele já a perdoou, agora, já que deixou todos os bens para o seu filho.'

"'Nem meu filho, nem eu queremos nada de Jonas Oldacre, vivo ou morto', ela exclamou, com agitação condizente. 'Existe um Deus no céu, Sr. Holmes, e esse mesmo Deus que puniu esse homem perverso mostrará, quando melhor Lhe aprouver, que as mãos do meu filho não estão sujas com o sangue dele.'

"Bem, tentei seguir uma ou duas pistas, mas não cheguei a nada que ajudasse nossa hipótese, e sim a vários aspectos que iam de encontro a ela. Desisti, finalmente, e fui para Norwood.

"O lugar, Deep Dene House, é uma grande mansão moderna de tijolo aparente, no fundo de um grande terreno, com um gramado tomado por loureiros na frente. À direita e a alguma distância da estrada fica a madeireira onde aconteceu o incêndio. Aqui está um mapa rústico, feito numa folha do meu caderno. Esta janela à esquerda é a que dá para o quarto de Oldacre. Para quem está na estrada, é possível olhar dentro do quarto, observe. Esse é praticamente o único consolo que me restou hoje. Lestrade não estava lá, mas seu agente fez as honras. Eles haviam acabado de encontrar um grande tesouro. Passaram a manhã remexendo as cinzas da pilha de madeira, e além dos resíduos orgânicos queimados, localizaram vários discos de metal desbotado. Eu os examinei com cuidado, e não restava dúvida de que eram botões de calça. Até pude distinguir que um deles estava marcado com o nome de 'Hyams', que era o alfaiate de Oldacre. Então examinei o gramado meticulosamente, procurando sinais e rastros, mas essa seca deixou tudo duro como ferro. Não havia nada para ver, exceto que alguém ou algum fardo fora arrastado através de uma cerca viva baixa que está alinhada com a pilha de madeira. Tudo isso, é claro, se encaixa na teoria oficial. Rastejei pelo gramado com o sol de agosto nas costas. Mas me levantei depois de uma hora sem saber nada mais do que antes.

"Pois bem, depois desse fiasco, entrei no quarto e também o examinei. As manchas de sangue eram muito tênues, meros borrões e descolorações, mas sem dúvida recentes. A bengala havia sido retirada, mas ali também as marcas eram tênues. Não resta dúvida de que a bengala pertence ao nosso cliente. Ele admite isso. Pegadas dos dois homens eram visíveis no tapete, mas nenhuma de uma terceira pessoa, o que é mais um ponto para o adversário. O placar deles aumentava o tempo todo, e o nosso estava parado.

"Só tive um minúsculo brilho de esperança — no entanto, ele não deu em nada. Examinei o conteúdo do cofre, cuja maior parte havia sido retirada e espalhada sobre a mesa. Os documentos estavam em envelopes lacrados, um ou dois dos quais foram abertos pela polícia. Não eram, pelo que pude avaliar, de grande valor, tampouco a caderneta bancária mostrava que o Sr. Oldacre estivesse em circunstâncias muito prósperas. Mas pareceu-me que nem todos os documentos estavam lá. Havia alusões a algumas escrituras — possivelmente as mais valiosas — que não pude encontrar. Isso, claro, se pudesse ser provado conclusivamente, voltaria o argumento de Lestrade contra si próprio, pois quem roubaria algo, sabendo que iria herdar tudo em breve?

"Por fim, depois de revirar o restante e não encontrar mais pistas, arrisquei a sorte com a criada. Sra. Lexington é o nome dela, uma pessoinha sombria e silenciosa, cheia de olhares oblíquos e desconfiados. Ela poderia nos contar algo, se quisesse — estou convencido disso. Mas fechou-se feito uma ostra. Sim, ela recebera o Sr. McFarlane às 21h30. Ela preferiria que sua mão tivesse secado e caído. Fora se deitar às 22h30. Seu quarto ficava do outro lado da casa, e ela não ouvira nada do que se passara. O Sr. McFarlane esquecera o chapéu e, até onde ela sabia, a bengala no saguão. Ela fora acordada pelo alarme do incêndio. Seu pobre querido patrão certamente havia sido assassinado. Se ele tinha algum inimigo? Bem, todo homem tem inimigos, mas o Sr. Oldacre era muito fechado, e só recebia visitas de negócios. Ela vira os botões, e tinha certeza de que eram das roupas que ele usava noite passada. A pilha de madeira estava muito seca, pois não chovia havia um mês. Queimou feito pólvora, e quando ela chegou ao local, nada podia ser visto além das chamas. Ela e todos os

## O CONSTRUTOR DE NORWOOD

bombeiros sentiram o cheiro de carne queimada que vinha do fogo. Ela não sabia nada sobre os documentos ou os negócios particulares do Sr. Oldacre.

"Portanto, meu caro Watson, aí está o meu relatório de um fracasso. No entanto — no entanto —, ele torceu as mãos magras num paroxismo de convicção, eu *sei* que está tudo errado. Sinto isso nos meus ossos. Há algo que não foi revelado, e aquela criada sabe o que é. Havia uma espécie de morosidade desafiadora em seus olhos, que só a culpa de saber algo pode produzir. No entanto, de nada adianta falar mais a respeito, Watson; a menos que tenhamos algum golpe de sorte, temo que o Caso do Desaparecimento de Norwood não figurará naquela crônica dos nossos sucessos que prevejo que o paciente público cedo ou tarde terá que suportar."

— Certamente — eu disse — a aparência do homem contará muito para qualquer júri?

— Esse é um argumento perigoso, meu caro Watson. Você se lembra daquele terrível assassino, Bert Stevens, que queria que o inocentássemos em 1887? Já houve um jovem mais afável e educado?

— É verdade.

— A menos que consigamos estabelecer uma teoria alternativa, esse homem está perdido. É difícil encontrar um defeito nos argumentos que agora podem ser apresentados contra ele, e todas as investigações ulteriores só serviram para fortalecê-los. A propósito, há um aspectozinho peculiar naqueles documentos que pode nos servir de ponto de partida para uma investigação. Ao examinar a caderneta bancária, descobri que o estado precário do saldo era devido principalmente a vultosos cheques emitidos durante o ano anterior para o Sr. Cornelius. Confesso que me interessa saber quem poderia ser esse Sr. Cornelius, com quem um construtor aposentado mantinha tal volume de transações. Seria possível que ele tivesse participação no caso? Cornelius pode ser um corretor, mas não encontramos nenhum título que corresponda a esses grandes pagamentos. Por falta de qualquer outra indicação, minhas pesquisas agora precisam seguir na direção da busca, junto ao banco, pelo cavalheiro que descontou tais cheques. Mas temo, caro colega, que nosso caso termine sem glórias, com Lestrade enforcando o nosso cliente, o que certamente será um triunfo para a Scotland Yard.

Não sei até que ponto Sherlock Holmes conseguiu dormir naquela noite, mas quando desci para o desjejum, encontrei-o pálido e perturbado, com os olhos mais brilhantes, pelo contraste com as olheiras ao redor. O tapete em volta de sua poltrona estava coberto por tocos de cigarro e pelas primeiras edições dos jornais matutinos. Um telegrama jazia aberto sobre a mesa.

— O que acha disto, Watson? — ele perguntou, jogando-o para mim.

Vinha de Norwood e dizia o seguinte:

# O CONSTRUTOR DE NORWOOD

Novas evidências importantes encontradas. Culpa de McFarlane definitivamente estabelecida. Aconselho abandonar caso. — LESTRADE

— Parece sério — eu disse.

— É o cantar de galo vitorioso de Lestrade — Holmes respondeu com um sorriso amargo. — Ainda assim, pode ser prematuro abandonar o caso. Afinal, novas evidências importantes são uma faca de dois gumes e podem cortar numa direção bem diferente da que Lestrade está imaginando. Termine seu desjejum, Watson, e iremos juntos ver o que podemos fazer. Sinto que vou precisar da sua companhia e do seu apoio moral hoje.

Meu amigo não comeu nada, pois era uma de suas peculiaridades, em seus momentos mais intensos, não permitir-se nenhum alimento, e já o vi fiar-se de sua vontade férrea até desmaiar da mais pura inanição. "No momento, não posso dispor de nenhuma energia e força nervosa para a digestão", ele dizia, em resposta às minhas reprimendas médicas. Não fiquei surpreso, portanto, quando naquela manhã ele deixou intacta sua refeição e partiu comigo para Norwood. Uma multidão de espectadores mórbidos ainda estava reunida ao redor da Deep Dene House, que era a mansão residencial que eu imaginara. Ao passarmos pelo portão, Lestrade nos recebeu com o rosto afogueado pela vitória e uma atitude grosseiramente triunfante.

— Bem, Sr. Holmes, já provou que estávamos enganados? Encontrou seu vagabundo? — ele exclamou.

— Ainda não cheguei a nenhuma conclusão — meu colega respondeu.

— Mas nós formamos a nossa ontem, e agora provou ser a correta; portanto, precisa reconhecer que se precipitou um pouco desta vez, Sr. Holmes.

— Você certamente tem um ar que indica que algo incomum aconteceu — disse Holmes.

Lestrade riu alto.

— O senhor não gosta de ser derrotado, como nenhum de nós gosta — ele retrucou. — Ninguém pode esperar ter razão sempre; pode, Dr. Watson? Por aqui, por favor, cavalheiros, e acho que posso convencê-los de uma vez por todas de que foi John McFarlane quem cometeu este crime.

Ele nos levou pelo corredor até um saguão escuro.

— Deve ter sido por aqui que o jovem McFarlane saiu para pegar seu chapéu depois de cometer o crime — ele disse. — Agora vejam isto. — Com subitaneidade dramática, ele riscou um fósforo, e com sua luz expôs uma mancha de sangue na parede caiada. Quando ele aproximou a chama, vi que era mais do que uma mancha. Era a impressão bem definida de um polegar.

— Olhe com sua lupa, Sr. Holmes.

— Sim, estou fazendo isso.

— O senhor sabe que não existem duas impressões digitais iguais?

## O CONSTRUTOR DE NORWOOD

— Já ouvi algo do tipo.

— Pois bem, então, pode, por favor, comparar essa impressão com este molde em cera do polegar direito do jovem McFarlane, tirado por ordem minha hoje de manhã?

Quando ele aproximou a impressão de cera à marca de sangue, não era necessária uma lente de aumento para ver que as duas eram sem dúvida do mesmo polegar. Ficou evidente para mim que nosso desventurado cliente estava perdido.

— Isso é definitivo — disse Lestrade.

— Sim, é definitivo — ecoei involuntariamente.

— É definitivo — declarou Holmes.

Algo no tom de voz dele me chamou a atenção, e me virei para olhá-lo. Uma mudança extraordinária acontecera em seu rosto. Estava se retorcendo com uma alegria contida.

Seus olhos brilhavam como estrelas. Parecia-me que ele estava fazendo esforços desesperados para refrear um ataque de riso convulsivo.

— Ai de mim! Ai de mim! — ele disse finalmente. — Ora, bem, quem imaginaria? E como as aparências podem enganar, certamente! Um jovem tão simpático à primeira vista! Isso é uma lição para não confiarmos em nossas avaliações, não é, Lestrade?

— Sim, alguns de nós têm propensão demais à arrogância, Sr. Holmes — disse Lestrade. A insolência do homem era enervante, mas não podíamos nos ressentir disso.

— Que coisa providencial esse jovem pressionar o polegar direito na parede ao tirar o chapéu do gancho! E é mesmo um gesto tão natural, pensando bem. — Holmes estava calmo exteriormente, mas todo o seu corpo sofria espasmos de empolgação suprimida enquanto ele falava. — A propósito, Lestrade, quem fez essa notável descoberta?

— Foi a criada, a Sra. Lexington, quem chamou a atenção do policial noturno para ela.

— Onde estava o policial?

— Vigiando o quarto onde o crime foi cometido, para que nada fosse tocado.

— Mas por que a polícia não viu essa marca ontem?

— Bem, não tínhamos nenhum motivo em especial para examinar cuidadosamente o saguão. Além disso, não está num lugar muito em evidência, como pode ver.

— Não, não, claro que não. Suponho que não haja dúvida de que a marca estava aí ontem?

Lestrade olhou para Holmes como se achasse que ele estava perdendo o juízo. Confesso que eu mesmo estava surpreso, tanto com sua hilaridade quanto com sua observação um tanto tresloucada.

— Não sei se o senhor está achando que McFarlane saiu da cadeia no meio da noite para reforçar as provas contra si mesmo — disse Lestrade. — Deixo qualquer especialista do mundo à vontade para verificar se essa marca é ou não é do polegar dele.

# O CONSTRUTOR DE NORWOOD

— É sem sombra de dúvida do polegar dele.

— Pronto, isso basta — disse Lestrade. — Sou um homem prático, Sr. Holmes, e quando obtenho minhas provas, tiro minhas conclusões. Se tiver algo a dizer, vai me encontrar redigindo meu relatório na sala de estar.

Holmes havia recobrado a equanimidade, embora eu ainda parecesse detectar vislumbres de diversão em seu semblante.

— Pelos céus, é um desdobramento muito triste, Watson, não acha? — ele disse. — No entanto, há alguns aspectos singulares nele que mantêm acesa alguma esperança para o nosso cliente.

— Fico feliz em ouvir isso — eu disse com veemência. — Temi que estivesse tudo acabado para ele.

— Eu não chegaria ao extremo de dizer isso, meu caro Watson. O fato é que há uma falha muito grave nessa prova à qual nosso amigo atribui tamanha importância.

— Deveras, Holmes! Qual?

— Apenas isto: que eu *sei* que a marca não estava ali quando examinei o saguão ontem. E agora, Watson, vamos fazer um passeiozinho ao sol.

Com a mente confusa, mas com algum raio de esperança voltando ao meu coração, acompanhei meu amigo numa caminhada pelo jardim. Holmes percorreu um lado da casa de cada vez e o examinou com grande interesse. Em seguida, foi para dentro e vasculhou o edifício todo, do porão até o sótão. A maioria dos cômodos estava sem mobília, mas mesmo assim, Holmes os inspecionou todos minuciosamente. Por fim, no corredor do andar de cima, que ligava três dormitórios desocupados, ele mais uma vez foi acometido por um espasmo de felicidade.

— Há algumas características verdadeiramente únicas neste caso, Watson — ele disse. — Acho que chegou a hora de nos confidenciarmos com nosso amigo Lestrade. Ele deu seus sorrisinhos às nossas custas, e talvez possamos retribuir, se minha interpretação deste problema provar ser correta. Sim, sim, acho que entendo como devemos abordá-lo.

O inspetor da Scotland Yard ainda estava escrevendo no salão quando Holmes o interrompeu.

— Pelo que entendi, estava fazendo um relatório desse caso — ele disse.

— Estou.

— Não acha que isso pode ser um tanto prematuro? Não consigo deixar de pensar que suas provas não são completas.

Lestrade conhecia meu amigo bem demais para ignorar suas palavras. Ele soltou a pena e o olhou com curiosidade.

— O que quer dizer, Sr. Holmes?

— Somente que há uma testemunha importante que o senhor não interrogou.

— Pode apresentá-la?

— Acho que posso.

— Então faça-o.

# O CONSTRUTOR DE NORWOOD

— Farei o melhor que puder. Quantos agentes você tem?

— Três estão à disposição.

— Excelente! — disse Holmes. — Posso perguntar se são homens altos e robustos, com vozes fortes?

— Não tenho dúvidas de que são, embora não entenda o que as vozes deles tenham a ver com o caso.

— Talvez eu possa ajudá-lo a entender isso e umas outras coisinhas também — disse Holmes. — Por gentileza, convoque seus homens, e vou tentar.

Cinco minutos depois, três policiais estavam reunidos no saguão.

— No barracão, vocês vão encontrar uma quantidade considerável de palha — disse Holmes. — Vou pedir que tragam dois fardos dela. Acho que isso ajudará sobremaneira a convocar a testemunha de que preciso. Muito obrigado. Acredito que você tem fósforos no bolso, Watson. Agora, Sr. Lestrade, pedirei que vocês todos me acompanhem até o último andar.

Como eu disse, havia um largo corredor ali que ligava três dormitórios vazios. Numa extremidade dele, fomos todos reunidos por Sherlock Holmes, os policiais sorrindo, e Lestrade encarando meu amigo com assombro, expectativa e derrisão brincando de pega-pega em seu semblante. Holmes parou diante de nós com o ar de um ilusionista prestes a realizar um truque.

— Por gentileza, pode mandar um dos seus homens trazer dois baldes de água? Ponham a palha no chão ali, sem encostar em nenhuma das paredes. Agora acho que estamos todos prontos.

O rosto de Lestrade começava a ficar rubro e raivoso.

— Não sei se está nos pregando uma peça, Sr. Sherlock Holmes — ele disse. — Se sabe de alguma coisa, certamente pode dizer sem essa papagaiada toda.

— Garanto, meu bom Lestrade, que tenho um excelente motivo para tudo o que faço. Talvez se lembre de ter-me espinafrado um tantinho há algumas horas, quando o sol parecia brilhar do seu lado da cerca; portanto, não deveria levar a mal um pouco de pompa e cerimônia agora. Posso pedir, Watson, que abra aquela janela, e depois que acenda a palha com um fósforo?

Obedeci, e insuflado pela corrente de ar, um penacho de fumaça cinza rodopiou pelo corredor, enquanto a palha seca crepitava e ardia.

— Agora vamos ver se encontramos a tal testemunha para você, Lestrade. Posso pedir que todos gritem juntos "fogo"? Agora, pois: um, dois, três...

— Fogo! — todos berramos.

— Obrigado. Vou ter que incomodá-los mais uma vez.

— Fogo!

— Só mais uma vez, cavalheiros, e todos juntos.

— Fogo! — O grito deve ter sido ouvido em toda a Norwood.

O som mal havia se dispersado quando algo intrigante aconteceu. Uma porta abriu-se de repente no meio do que

# O CONSTRUTOR DE NORWOOD

parecia ser uma parede maciça no fim do corredor, e um homenzinho encarquilhado saiu dela em disparada, como um coelho de sua toca.

— Capital! — Holmes disse calmamente. — Watson, derrame um balde de água na palha. Isso basta! Lestrade, permita-me apresentar-lhe a principal testemunha que faltava, o Sr. Jonas Oldacre.

O detetive fitava o recém-chegado com um estarrecimento silencioso. Este último piscava sob a luz clara do corredor, e olhava para nós e para o fogo que se apagava. Era um rosto odioso — matreiro, perverso, maligno, com fugazes olhos cinza-claros e cílios brancos.

— O que é isso, então? — Lestrade disse finalmente. — O que o senhor estava fazendo todo esse tempo, hein?

Oldacre deu uma risada constrangida, encolhendo-se ante o rosto vermelho e furioso do detetive enraivecido.

— Não fiz nada de errado.

— Nada de errado? Fez o melhor que pôde para levar um inocente à forca. Se não fosse por este cavalheiro, não sei se não teria conseguido.

A criatura miserável começou a choramingar.

— Certamente, senhor, foi só uma brincadeira.

— Oh! Uma brincadeira? Não vai ter motivos para rir, garanto. Levem-no para baixo e mantenham-no na sala de estar até eu chegar. Sr. Holmes — ele continuou, depois que os homens saíram —, eu não poderia falar diante dos policiais, mas não me importo em dizer, na presença do Dr. Watson, que essa foi sua façanha mais brilhante até o momento, embora seja um mistério, para mim, o modo como fez isso. O senhor salvou a vida de um inocente e evitou um escândalo muito grave, que teria arruinado minha reputação na polícia.

Holmes sorriu e deu um tapinha no ombro de Lestrade.

— Em vez de estar arruinada, meu bom homem, o senhor descobrirá que sua reputação foi enormemente melhorada. Faça apenas algumas alterações nesse relatório que estava escrevendo, e eles entenderão como é difícil cegar o inspetor Lestrade.

— E o senhor não quer que seu nome apareça?

— De modo algum. O trabalho é sua própria recompensa. Talvez eu também receba o crédito num dia distante, quando permitir que meu zeloso historiador mais uma vez lance mão do almaço, hein, Watson? Bem, agora vejamos por onde andou esse rato.

Uma divisória de madeira e gesso havia sido montada no corredor a dois metros de sua extremidade, com uma porta astutamente disfarçada. O interior do compartimento era iluminado por frestas sob o beiral. Alguns móveis e um suprimento de comida e água estavam lá dentro, junto com vários livros e jornais.

— Aí está a vantagem de ser construtor — disse Holmes quando saímos. — Ele conseguiu montar seu próprio esconderijozinho sem precisar de nenhum comparsa, exceto, é claro, aquela preciosa criada, a qual eu não perderia tempo em prender também, Lestrade.

# O CONSTRUTOR DE NORWOOD

— Seguirei seu conselho. Mas como sabia deste lugar, Sr. Holmes?

— Eu me convencera de que o camarada estava escondido na casa. Quando medi com passos um corredor e descobri que ele era dois metros mais curto do que o correspondente no andar de baixo, ficou bem claro onde ele se escondia. Imaginei que ele não teria frieza suficiente para conservar-se quieto diante de um alarme de incêndio. Poderíamos, é claro, ter entrado e capturado o sujeito, mas me divertiu fazê-lo revelar-se; além disso, eu lhe devia um pouco de mistificação, Lestrade, pelos seus abusos da manhã.

— Bem, senhor, certamente ficamos quites nisso. Mas como soube que ele estava na casa, afinal?

— Pela marca do polegar, Lestrade. Você disse que era uma prova definitiva; e era mesmo, mas num sentido muito diferente. Eu sabia que ela não estava ali no dia anterior. Presto muita atenção a todos os detalhes, como já deve ter observado, e examinei o saguão, e tinha certeza de que a parede estava limpa. Portanto, a marca fora feita ali durante a noite.

— Mas como?

— Muito simples. Quando aqueles envelopes foram lacrados, Jonas Oldacre fez McFarlane firmar um dos lacres pondo o polegar sobre a cera mole. Isso teria sido feito tão rápida e naturalmente que ouso dizer que nem o próprio jovem deve lembrar. Muito provavelmente, foi isso que aconteceu, e o próprio Oldacre não fazia ideia do uso que daria ao lacre. Ruminando o caso no seu esconderijo, de súbito se deu conta da prova absolutamente incriminatória que poderia produzir contra McFarlane, usando aquela impressão. Foi a coisa mais simples do mundo tirar um molde em cera do lacre, umedecê-lo com quanto sangue conseguiu extrair de uma picada de alfinete e deixar a marca na parede durante a noite, pessoalmente ou por intermédio da criada. Se examinar os documentos que ele levou para o esconderijo, sou capaz de apostar que encontrará entre eles o lacre com a impressão do polegar.

— Maravilhoso! — exclamou Lestrade. — Maravilhoso! Tudo está claro como cristal, como o senhor diz. Mas qual o objetivo desse grande embuste, Sr. Holmes?

Achei divertido ver como a atitude opressora do detetive se transformara repentinamente na de uma criança fazendo perguntas ao seu professor.

— Bem, não acho que isso seja muito difícil de explicar. Uma pessoa muito sagaz, perversa e vingativa é o cavalheiro que agora nos aguarda lá embaixo. Sabia que ele já foi rejeitado pela mãe de McFarlane? Não sabia! Eu avisei que você deveria ir primeiro a Blackheath e depois a Norwood. Bem, essa injúria, como ele a considerava, fermentou em seu cérebro maléfico e ardiloso, e a vida toda ele anelou vingança, sem jamais ver uma oportunidade. Um ou dois anos atrás, as coisas começaram a dar errado para ele — especulação secreta, imagino — e ele se viu em maus lençóis. Ele resolve ludibriar seus credores, e para isso emite cheques de alto valor para um certo Sr. Cornelius, que é, imagino, ele mesmo com outro nome. Ainda não rastreei esses cheques, mas não tenho dúvida de que foram depositados nesse nome em alguma cidadezinha do interior, onde Oldacre de vez em quando levava uma vida dupla. Ele pretendia mudar definitivamente seu nome, sacar esse dinheiro e desaparecer, recomeçando a vida em outro lugar.

— Bem, isso é bastante provável.

— Deve ter ocorrido a ele que, ao desaparecer, poderia despistar qualquer perseguição e ao mesmo tempo vingar-se de forma ampla e esmagadora de sua antiga namorada, caso produzisse a impressão de ter sido assassinado pelo filho único dela. Foi uma obra-prima da vilania, e ele a executou como um mestre. A ideia do testamento, que forneceria um motivo óbvio para o crime, a visita secreta desconhecida até pelos pais do jovem advogado, a retenção da bengala, o sangue, e os restos animais e botões na pilha de madeira, tudo isso foi admirável. Era uma teia da qual me parecia, algumas horas atrás, impossível escapar. Mas ele não tinha aquele dom supremo do artista: saber quando parar. Quis melhorar o que já estava perfeito — apertar ainda mais o nó de forca no pescoço de sua desventurada vítima —, e assim estragou tudo. Vamos descer, Lestrade. Há apenas uma ou duas perguntas que eu quero fazer a ele.

A criatura maligna estava sentada em seu salão, com um policial de cada lado.

— Foi uma brincadeira, meu bom senhor; uma brincadeira, nada mais — ele gemia incessantemente. — Garanto, senhor, que me escondi apenas para ver que efeito teria o meu desaparecimento, e sei que o senhor não faria a injustiça de imaginar que eu permitiria que o pobre jovem McFarlane sofresse qualquer dano.

— Isso é o júri que vai decidir — disse Lestrade. — De todo modo, vamos acusá-lo de conspiração, se não de tentativa de assassinato.

— E o senhor provavelmente vai descobrir que seus credores bloquearão a conta bancária do Sr. Cornelius — disse Holmes.

O homenzinho teve um sobressalto e dirigiu seu olhar maldoso ao meu amigo.

— Tenho muito que lhe agradecer — ele disse. — Talvez um dia eu pague minha dívida.

Holmes sorriu com indulgência.

— Imagino que durante alguns anos seu tempo estará totalmente ocupado — ele disse. — A propósito, o que pôs na pilha de madeira, além de sua velha calça? Um cachorro morto, coelhos ou o quê? Não vai me contar? Céus, que falta de gentileza da sua parte! Bem, bem, ouso dizer que uns coelhos explicariam tanto o sangue quanto os restos incinerados. Se um dia você escrever um relato, Watson, pode se servir dos coelhos.

*três*

# OS HOMENZINHOS DANÇANTES

Holmes estava sentado havia algumas horas em silêncio, com suas costas longas e magras curvadas sobre um recipiente químico no qual ele preparava um produto particularmente malcheiroso. Sua cabeça estava afundada sobre o peito, e do meu ponto de vista, ele parecia um pássaro estranho e esguio, com plumagem de um cinza baço e um penacho preto.

— Então, Watson — ele disse de repente —, não pretende investir em títulos sul-africanos?

Tive um sobressalto de assombro. Mesmo acostumado como eu estava às curiosas habilidades de Holmes, essa intrusão repentina nos meus pensamentos mais íntimos era completamente inexplicável.

— Como pode saber disso? — perguntei.

Ele girou sobre seu banco, com um tubo de ensaio fumegante na mão e um brilho divertido nos olhos fundos.

— Agora, Watson, confesse que está totalmente surpreso — ele disse.

— Estou.

— Eu deveria fazer você assinar um documento declarando isso.

— Por quê?

— Porque daqui a cinco minutos dirá que é tudo tão absurdamente simples.

— Estou certo de que não direi nada do tipo.

— Veja bem, meu caro Watson — ele deixou o tubo de ensaio no suporte e começou a palestrar com o ar de um professor dirigindo-se à sua classe —, não é muito difícil construir uma série de inferências, cada uma dependente de sua antecessora e cada uma isoladamente simples. Se, depois de fazer isso, alguém simplesmente oblitera todas as inferências centrais e apresenta à sua plateia o ponto de partida e a conclusão, pode produzir um efeito estarrecedor, ainda que possivelmente espúrio. Bem, não foi demasiado difícil, com uma inspeção da linha entre seu indicador e seu polegar direitos, assegurar-me de que você *não* propôs investir seu pequeno capital nas minas de ouro.

— Não vejo nenhuma conexão.

— É muito provável que não; mas posso lhe mostrar rapidamente uma conexão próxima. Aqui estão os elos faltantes

## OS HOMENZINHOS DANÇANTES

nessa tão simples corrente: 1. Você tinha giz entre o indicador e o polegar esquerdos ao voltar do clube noite passada. 2. Você passa giz ali quando joga bilhar, para firmar o taco. 3. Você nunca joga bilhar, a não ser com Thurston. 4. Você me contou, quatro semanas atrás, que Thurston tinha uma opção de compra de títulos de alguma propriedade sul-africana que expiraria dentro de um mês, e que desejava comprá-los em sociedade com você. 5. Seu talão de cheques está trancado na minha gaveta, e você não me pediu a chave. 6. Você não pretende investir seu dinheiro dessa maneira.

— Tão absurdamente simples! — exclamei.

— Deveras! — ele disse, um tanto irritado. — Todo problema se torna assaz infantil depois que é explicado uma vez. Aqui está um não explicado. Veja o que consegue discernir nisso, amigo Watson. — Ele jogou uma folha de papel sobre a mesa e voltou para a sua análise química.

Olhei, intrigado, para os absurdos hieróglifos no papel.

— Ora, Holmes, é um desenho de criança! — exclamei.

— Ah, essa é a sua ideia!

— O que mais poderia ser?

— É o que o Sr. Hilton Cubitt, da Mansão Ridling Thorpe, em Norfolk, está muito ansioso para saber. Esse pequeno enigma chegou no correio da manhã, e o homem viria no próximo trem. Tocam a campainha, Watson. Não ficarei muito surpreso se for ele.

Ouviram-se passos pesados na escada, e um instante depois, entrou um cavalheiro alto, corado, bem barbeado, cujos olhos claros e bochechas rubras revelavam uma vida transcorrida longe dos nevoeiros da Baker Street. Ele parecia trazer consigo uma lufada do ar forte, fresco e revigorante da Costa Leste ao entrar. Depois de apertar nossas mãos, estava para se sentar quando seus olhos pousaram no papel com as curiosas marcas que eu acabara de examinar e deixar sobre a mesa.

— Bem, Sr. Holmes, o que acha disso? — ele exclamou. — Disseram-me que o senhor aprecia mistérios esquisitos, e acho que não irá encontrar nenhum mais esquisito do que esse. Enviei a folha com antecedência para que o senhor tivesse tempo de estudá-la antes da minha chegada.

— Certamente é uma criação um tanto curiosa — disse Holmes. — À primeira vista, parece alguma zombaria infantil. Consiste em várias figurinhas absurdas dançando na folha onde estão desenhadas. Por que o senhor atribuiria qualquer importância a um objeto tão grotesco?

— Eu jamais faria isso, Sr. Holmes. Mas minha esposa, sim. Isso a está matando de medo. Ela não diz nada, mas posso ver o terror em seus olhos. Por isso quero investigar a questão até o fim.

Holmes levantou o papel para que o sol brilhasse diretamente sobre ele. Era uma página arrancada de um caderno. Os sinais haviam sido feitos a lápis e tinham este aspecto:

## OS HOMENZINHOS DANÇANTES

Holmes examinou a página por algum tempo, e então, dobrando-a cuidadosamente, guardou-a em sua carteira.

— Este promete ser um caso assaz interessante e incomum — ele disse. — O senhor me forneceu alguns detalhes em sua carta, Sr. Hilton Cubitt, mas eu ficaria muito grato se fizesse a gentileza de repetir tudo em prol do meu amigo, o Dr. Watson.

— Não sou muito bom para contar histórias — disse o nosso visitante, nervosamente abrindo e fechando suas mãos grandes e fortes. — Podem me perguntar qualquer coisa que eu não deixe clara. Vou começar na época do meu casamento, ano passado; mas antes de tudo quero dizer que, embora eu não seja rico, minha gente vive em Ridling Thorpe há coisa de cinco séculos, e não existe família mais conhecida no condado de Norfolk. Ano passado, vim para Londres para o Jubileu da Rainha Vitória, e fiquei numa hospedaria na Russell Square, porque Parker, o vigário de nossa paróquia, estava hospedado ali. Havia uma jovem americana no local — Patrick era seu nome — Elsie Patrick. De alguma forma, tornamo-nos amigos, e quando o mês da minha estada acabou, eu estava tão apaixonado quanto é possível para um homem. Nós nos casamos discretamente num cartório, e voltamos para Norfolk como um casal legítimo. Deve achar muita loucura, Sr. Holmes, um homem de família boa e tradicional casar-se dessa forma, sem saber nada sobre o passado da esposa ou de sua gente; mas se o senhor a visse e a conhecesse, isso lhe ajudaria a entender.

"Ela foi bastante direta em tudo, Elsie. Não posso dizer que não tenha me dado todas as oportunidades de desistir, caso eu quisesse. 'Tive algumas associações bastante desagradáveis na vida', ela disse; 'quero esquecer todas. Prefiro jamais mencionar o passado, pois ele me é muito doloroso. Se você me aceitar, Hilton, vai aceitar uma mulher que não tem nada de que se envergonhar pessoalmente; mas terá que se contentar com minha palavra, e permitir que eu me cale sobre tudo o que se passou até o momento em que me tornei sua. Se essas condições forem difíceis demais, volte para Norfolk e me deixe na vida solitária em que me encontrou.' Foi somente na véspera do nosso casamento que ela me disse essas palavras exatas. Eu falei que de bom grado a aceitaria nessas condições, e cumpri minha palavra.

"Bem, agora já estamos casados há um ano, e temos sido muito felizes. Mas cerca de um mês atrás, no final de junho, vi as primeiras indicações de problemas. Um dia, minha esposa recebeu uma carta dos Estados Unidos. Eu vi o selo americano. Ela ficou mortalmente pálida, leu a carta e jogou-a no fogo. Não fez menção alguma dela depois, e tampouco eu fiz, pois promessa é promessa; mas ela não teve mais um momento de paz desde então. Há sempre uma expressão de medo em seu rosto — como se ela estivesse esperando e se preparando. Seria melhor que ela confiasse em mim. Descobriria que sou seu melhor amigo. Mas enquanto ela não falar, não posso dizer nada. Veja bem, ela é uma mulher

OS HOMENZINHOS DANÇANTES

sincera, Sr. Holmes, e seja o que for que a atribulou em sua vida passada, não foi culpa dela. Sou apenas um simples proprietário rural de Norfolk, mas não existe outro homem na Inglaterra que valorize mais do que eu a honra de sua família. Ela sabe bem disso, e sabia antes de se casar comigo. Ela jamais macularia essa honra — disso tenho certeza.

"Pois bem, agora chego à parte esquisita da história. Por volta de uma semana atrás — foi terça-feira passada ––, encontrei na sacada de uma janela várias absurdas figurinhas dançantes, como essas no papel. Estavam rabiscadas a giz. Achei que o cavalariço as tivesse desenhado, mas o rapaz jurou nada saber sobre elas. De qualquer forma, elas apareceram durante a noite. Mandei apagá-las, e só mencionei o caso para minha esposa depois. Para minha surpresa, ela levou aquilo muito a sério, e me implorou, caso mais figuras aparecessem, que as mostrasse a ela. Nenhuma apareceu por uma semana, e então, ontem de manhã, encontrei esse papel sobre o relógio de sol do jardim. Eu o mostrei a Elsie, e ela desabou, desmaiada. Desde então, parece uma mulher que está sonhando, meio atordoada, e com o terror sempre velando seu olhar. Foi aí que escrevi e lhe enviei a folha, Sr. Holmes. Não era algo que eu pudesse mostrar à polícia, pois ririam de mim, mas o senhor me dirá o que fazer. Não sou rico; mas se algum perigo ameaça minha pequena, gastarei até meu último xelim para protegê-la."

Ele era um belo ser, esse homem das velhas terras inglesas, simples, direito e gentil, com grandes e sinceros olhos azuis e um rosto largo e atraente. O amor pela esposa e a confiança nela brilhavam em seu semblante. Holmes ouvira a história dele com a mais completa atenção, e ficou por algum tempo silenciosamente pensativo.

— Não acha, Sr. Cubitt — ele disse finalmente —, que seu melhor plano seria apelar diretamente à sua esposa, pedindo-lhe que revele seu segredo?

Hilton Cubitt balançou a grande cabeça.

— Promessa é promessa, Sr. Holmes. Se Elsie quisesse me contar, teria contado. Se não quer, não é meu direito forçar uma confidência. Mas acho justificado agir à minha maneira, e vou agir.

— Então vou ajudá-lo de todo o coração. Em primeiro lugar, ouviu falar de algum estranho em sua vizinhança?

— Não.

— Presumo que seja um lugar bem sossegado. Qualquer rosto novo causaria comentários?

— Nas cercanias imediatas, sim. Mas temos várias pequenas tabernas que não ficam distantes. E os fazendeiros hospedam viajantes.

— Esses hieróglifos evidentemente têm um significado. Se ele for puramente arbitrário, pode nos ser impossível decifrá-los. Se, por outro lado, for sistemático, não tenho dúvida de que chegaremos à solução. Mas esta amostra é tão

## OS HOMENZINHOS DANÇANTES

curta que nada posso fazer, e os fatos que o senhor me trouxe são tão indefinidos que não tenho base para uma investigação. Sugiro que volte para Norfolk, mantenha os olhos bem abertos e copie com exatidão quaisquer novos homenzinhos dançantes que apareçam. É profundamente lamentável não termos uma reprodução daqueles que foram desenhados a giz na sacada. Investigue discretamente, também, se algum desconhecido apareceu na vizinhança. Quando tiver novas pistas, volte a me procurar. Esse é o melhor conselho que posso lhe dar, Sr. Hilton Cubitt. Se houver algum novo desdobramento urgente, estarei sempre disposto a ir vê-lo sem demora em sua casa em Norfolk.

A entrevista deixou Sherlock Holmes muito pensativo, e por várias vezes, nos dias seguintes, eu o vi pegar o pedaço de papel do seu caderno e olhar longa e concentradamente para as curiosas figuras nele desenhadas. Ele não fez nenhuma referência ao caso, todavia, até uma tarde, cerca de duas semanas depois. Eu estava saindo quando ele me chamou de volta.

— É melhor você ficar aqui, Watson.

— Por quê?

— Porque recebi um telegrama de Hilton Cubitt esta manhã; lembra-se de Hilton Cubitt, dos homenzinhos dançantes? Ele estaria na Liverpool Street às 13h20. Pode chegar a qualquer momento. Deduzo por seu telegrama que houve algum novo incidente importante.

Não foi preciso esperar muito, pois nosso fazendeiro de Norfolk veio diretamente da estação, tão rápido quanto um *hansom* pôde trazê-lo. Parecia preocupado e deprimido, com olhos cansados e a testa vincada por rugas.

— Esse negócio está me dando nos nervos, Sr. Holmes — ele disse, desabando, como alguém exausto, numa poltrona. — Já é ruim sentir-se rodeado por pessoas invisíveis e desconhecidas com algum tipo de intenção que nos envolve; mas quando, somando-se a isso, se sabe que o fato está matando a sua esposa aos poucos, é mais do que alguém de carne e osso consegue suportar. Ela está definhando sob esse fardo, definhando diante dos meus olhos.

— Ela já disse alguma coisa?

— Não, Sr. Holmes, não disse. No entanto, houve momentos em que a pobre moça quis falar, mas não conseguiu criar coragem para dar esse salto. Tentei ajudá-la; mas ouso dizer que fiz isso atabalhoadamente, e acabei por assustá-la. Ela falava sobre minha família tradicional, nossa reputação no campo e nosso orgulho por nossa honra imaculada, e eu sempre sentia que ela estava chegando ao assunto; mas por algum motivo, desviava antes de chegarmos lá.

— Mas o senhor descobriu alguma coisa sozinho?

— Muito, Sr. Holmes. Tenho vários novos desenhos de homenzinhos dançantes para o senhor examinar e, o que é mais importante, vi o camarada.

— O quê, o homem que os desenha?

## OS HOMENZINHOS DANÇANTES

— Sim, eu o vi em ação. Mas vou contar tudo pela ordem. Quando voltei, depois de visitar o senhor, a primeira coisa que vi na manhã seguinte foi um novo lote de homenzinhos dançantes. Eles haviam sido desenhados com giz na porta de madeira preta do abrigo das ferramentas, que fica ao lado do gramado e é facilmente visível das janelas da frente. Fiz uma cópia exata, e aqui está. — Ele abriu uma folha e a estendeu sobre a mesa. Esta é a cópia dos hieróglifos:

— Excelente! — disse Holmes. — Excelente! Por favor, continue.

— Depois de copiá-los, apaguei os sinais; mas duas manhãs depois, uma nova inscrição havia aparecido. Tenho uma cópia dela aqui:

Holmes esfregou as mãos e deu uma risadinha deleitada.

— Nosso material está se acumulando rapidamente — ele disse.

— Três dias depois, uma mensagem rabiscada num papel foi deixada debaixo de uma pedra sobre o relógio de sol. Aqui está ela. Os desenhos são, como pode ver, exatamente iguais aos da última inscrição. Depois disso, decidi ficar de campana; por isso peguei meu revólver e me sentei no meu escritório, de onde se veem o gramado e o jardim. Lá pelas duas da manhã, estando eu sentado perto da janela e tudo às escuras, à parte o luar lá fora, ouvi passos atrás de mim, e lá estava a minha esposa de camisola. Ela implorou que eu voltasse para a cama. Eu lhe disse com franqueza que queria ver quem era que estava fazendo tais brincadeiras absurdas conosco. Ela respondeu que era só uma pilhéria sem sentido, e que eu não deveria me importar.

"'Se isso realmente o aborrece, Hilton, deveríamos fazer uma viagem, você e eu, para evitar esse incômodo.'

"'Como assim? Sermos expulsos da nossa própria casa por um trocista?', eu disse. 'Ora, o condado todo riria de nós!'

"'Bem, venha para a cama', ela disse, 'e discutiremos isso pela manhã.'

"De repente, enquanto ela falava, vi seu rosto pálido ficar mais pálido ainda ao luar, e sua mão apertou o meu ombro. Algo se movia na sombra do abrigo das ferramentas. Vi uma silhueta escura e sorrateira esgueirando-se no canto e se agachando diante da porta. Peguei minha arma e ia sair, quando minha esposa ergueu os braços e me segurou com uma força convulsiva. Tentei me desvencilhar, mas ela se agarrava a mim desesperadamente. Por fim me livrei, mas quando abri a porta e cheguei ao abrigo, a criatura já havia desaparecido. Ele deixara um sinal de sua presença, todavia, pois ali na porta estava o mesmo arranjo de homenzinhos dançantes que já aparecera por duas vezes e que copiei naquele papel. Não havia nenhum outro sinal do sujeito em lugar nenhum, embora eu tivesse corrido para todo lado. Ainda assim, o assombroso era que ele deve ter permanecido por ali, pois quando examinei a porta novamente pela manhã, ele havia rabiscado mais alguns dos seus desenhos sob a linha que eu já vira."

— O senhor tem esse novo desenho?

— Sim; é bem curto, mas eu o copiei, e aqui está.

Novamente, ele apresentou uma folha. A nova dança tinha este formato:

— Diga — perguntou Holmes; e eu podia ver em seu olhar que ele estava muito agitado —, isso era uma simples adição ao primeiro desenho ou parecia ser totalmente separado?

— Estava em outra almofada da porta.

— Excelente! Esse é de longe o desenho mais importante para o nosso propósito. Ele me enche de esperanças. Agora, Sr. Hilton Cubitt, por favor, continue seu depoimento tão interessante.

— Não tenho mais nada a dizer, Sr. Holmes, a não ser que fiquei furioso com minha esposa, naquela noite, por ter-me impedido de capturar aquele canalha. Ela disse que temeu pela minha segurança. Por um instante, passou-me pela cabeça que talvez na verdade ela temesse pela segurança *dele*, pois eu não tinha dúvidas de que ela sabia quem era aquele homem, e o que ele queria dizer com esses estranhos sinais. Mas minha esposa tem um tom na voz, Sr. Holmes, e um olhar que proíbem a dúvida, e tenho certeza de que era de fato a minha segurança que a preocupava. Aí está o caso todo, e agora quero seu conselho sobre o que fazer. Minha inclinação é mandar meia dúzia dos meus rapazes da fazenda para o mato, e quando esse camarada aparecer de novo, dar-lhe tamanha coça que ele nos deixe em paz no futuro.

— Temo que o caso seja complexo demais para um remédio tão simples — disse Holmes. — Quanto tempo pode ficar em Londres?

— Preciso voltar hoje mesmo. Não deixaria minha esposa sozinha à noite por nada. Ela está muito nervosa e implorou que eu voltasse.

— Ouso dizer que tem razão. Mas se pudesse ficar, eu poderia voltar com o senhor em um ou dois dias. Enquanto isso, vai deixar essas folhas comigo, e acho que é bem provável que eu consiga visitá-lo em breve e esclarecer um pouco o caso.

Sherlock Holmes manteve sua calma atitude profissional até nosso visitante partir, embora fosse fácil para mim, que o conheço tão bem, perceber que ele estava profundamente empolgado. Assim que as costas largas de Hilton Cubitt desapareceram porta afora, meu colega correu até a mesa, abriu diante de si todas as folhas contendo homenzinhos dançantes e mergulhou em cálculos complexos e elaborados.

## OS HOMENZINHOS DANÇANTES

Por duas horas eu o observei cobrindo folha após folha de papel com números e letras, tão completamente absorto em sua tarefa que evidentemente se esquecera da minha presença. Às vezes, fazia progressos e assobiava e cantava em seu trabalho; às vezes, via-se intrigado e ficava por muito tempo com o cenho franzido e o olhar vazio. Finalmente, saltou da poltrona com um grito de satisfação e andou de um lado para o outro da sala, esfregando as mãos. Então escreveu uma longa mensagem num formulário telegráfico.

— Se minha resposta a isto for a que espero, você terá um belo caso para acrescentar à sua coleção, Watson — ele disse. — Espero que possamos ir para Norfolk amanhã, e levar ao nosso amigo notícias bem definidas sobre o segredo de seu aborrecimento.

Confesso que eu estava cheio de curiosidade, mas sabia que Holmes gostava de fazer suas revelações a seu tempo e a seu modo; por isso esperei até que lhe aprouvesse confidenciar-se comigo.

Mas houve uma demora na resposta a esse telegrama, e dois dias de impaciência se seguiram, durante os quais Holmes aguçava os ouvidos a cada tilintar da campainha. Na noite do segundo dia, chegou uma carta de Hilton Cubitt. Estava tudo calmo em sua casa, à parte a aparição de uma longa inscrição, naquela manhã, no pedestal do relógio de sol. Ele incluiu uma cópia, que reproduzo abaixo:

Holmes curvou-se sobre esse grotesco friso por alguns minutos, e então saltou de pé de repente, com uma exclamação de surpresa e desolação. Seu rosto estava abatido pela ansiedade.

— Já deixamos esse caso ir longe demais — ele disse. — Há algum trem para North Walsham esta noite?

Eu consultei a tabela de horários. O último acabara de partir.

— Então faremos o desjejum mais cedo amanhã e pegaremos o primeiro trem — disse Holmes. — Nossa presença é urgentemente necessária. Ah, aí está nosso esperado cabograma. Um momento, Sra. Hudson, pode haver uma resposta. Não, é como eu esperava. Essa mensagem torna ainda mais essencial que não percamos uma hora mais em informar a Hilton Cubitt o estado das coisas, pois é numa singular e perigosa teia que nosso simples fazendeiro de Norfolk se encontra emaranhado.

De fato provou ser assim, e quando chego à sombria conclusão de uma história que de início me parecera ser apenas infantil e bizarra, experimento mais uma vez a desolação e o horror que me preencheram então. Gostaria de ter um final mais luminoso para comunicar aos meus leitores; mas esta é a crônica dos fatos e preciso seguir até a macabra crise e estranha cadeia de acontecimentos que por alguns dias tornou conhecido por toda a Inglaterra o nome da Mansão Ridling Thorpe.

## OS HOMENZINHOS DANÇANTES

Mal havíamos desembarcado em North Walsham e mencionado o nome do nosso destino, quando o chefe da estação nos alcançou correndo.

— Imagino que sejam os detetives de Londres? — ele disse.

Um ar de aborrecimento cobriu o rosto de Holmes.

— O que lhe faz pensar isso?

— É que o inspetor Martin, de Norwich, acaba de passar por aqui. Mas talvez sejam os cirurgiões. Ela ainda não está morta; ou não estava, pelas últimas notícias. Talvez cheguem a tempo de salvá-la; ainda que seja para a forca.

O cenho de Holmes se turvou com a ansiedade.

— Estamos indo para a Mansão Ridling Thorpe — ele disse —, mas nada sabemos sobre o que aconteceu ali.

— É um negócio terrível — declarou o chefe da estação. — Eles foram baleados, o Sr. Hilton Cubitt e a esposa. Ela atirou nele e depois em si mesma, foi o que as criadas disseram. Ele está morto, e ela, em estado desesperador. Meu Deus! Uma das famílias mais antigas do condado de Norfolk, e uma das mais honradas.

Sem uma palavra, Holmes correu até uma carruagem, e durante a longa viagem de onze quilômetros, não abriu a boca uma só vez. Raras vezes o vi tão completamente desapontado. Estava inquieto durante toda a nossa viagem desde a cidade, e eu observara que ele folheava os jornais matutinos com atenção ansiosa; mas agora, essa repentina revelação de seus mais graves temores o deixara numa melancolia inerte. Ele se recostava no assento, perdido em especulações tristonhas. No entanto, havia muita coisa interessante ao nosso redor, pois passávamos pela região mais peculiar da Inglaterra, onde umas poucas casinhas isoladas representavam a população atual, enquanto de cada lado enormes igrejas de torres quadradas erguiam-se da paisagem plana e verdejante, falando da glória e da prosperidade da antiga Ânglia Oriental. Por fim, a borda violeta do Oceano Germânico apareceu acima da costa verde de Norfolk, e o cocheiro apontou com o chicote para duas velhas arestas de tijolo e madeira que despontavam de um pequeno bosque.

— Lá está a Mansão Ridling Thorpe — ele disse.

Quando nos aproximamos do pórtico da entrada, observei diante dele, ao lado da quadra de tênis, o abrigo preto das ferramentas e o relógio de sol sobre o pedestal, com os quais tivemos tão estranhas associações. Um homenzinho elegante, de gestos rápidos e atentos e bigode encerado, acabara de descer de uma carroça alta. Ele se apresentou como o inspetor Martin, da polícia de Norfolk, e ficou consideravelmente assombrado ao ouvir o nome do meu colega.

— Ora, Sr. Holmes, o crime foi cometido às três desta manhã! Como pode ter ficado sabendo dele em Londres e chegado aqui ao mesmo tempo que eu?

— Eu o previ. Vim na esperança de evitá-lo.

— Então deve ter pistas importantes que ignoramos, pois todos dizem que eles eram um casal muito unido.

## OS HOMENZINHOS DANÇANTES

— A única pista que tenho são os homenzinhos dançantes — disse Holmes. — Explicarei o assunto ao senhor mais tarde. Enquanto isso, já que é tarde demais para evitar a tragédia, estou assaz ansioso para usar o conhecimento que possuo de modo a garantir que seja feita justiça. Quer me incluir em sua investigação, ou prefere que eu atue de forma independente?

— Eu ficaria orgulhoso em considerar que estamos trabalhando juntos, Sr. Holmes — disse o inspetor com franqueza.

— Nesse caso, gostaria de ouvir os fatos e examinar o local sem qualquer demora desnecessária.

O inspetor Martin teve o bom senso de permitir que meu amigo fizesse as coisas à sua maneira, e contentou-se em anotar meticulosamente os resultados. O cirurgião local, um senhor de cabelos brancos, acabava de descer do quarto da Sra. Hilton Cubitt e informou que seus ferimentos eram graves, mas não necessariamente fatais. A bala atravessara a parte da frente do cérebro, e provavelmente demoraria algum tempo até que ela recobrasse a consciência. Sobre a questão de se ela fora baleada ou atirara em si mesma, ele não quis manifestar nenhuma opinião definitiva. Certamente o projétil fora deflagrado à queima-roupa. Havia somente uma pistola no quarto, cujos dois canos haviam sido esvaziados. O Sr. Hilton Cubitt fora atingido no coração. Era igualmente concebível que ele tivesse atirado nela e depois em si mesmo, ou que ela fosse a culpada, pois o revólver estava no chão, a meio caminho entre os dois.

# O RETORNO DE SHERLOCK HOLMES

— Alguém mexeu em Cubitt? — perguntou Holmes.

— Não mexemos em nada, a não ser na senhora. Não podíamos deixá-la ferida no chão.

— Há quanto tempo está aqui, doutor?

— Desde as 4 horas.

— Mais alguém?

— Sim, o policial aqui.

— E não tocaram em nada?

— Nada.

— Agiram com muita sensatez. Quem mandou chamá-los?

— A criada, Saunders.

— Foi ela que deu o alarme?

— Ela e a Sra. King, a cozinheira.

— Onde elas estão agora?

— Na cozinha, acredito.

— Então acho que é melhor ouvirmos a versão delas imediatamente.

O velho salão, revestido de carvalho e com janelas altas, foi transformado numa sala de investigação. Holmes sentou-se numa poltrona antiga, com os olhos inexoráveis brilhando em seu rosto exausto. Eu lia neles o firme propósito de devotar sua vida a esse inquérito, até que o cliente que ele não lograra salvar fosse finalmente vingado. O esguio inspetor Martin, o velho médico grisalho do interior, eu e um robusto policial local formávamos o resto daquele estranho grupo.

## OS HOMENZINHOS DANÇANTES

As duas mulheres contaram sua história com bastante clareza. Haviam sido acordadas pelo som de uma explosão, seguida um minuto depois por outra. Elas dormiam em quartos contíguos, e a Sra. King correra para o de Saunders. Juntas, elas desceram a escada. A porta do escritório estava aberta, e uma vela ardia sobre a mesa. O patrão jazia de bruços no meio da sala. Ele já estava morto. Perto da janela, sua esposa estava agachada, com a cabeça encostada na parede. Estava horrivelmente ferida, com o lado do rosto vermelho de sangue. Respirava ofegante, mas era incapaz de dizer qualquer coisa. O corredor, bem como a sala, estava cheio de fumaça e com cheiro de pólvora. A janela com certeza estava fechada e trancada por dentro. As duas mulheres confirmaram esse detalhe. Imediatamente mandaram chamar o médico e a polícia. Então, com a ajuda do pajem e do cavalariço, carregaram a patroa ferida para o quarto. Tanto ela quanto o marido haviam usado a cama. Ela estava de vestido — ele de robe, por cima das roupas de dormir. Nada havia sido levado do escritório. Até onde sabiam, nunca houvera qualquer briga entre os dois. Elas sempre os consideraram um casal muito unido.

Esses eram os pontos principais do depoimento das criadas. Em resposta ao inspetor Martin, confirmaram que todas as portas estavam trancadas por dentro, e que ninguém poderia ter fugido da casa. Em resposta a Holmes, ambas lembraram ter notado o cheiro de pólvora desde o momento em que saíram correndo dos quartos, no andar de cima.

O RETORNO DE SHERLOCK HOLMES

— Recomendo que preste bastante atenção a esse fato —
disse Holmes ao seu colega de profissão. — E agora, acho que
estamos aptos a realizar um exame completo da sala.

O escritório provou ser um cômodo pequeno, com três paredes cobertas por estantes de livros e uma escrivaninha diante
de uma janela comum, que dava para o jardim. Nossa primeira
atenção foi dirigida ao corpo do desventurado fazendeiro, cuja
imponente forma jazia no meio da sala. Suas roupas em desalinho mostravam que ele fora acordado inesperadamente. A bala
havia sido disparada da sua frente e ficara no corpo, depois de
penetrar o coração. Sua morte fora certamente instantânea e
indolor. Não havia marcas de pólvora em seu robe, nem em
suas mãos. De acordo com o cirurgião, a mulher tinha marcas
no rosto, mas nenhuma em sua mão.

— A ausência delas não significa nada, embora sua presença
pudesse significar tudo — disse Holmes. — A menos que a pólvora de um cartucho mal encaixado espirre para trás por acaso,
é possível dar muitos tiros sem deixar nenhuma marca. Sugiro
que o corpo do Sr. Cubitt seja removido agora. Suponho,
doutor, que não tenha recuperado a bala que feriu a madame?

— Será necessária uma cirurgia complexa para tanto.
Mas ainda há quatro cartuchos no revólver. Dois foram
disparados e dois ferimentos foram feitos, portanto todas as
balas foram localizadas.

— Parece que sim — disse Holmes. — Talvez possa também
incluir a bala que tão obviamente atingiu o caixilho da janela?

## OS HOMENZINHOS DANÇANTES

Ele havia se virado de repente, e seu dedo longo e fino apontava para um buraco que atravessava a parte inferior do caixilho, a cerca de dois centímetros e meio de altura.

— Pelos céus! — exclamou o inspetor. — Como conseguiu ver isso?

— Porque procurei.

— Maravilhoso! — disse o médico. — Certamente o senhor tem razão. Então um terceiro tiro foi disparado, e portanto uma terceira pessoa devia estar presente. Mas quem poderia ser, e como conseguiu escapar?

— Esse é o problema que estamos prestes a resolver — disse Sherlock Holmes. — O senhor lembra, inspetor Martin, que quando as criadas afirmaram ter notado imediatamente, ao sair do quarto, o cheiro de pólvora, eu comentei que esse detalhe era extremamente importante?

— Sim, senhor; mas confesso que não entendi bem.

— Ele sugeria que no momento dos disparos a janela e a porta da sala estavam abertas. Senão, o cheiro da pólvora não poderia ter se espalhado tão rapidamente pela casa. Uma corrente de ar era necessária para isso. Porém, a porta e a janela só ficaram abertas por pouco tempo.

— Como comprova isso?

— Porque a vela não estava deformada.

— Capital! — exclamou o inspetor. — Capital!

— Por ter certeza de que a janela estava aberta no momento da tragédia, imaginei que poderia ter havido uma terceira pessoa na casa, que estava do lado de fora e atirou através da janela. Qualquer disparo dirigido a essa pessoa poderia atingir o caixilho. Eu procurei, e ali, de fato, estava a marca do tiro!

— Mas como a janela foi encontrada fechada e trancada?

— O primeiro instinto da mulher teria sido fechar e trancar a janela. Mas, olá! O que é isso?

Era uma bolsa de mulher sobre a mesa do escritório — uma elegante bolsinha de couro de crocodilo e prata. Holmes a abriu e a esvaziou. Havia nela vinte cédulas de cinquenta libras do Banco da Inglaterra, amarradas com um elástico — nada mais.

— Isso precisa ser preservado, pois figurará no julgamento — disse Holmes, entregando a bolsa e seu conteúdo ao inspetor. — Agora é necessário que tentemos lançar alguma luz sobre essa terceira bala, que claramente, pela rachadura na madeira, foi disparada de dentro da sala. Eu gostaria de ver novamente a Sra. King, a cozinheira... Sra. King, a senhora disse que foi acordada por uma explosão *barulhenta*. Ao dizer isso, está afirmando que lhe pareceu mais alta do que a segunda?

— Bem, senhor, ela me acordou, por isso é difícil avaliar. Mas pareceu muito alta.

— Não acha que podem ter sido dois tiros disparados quase ao mesmo tempo?

— Isso eu realmente não saberia dizer, senhor.

— Acredito que sem dúvida foi isso. Eu acho, inspetor Martin, que agora esgotamos tudo o que esta sala pode nos

# OS HOMENZINHOS DANÇANTES

revelar. Se fizer a gentileza de me acompanhar, veremos que novas pistas o jardim tem a oferecer.

Um canteiro de flores se estendia até a janela do escritório, e todos rompemos numa exclamação ao nos aproximarmos. As flores estavam pisoteadas, e o solo macio, cheio de pegadas. Eram pés grandes e másculos, com dedos peculiarmente longos e finos. Holmes caçava em meio à grama e às folhas como um sabujo atrás de uma ave ferida. Então, com um grito de satisfação, ele se curvou e pegou um pequeno cilindro de latão.

— Imaginei — ele disse —; o revólver tinha um ejetor, e aqui está o terceiro cartucho. Acredito sinceramente, inspetor Martin, que nosso caso está quase completo.

O rosto do inspetor local revelara seu intenso assombro com o rápido e engenhoso progresso das investigações de Holmes. De início, ele mostrara alguma disposição para impor suas opiniões; mas agora estava vencido pela admiração e pronto a seguir sem questionar aonde quer que Holmes o levasse.

— De quem o senhor suspeita? — ele perguntou.

— Falarei disso mais tarde. Há vários aspectos desse problema que ainda não consegui lhe explicar. Agora que cheguei até aqui, é melhor que eu siga meus próprios caminhos e esclareça o caso de uma vez por todas.

— Como quiser, Sr. Holmes, contanto que peguemos o culpado.

— Não desejo fazer mistério, mas é impossível, na hora da ação, começar explicações longas e complexas. Estou com todas as pontas deste caso nas mãos. Mesmo se a madame jamais recobrar a consciência, poderemos reconstruir os acontecimentos da noite passada e garantir que a justiça seja feita. Antes de tudo, gostaria de saber se há alguma hospedaria nesta região pertencente a alguém chamado Elrige.

As criadas foram interrogadas, mas nunca ouviram falar de tal lugar. O cavalariço esclareceu a questão ao lembrar que um fazendeiro com esse nome morava alguns quilômetros na direção de East Ruston.

— É uma fazenda isolada?

— Muito isolada, senhor.

— Talvez ainda não saibam tudo o que aconteceu aqui durante a noite?

— Talvez não, senhor.

Holmes pensou um pouco, e então um sorriso peculiar iluminou-lhe o rosto.

— Sele um cavalo, meu rapaz — ele disse. — Quero que leve um bilhete para a fazenda de Elrige.

Ele tirou do bolso as várias tiras de papel com os homenzinhos dançantes. Com elas diante de si, trabalhou por algum tempo sobre a mesa do escritório. Finalmente, entregou um bilhete ao rapaz, instruindo-o a entregá-lo em mãos à pessoa a quem estava endereçado, recomendando particularmente que ele não respondesse perguntas de espécie alguma que lhe

## OS HOMENZINHOS DANÇANTES

fossem feitas. Eu vi o verso do bilhete, sobrescritado com letras rabiscadas e irregulares, muito diferentes da costumeira caligrafia precisa de Holmes. Estava endereçado ao Sr. Abe Slaney, Fazenda de Elrige, East Ruston, Norfolk.

— Eu acho, inspetor — Holmes comentou —, que o senhor faria bem em telegrafar pedindo uma escolta, pois se meus cálculos provarem ser corretos, o senhor poderá ter um preso particularmente perigoso para conduzir à cadeia do condado. O rapaz que leva este bilhete sem dúvida poderia encaminhar seu telegrama. Se houver um trem vespertino para a cidade, Watson, acho que seria bom que o pegássemos, pois tenho uma análise química de algum interesse para concluir, e esta investigação se aproxima rapidamente de seu termo.

Quando o jovem foi despachado com o bilhete, Sherlock Holmes deu suas instruções à criadagem. Se algum visitante aparecesse perguntando pela Sra. Hilton Cubitt, nenhuma informação sobre o estado dela deveria ser fornecida, mas ele deveria ser levado imediatamente para a sala de estar. Holmes salientou esses detalhes com a veemência mais intensa. Finalmente, ele nos levou até a sala, comentando que agora o caso não estava mais em nossas mãos, e que podíamos passar o tempo como quiséssemos até vermos o que nos aguardava. O médico partiu para visitar outros pacientes, e só o inspetor e eu permanecemos.

— Acho que posso ajudar vocês a passar uma hora de maneira interessante e proveitosa — disse Holmes, puxando a poltrona para perto da mesa e espalhando diante de si os

# O RETORNO DE SHERLOCK HOLMES

vários papéis nos quais estavam registradas as piruetas dos homenzinhos dançantes. — Quanto a você, amigo Watson, lhe devo todas as desculpas por ter permitido que sua curiosidade natural ficasse por tanto tempo insatisfeita. Para o senhor, inspetor, o caso todo pode representar um notável estudo profissional. Devo relatar antes de tudo as interessantes circunstâncias ligadas às consultas prévias que o Sr. Hilton Cubitt me fez na Baker Street.

Ele então recapitulou brevemente os fatos que já foram aqui registrados.

— Tenho diante de mim estas peculiares produções, que poderiam fazer alguém sorrir, não tivessem se revelado precursoras de uma tragédia tão terrível. Estou bastante familiarizado com toda forma de escrita secreta, e sou o autor de uma singela monografia sobre o assunto, na qual analiso 160 códigos diferentes; mas confesso que este me é totalmente novo. O objetivo daqueles que inventaram o sistema, aparentemente, era disfarçar que estes caracteres contivessem uma mensagem, e dar a ideia de que fossem meros rabiscos aleatórios de uma criança.

"Tendo reconhecido, todavia, que os símbolos representavam letras, e depois de aplicar as regras que nos norteiam em todas as formas de escrita secreta, a solução provou ser bastante simples. A primeira mensagem que me foi apresentada era tão curta que foi-me impossível fazer mais do que determinar, com algum grau de certeza, qual símbolo representava a letra E. Como sabem, E é a letra do alfabeto mais comum no idioma inglês, e predomina de forma tão pronunciada que até mesmo numa frase curta, é de se esperar que ocorra com grande frequência. Dos quinze símbolos da primeira mensagem, quatro eram iguais, portanto fazia sentido declará-los a letra E. É verdade que em alguns casos a figura segurava uma bandeira, e em outros não, mas era provável, pelo modo como as bandeiras eram distribuídas, que elas servissem para dividir a sentença em palavras. Aceitei isso como hipótese e anotei que a letra E era representada por

"Mas então chegou a parte realmente difícil da investigação. A ordem das letras predominantes no inglês depois de E de modo algum é tão pronunciada, e qualquer preponderância verificada na tabulação de uma folha de texto pode aparecer invertida numa única sentença curta. Grosso modo, T, A, O, I, N, S, H, R, D e L é a ordem de ocorrência das outras letras; mas T, A, O e I estão quase empatadas, e seria uma tarefa interminável tentar todas as combinações possíveis até chegar a um significado. Portanto, esperei a chegada de novo material. Em minha segunda reunião com o Sr. Hilton Cubitt, ele pôde me fornecer mais duas sentenças curtas e uma mensagem que parecia conter — pela ausência de bandeiras — uma única palavra. Aqui estão os símbolos.

Pois bem, nessa única palavra, já tenho dois E aparecendo em segundo e quarto lugares numa palavra de cinco letras. Ela poderia ser *sever*, *lever* ou *never* ('amputar', 'alavanca' ou 'nunca'). Não resta dúvida de que esta última palavra, como resposta a um apelo, é de longe a mais provável, e as circunstâncias indicavam que a mensagem seria uma resposta escrita pela madame. Aceitando essa hipótese como a correta, agora podemos afirmar que os símbolos

representam respectivamente N, V e R.

"Mesmo assim, eu tinha dificuldades consideráveis, mas uma ideia feliz me fez tomar posse de várias outras letras. Ocorreu-me que se esses apelos vinham, como eu imaginava, de alguém que fora íntimo da madame em sua vida pregressa, uma combinação que contivesse duas letras E com três letras no meio poderia muito bem representar o nome 'ELSIE'. Examinando o material, descobri que tal combinação formava o encerramento daquela mensagem que se repetira por três vezes. Era certamente algum apelo a 'Elsie'. Dessa forma, consegui o L, o S e o I. Mas que apelo poderia ser? A palavra que precedia 'Elsie' tinha apenas quatro letras, e terminava com a letra E. Certamente a palavra deveria ser *COME* ('VENHA'). Tentei todas as outras quatro letras terminando com o E, mas não encontrei nenhuma que se encaixasse. Portanto, agora eu possuía o C, o O e o M, e estava em condições de atacar a primeira mensagem novamente, dividindo-a em palavras e usando pontos para substituir cada símbolo que continuava desconhecido. Tratada assim, ela aparecia da seguinte forma:

. M . ERE . . E    SL . NE .

"Bem, a primeira letra só poderia ser A, pois a única palavra de duas letras da língua inglesa terminada em M é *am* ('sou, estou'), o que é uma descoberta muito útil, pois a letra A aparecia nada menos do que três vezes nessa curta frase, e o H também é evidente na segunda palavra. Assim, ela se torna:

AM HERE A . E SLANE .

"Ou, preenchendo as lacunas óbvias no nome:

AM HERE ABE SLANEY ('ESTOU AQUI ABE SLANEY')

"Eu já tinha tantas letras que podia passar com segurança considerável à segunda mensagem, que ficou desta forma:

A .ELRI . ES

"Então eu só podia dar-lhe algum sentido colocando T e G nas lacunas, e supondo que o nome fosse de alguma casa ou hospedaria onde o autor das mensagens estivesse hospedado: AT ELRIGE'S ('NA CASA OU NO ESTABELECI-MENTO DE ELRIGE')."

O inspetor Martin e eu ouvíramos com o maior interesse o relato meticuloso e claro de como o meu amigo produzira resultados que levaram a um domínio tão completo das nossas dificuldades.

— E o que fez depois, senhor? — perguntou o inspetor.

— Eu tinha todos os motivos para supor que esse Abe Slaney fosse americano, já que Abe é um diminutivo americano, e uma carta dos Estados Unidos fora o ponto de partida de todos os problemas. Eu também tinha razões para achar que havia algum segredo criminoso no caso. Tanto as alusões da madame ao seu passado quanto sua recusa em confidenciar-se com o marido apontavam nessa direção. Assim, telegrafei para o meu amigo Wilson Hargreave, da Chefatura de Polícia de Nova York, que mais de uma vez fez uso do meu conhecimento do mundo do crime londrino. Perguntei se o nome de Abe Slaney lhe era familiar. Aqui está a resposta dele: "O bandido mais perigoso de Chicago". Na mesma noite em que recebi a resposta dele, Hilton Cubitt me enviou a última mensagem de Slaney. Trabalhando com as letras que eu já conhecia, ela tomou esta forma:

ELSIE . RE . ARE TO MEET THY GO .

"A adição de dois P e um D completaram uma mensagem que me revelava que o canalha avançara da persuasão para as ameaças: ELSIE PREPARE TO MEET THY GOD ('ELSIE, PREPARE-SE PARA ENCONTRAR O SEU DEUS'), e meu conhecimento dos bandidos de Chicago me preparava a considerar que ele poderia rapidamente passar das palavras à ação. Vim imediatamente para Norfolk com meu amigo e colega, o Dr. Watson, mas infelizmente em tempo apenas para descobrir que o pior já havia acontecido."

— É um privilégio estar associado ao senhor na investigação de um caso — disse o inspetor com entusiasmo. — Vai me perdoar, todavia, se lhe falo francamente. O senhor só precisa prestar contas a si mesmo, mas eu tenho que responder aos meus superiores. Se esse Abe Slaney, hospedado na fazenda de Elrige, realmente é o assassino, e se ele escapou enquanto estou sentado aqui, certamente vou ter problemas sérios.

— Não precisa ficar aflito. Ele não tentará escapar.

— Como sabe?

— Fugir seria uma confissão de culpa.

— Então vamos prendê-lo.

— Espero a chegada dele a qualquer momento.

# O RETORNO DE SHERLOCK HOLMES

— Mas por que ele viria?

— Porque escrevi e lhe pedi.

— Mas isso é incrível, Sr. Holmes! Por que ele viria para cá a seu pedido? Tal solicitação não despertaria suspeitas, fazendo-o fugir?

— Acho que eu soube dar a forma adequada à carta — disse Sherlock Holmes. — De fato, se não me engano, aí está o cavalheiro em pessoa subindo pelo caminho.

Um homem percorria a passos largos o caminho que levava até a porta. Era um sujeito alto, bonito, bronzeado, usando um terno de flanela cinza e chapéu-panamá, com uma hirsuta barba negra, um nariz adunco, grande e agressivo, e brandindo uma bengala ao andar. Ele percorria o caminho a passos largos, como se o lugar lhe pertencesse, e ouvimos seu toque ruidoso e seguro na campainha.

— Eu acho, cavalheiros — disse Holmes em voz baixa —, que é melhor nos posicionarmos atrás da porta. Toda precaução é necessária ao lidar com um sujeito assim. Vai precisar de suas algemas, inspetor. Pode deixar que eu falo com ele.

Esperamos em silêncio por um minuto — um daqueles minutos que ninguém jamais esquece. Então a porta se abriu e o homem entrou. Num instante, Holmes encostou a pistola na sua cabeça e Martin prendeu as algemas em seus pulsos. Tudo foi feito tão rápida e habilmente que o camarada já estava indefeso antes de perceber que estava sendo atacado.

## OS HOMENZINHOS DANÇANTES

Ele corria o olhar entre nós com um par de olhos negros faiscantes. Então rompeu numa risada amarga.

— Bem, cavalheiros, levaram a melhor sobre mim desta vez. Parece que esbarrei em algo duro. Mas vim aqui em resposta a uma carta da Sra. Hilton Cubitt. Não me digam que ela está de acordo com isto? Não me digam que ajudou a armar esta cilada contra mim?

— A Sra. Hilton Cubitt foi gravemente ferida e está à beira da morte.

O homem deu um grito rouco de dor que ecoou pela casa.

— Você está louco! — ele gritou ferozmente. — Foi ele quem se feriu, não ela. Eu feriria a pequena Elsie? Posso tê-la ameaçado, que Deus me perdoe, mas não tocaria num fio de cabelo de sua linda cabecinha. Retire o que disse, você! Diga que ela não está ferida!

— Ela foi encontrada gravemente ferida, ao lado do marido morto.

Ele afundou no sofá com um gemido grave e cobriu o rosto com as mãos manietadas. Por cinco minutos, ficou em silêncio. Então ergueu o rosto mais uma vez e falou com a fria compostura do desespero.

— Não tenho nada a esconder dos senhores, cavalheiros — ele disse. — Se atirei no homem, ele também me deu um tiro, e isso não é assassinato. Mas se acham que eu poderia ter ferido aquela mulher, então não conhecem nem a mim, nem a ela. Eu digo que jamais houve um homem neste mundo que amasse uma mulher mais do que eu a amei. Eu tinha direito a ela. Comprometeu-se comigo anos atrás. Quem era esse inglês para se meter entre nós? Afirmo que eu tinha o direito primordial a ela, e que só estava reivindicando o que era meu.

— Ela se livrou da sua influência ao descobrir o homem que o senhor é — disse Holmes severamente. — Fugiu dos Estados Unidos para escapar do senhor e casou-se com um cavalheiro honrado na Inglaterra. O senhor a caçou e a seguiu, e tornou a vida dela um inferno para induzi-la a abandonar o marido que ela amava e respeitava e fugir com o senhor, que ela temia e odiava. Acabou por causar a morte de um nobre homem e induzir a esposa deste a tentar o suicídio. Essa é a sua participação neste caso, Sr. Abe Slaney, e vai responder por ela diante da lei.

— Se Elsie morrer, não me importa o que acontecerá comigo — disse o americano. Ele abriu uma das mãos e olhou para um bilhete amassado em sua palma. — Olhe aqui, senhor — ele exclamou, com suspeita no olhar —, por acaso não está tentando me assustar, está? Se a madame está ferida tão gravemente quanto diz, quem foi que escreveu este bilhete? — Ele o jogou sobre a mesa.

— Eu o escrevi para atrair o senhor para cá.

— O senhor o escreveu? Ninguém no mundo fora da Liga conhecia o segredo dos homenzinhos dançantes. Como conseguiu escrevê-lo?

## OS HOMENZINHOS DANÇANTES

— O que um homem inventa, outro pode desvendar — disse Holmes. — Um táxi está chegando para levá-lo até Norwich, Sr. Slaney. Mas enquanto isso, tem tempo para reparar um pouco os danos que causou. Tem ciência de que a própria Sra. Hilton Cubitt incorre em sérias suspeitas pelo assassinato do marido, e que somente minha presença aqui e o conhecimento que possuo a salvaram dessa acusação? O mínimo que pode fazer por ela é deixar claro para o mundo todo que ela não foi, direta ou indiretamente, responsável pelo trágico fim do marido.

— Eu não pediria mais do que isso — disse o americano. — Acho que a melhor forma de me defender é apresentar a verdade nua e crua.

— É meu dever avisá-lo de que isso será usado contra o senhor — exclamou o inspetor, com o magnífico jogo limpo da lei criminal britânica.

Slaney deu de ombros.

— Vou correr esse risco — ele disse. — Antes de tudo, quero que os cavalheiros entendam que conheço essa dama desde que ela era criança. Éramos sete num bando de Chicago, e o pai de Elsie era o chefe da Liga. Era um homem inteligente, o velho Patrick. Foi ele que inventou essa escrita, que parecia um rabisco de criança para quem não conhecia seu código. Bem, Elsie aprendeu algumas coisas conosco; mas não suportava nosso ganha-pão, e como tinha um pouco de dinheiro honesto guardado, nos enganou e fugiu para Londres. Ela era minha noiva, e teria se casado comigo, eu acho, se eu mudasse de profissão; mas ela não queria saber de nada ilegal. Somente depois de seu casamento com esse inglês consegui descobrir onde Elsie estava. Escrevi para ela, mas não obtive resposta. Depois disso, vim para cá, e como as cartas eram inúteis, deixei minhas mensagens onde ela as pudesse ler.

"Bem, já estou aqui há um mês. Morava naquela fazenda, meu quarto ficava no térreo, e eu entrava e saía toda noite sem que ninguém percebesse. Tentei tudo o que pude para convencer Elsie a encontrar-se comigo. Eu sabia que ela lia as mensagens, pois uma vez deixou uma resposta debaixo de uma delas. Então a raiva tomou conta de mim, e comecei a ameaçá-la. Ela me mandou uma carta, então, implorando que eu fosse embora, e dizendo que se algum escândalo envolvesse seu marido, isso partiria o coração dela. Disse que iria descer enquanto o marido estivesse dormindo, às três da manhã, e falar comigo pela janela, contanto que depois eu fosse embora e a deixasse em paz. Ela desceu e trouxe dinheiro, tentando me subornar para que eu fosse embora. Isso me enfureceu, e agarrei seu braço e tentei puxá-la pela janela. Naquele momento, o marido entrou, de revólver na mão. Elsie caiu no chão e nós ficamos frente a frente. Eu também estava armado, e saquei a arma para assustá-lo e poder fugir. Ele atirou e errou. Atirei quase no mesmo instante e ele desabou. Fugi através do jardim, e enquanto corria, ouvi

# OS HOMENZINHOS DANÇANTES

a janela sendo fechada atrás de mim. Essa é a verdade, juro por Deus, cavalheiros, cada palavra, e eu não soube de mais nada até que aquele rapaz chegou a cavalo com um bilhete que me fez entrar aqui, como uma ave numa arapuca, e me entregar aos senhores."

Um táxi havia chegado enquanto o americano falava. Dois policiais uniformizados estavam dentro dele. O inspetor Martin se levantou e tocou no ombro do preso.

— Precisamos ir.

— Posso vê-la antes?

— Não, ela está inconsciente. Sr. Sherlock Holmes, só espero, se um dia eu tiver outro caso importante, ter a sorte de contar com o senhor ao meu lado.

Fomos até a janela e observamos o táxi indo embora. Quando me virei, meu olhar pousou na bolinha de papel que o preso jogara sobre a mesa. Era o bilhete com o qual Holmes o atraíra.

— Veja se consegue ler, Watson — ele disse sorrindo.

Ele não continha palavras, mas esta pequena linha de homenzinhos dançantes:

— Se você usar o código como expliquei — disse Holmes —, vai descobrir que está escrito simplesmente *Come here at once* ("Venha já para cá"). Eu tinha certeza de que era um convite que ele não iria recusar, já que nunca imaginaria que tivesse partido de outra pessoa que não a madame. E assim, meu caro Watson, acabamos usando os homenzinhos dançantes para o bem, quando eles foram tantas vezes agentes do mal, e acho que cumpri minha promessa de fornecer algo incomum para o seu caderno. Nosso trem é às 15h40, e imagino que conseguiremos voltar à Baker Street a tempo para o jantar.

Somente uma palavra à guisa de epílogo.

O americano Abe Slaney foi condenado à morte nas sessões judiciais de inverno em Norwich; mas sua pena foi comutada para trabalhos forçados, considerando as circunstâncias atenuantes, e a certeza de que Hilton Cubitt atirara primeiro.

Sobre a Sra. Hilton Cubitt, só ouvi dizer que ela se recuperou completamente e que continua viúva, devotando a vida a ajudar os pobres e a administrar a propriedade do marido.

*quatro*

# O CICLISTA SOLITÁRIO

Do ano de 1894 a 1901 inclusive, o Sr. Sherlock Holmes foi um homem muito ocupado. Pode-se dizer com segurança que não houve caso público de qualquer dificuldade sobre o qual ele não tenha sido consultado durante esses oito anos, e houve centenas de casos particulares, alguns deles do caráter mais complexo e extraordinário, nos quais ele desempenhou um papel de destaque. Muitos êxitos assombrosos e alguns inevitáveis fracassos foram o resultado desse longo período de trabalho contínuo. Como preservei anotações muito completas de todos esses casos, e eu mesmo me envolvi pessoalmente em muitos deles, pode-se imaginar que não seja tarefa fácil saber quais devo selecionar para apresentar ao público. Manterei, todavia, minha antiga regra e darei preferência àqueles casos que derivam seu interesse não tanto da brutalidade do crime quanto da engenhosidade e qualidade dramática de sua solução. Por esse motivo, apresento agora ao leitor os fatos ligados à Srta. Violet Smith, ao ciclista solitário de Charlington e à curiosa sequência da nossa investigação, que culminou numa tragédia inesperada. É verdade que as circunstâncias não permitiram qualquer demonstração marcante daqueles poderes pelos quais meu amigo era famoso, mas houve alguns detalhes no caso que o fizeram sobressair-se em meio àqueles longos registros de crimes dos quais colho o material para estas pequenas narrativas.

Ao consultar meu caderno do ano de 1895, verifico que foi no sábado, dia 23 de abril, que ouvimos falar pela primeira vez da Srta. Violet Smith. Sua visita foi, eu lembro, extremamente indesejável para Holmes, pois ele estava mergulhado, no momento, num problema obscuro e complicado, relacionado à peculiar perseguição à qual John Vincent Harden, o famoso milionário do tabaco, era submetido. Meu amigo, que amava acima de todas as coisas a precisão e a concentração do pensamento, abominaria qualquer coisa que distraísse sua atenção do assunto em questão. No entanto, sem uma rispidez alheia à natureza dele, seria impossível recusar-se a ouvir a história da linda jovem, graciosa e nobre, que se apresentou na Baker Street à noite alta, implorando sua assistência e aconselhamento. Foi inútil asseverar que o tempo dele já estava totalmente ocupado, pois a jovem viera determinada a contar sua história, e era evidente que nada menos que a força física poderia fazê-la sair da sala antes que contasse. Com ar resignado e um sorriso um tanto exausto, Holmes rogou que a linda intrusa se sentasse e informasse o que a afligia.

— Ao menos não pode ser sua saúde — ele disse, correndo os olhos atentos sobre ela —; uma ciclista tão entusiasta deve ser cheia de energia.

Ela olhou, surpresa, para os próprios pés, e eu observei o leve desgaste na lateral da sola, causado pelo atrito com a borda do pedal.

— Sim, eu pedalo muito, Sr. Holmes, e isso tem algo a ver com minha visita ao senhor hoje.

Meu amigo tomou a mão sem luva da moça e a examinou com tanta atenção e com tão pouco sentimento quanto um cientista demonstraria por um espécime.

— Certamente vai me perdoar. É o meu trabalho — ele disse, largando-a. — Quase cometi o equívoco de supor que a senhorita datilografava. Naturalmente, é óbvio que é música. Observa a ponta espatulada do dedo, Watson, comum a ambas as profissões? Há uma espiritualidade em seu rosto, todavia — ele o virou delicadamente para a luz —, que a máquina de escrever não produz. Esta dama é música.

— Sim, Sr. Holmes, eu leciono música.

— No interior, presumo, pelo seu bronzeado.

— Sim, senhor; perto de Farnham, nos arredores de Surrey.

— Uma linda região, e cheia das associações mais interessantes. Lembra, Watson, que foi perto dali que capturamos Archie Stamford, o falsário? Bem, Srta. Violet, o que lhe aconteceu perto de Farnham, nos arredores de Surrey?

A jovem, com grande clareza e compostura, fez o curioso relato a seguir:

— Meu pai já está morto, Sr. Holmes. Ele era James Smith, que regia a orquestra do velho Teatro Imperial. Minha mãe e eu ficamos sem nenhum parente no mundo, com exceção de um tio, Ralph Smith, que foi para a África 25 anos atrás, e nunca mais soubemos dele. Quando papai morreu, deixou-nos muito pobres, mas um dia nos disseram que havia um anúncio no *Times* indagando sobre o nosso paradeiro. Pode imaginar como ficamos empolgadas, pois achamos que alguém havia nos deixado uma fortuna. Procuramos imediatamente o advogado cujo nome aparecia no anúncio. Ali, conhecemos dois cavalheiros, o Sr. Carruthers e o Sr. Woodley, da África do Sul, que visitavam o país. Eles disseram que meu tio era seu amigo, que morrera havia alguns meses em Joanesburgo, e que lhes pedira, com seu último suspiro, que localizassem suas parentes e verificassem se não estavam passando necessidades. Parecia-nos estranho que o tio Ralph, que nunca pensara em nós em vida, tivesse o cuidado de procurar-nos depois de morto; mas o Sr. Carruthers explicou que o motivo era que meu tio soubera recentemente da morte do irmão, e assim, sentia-se responsável pelo nosso destino.

— Perdão — disse Holmes —; quando foi essa conversa?

## O CICLISTA SOLITÁRIO

— Dezembro passado; há quatro meses.

— Por favor, prossiga.

— O Sr. Woodley me pareceu uma pessoa das mais odiosas. Ficava o tempo todo me olhando com volúpia; um jovem rústico, balofo, com um bigode ruivo e o cabelo empastado dos lados da testa. Eu o achei completamente detestável, e tinha certeza de que Cyril não gostaria que eu conhecesse uma pessoa assim.

— Oh, Cyril é o nome dele! — disse Holmes sorrindo.

A jovem corou e riu.

— Sim, Sr. Holmes; Cyril Morton, engenheiro elétrico, e esperamos nos casar no final do verão. Céus, *como* fui falar dele? O que eu queria dizer era que o Sr. Woodley era completamente detestável, mas o Sr. Carruthers, que era bem mais velho, era mais agradável. Era um sujeito sombrio, pálido, bem barbeado e silencioso; mas tinha bons modos e um sorriso aprazível. Ele perguntou como estávamos financeiramente, e ao saber que éramos muito pobres, sugeriu que eu deveria dar aulas de música para sua filha única, de 10 anos. Eu disse que não gostava de ficar longe da minha mãe, ao que ele sugeriu que eu a visitasse nos fins de semana, e me ofereceu cem libras por ano, o que certamente era um salário magnífico. Assim, acabei aceitando e fui para a Granja Chiltern, a cerca de dez quilômetros de Farnham. O Sr. Carruthers era viúvo, mas contratara uma governanta, mulher idosa e muito respeitável, a Sra. Dixon, para cuidar de seu estabelecimento. A menina era um amor, e tudo parecia promissor. O Sr. Carruthers era gentil ao extremo e muito musical, e passamos serões bem agradáveis juntos. Todo fim de semana, eu voltava para a casa da minha mãe na cidade.

"A primeira mácula na minha felicidade foi a chegada do Sr. Woodley, o do bigode ruivo. Ele veio para uma visita de uma semana e, oh, pareceram três meses para mim! Ele era uma pessoa pavorosa, maltratava a todos, mas comigo era infinitamente pior. Fazia-me a corte de maneira detestável, vangloriava-se de sua riqueza, dizia que se me casasse com ele eu teria os melhores diamantes de Londres, e finalmente, quando recusei suas ofertas, agarrou-me um dia, depois do jantar — ele era terrivelmente forte — e jurou que não me soltaria enquanto não o beijasse. O Sr. Carruthers entrou e tirou-o de perto de mim, ao que ele se revoltou contra seu anfitrião, derrubando-o e abrindo um corte no rosto dele. Foi o fim de sua visita, como pode imaginar. O Sr. Carruthers pediu-me desculpas no dia seguinte e garantiu que eu jamais sofreria de novo semelhante insulto. Desde então, não vi mais o Sr. Woodley.

"E agora, Sr. Holmes, chego finalmente ao que de especial me levou a pedir seus conselhos hoje. Saiba que todo sábado de manhã eu pedalo minha bicicleta até a Estação de Farnham para pegar o trem das 12h22 para a cidade. A estrada da Granja Chiltern até lá é deserta, particularmente num certo trecho, onde por um quilômetro e meio ela passa entre o

Pântano de Charlington de um lado e a floresta das terras de Charlington Hall do outro. Não existe um trecho de estrada mais deserto em nenhum lugar, e é muito raro cruzar mesmo com apenas uma carroça ou um camponês até chegar à estrada principal, perto do Monte Crooksbury. Duas semanas atrás, eu estava passando por esse trecho quando resolvi olhar para trás, e uns duzentos metros atrás de mim, vi um homem também de bicicleta. Parecia ser de meia-idade, com uma barba curta e escura. Olhei para trás antes de chegar a Farnham, mas o homem desaparecera, por isso não pensei mais nele. Mas pode imaginar minha surpresa, Sr. Holmes, quando na minha volta, na segunda-feira, vi o mesmo homem no mesmo trecho de estrada. Meu assombro aumentou quando o incidente aconteceu de novo, exatamente como antes, no sábado e na segunda-feira seguintes. Ele sempre mantinha distância e não me molestou de forma alguma, no entanto, certamente era bem estranho. Mencionei o fato para o Sr. Carruthers, que pareceu interessado no que eu dizia, e me disse ter encomendado um cavalo e uma carroça, para que no futuro eu não precisasse passar por aquelas estradas desertas sem alguma companhia.

"O cavalo e a carroça deveriam ter chegado esta semana, mas por algum motivo não foram entregues, e mais uma vez precisei pedalar até a estação. Isso foi hoje de manhã. Como pode imaginar, estava alerta quando cheguei ao Pântano de Charlington, e de fato, lá estava o homem, exatamente como duas semanas atrás. Ele sempre se mantinha distante de mim o suficiente para que eu não pudesse ver seu rosto com clareza, mas estou certa de que era alguém que eu não conhecia. Usava um terno escuro e um gorro de pano. A única coisa que eu podia ver claramente em seu rosto era sua barba escura. Hoje não fiquei alarmada, mas cheia de curiosidade, e resolvi descobrir quem ele era e o que queria. Pedalei mais devagar, mas ele diminuiu o ritmo também. Então parei completamente, mas ele também parou. Então preparei-lhe uma armadilha. Há uma curva fechada na estrada, e eu pedalei velozmente até lá, depois parei e esperei. Imaginava que ele passaria chispando por mim antes de conseguir parar. Mas ele não apareceu. Então voltei e olhei antes da curva. Podia ver um quilômetro e meio de estrada, mas ele não estava nela. Para tornar isso mais extraordinário, não havia nenhuma outra estrada naquele ponto que ele pudesse ter tomado."

Holmes deu uma risadinha e esfregou as mãos.

— Esse caso certamente apresenta algumas características singulares — ele disse. — Quanto tempo passou, do momento em que a senhorita dobrou a curva até que viu que a estrada estava deserta?

— Dois ou três minutos.

— Então ele não poderia ter voltado pela estrada, e a senhorita disse que não havia outras estradas?

— Nenhuma.

## O CICLISTA SOLITÁRIO

— Então ele certamente seguiu a pé por algum caminho de um lado ou do outro.

— Não pode ter sido pelo lado do pântano, senão eu o teria visto.

— Portanto, pelo método de exclusão, chegamos ao fato de que ele foi para Charlington Hall, que, pelo que sei, fica em meio a um grande bosque de um lado da estrada. Mais alguma coisa?

— Nada, Sr. Holmes, a não ser que fiquei tão perplexa que senti que não teria paz enquanto não procurasse o senhor e recebesse seus conselhos.

Holmes ficou em silêncio por alguns instantes.

— Onde está o cavalheiro com quem a senhorita está comprometida? — ele perguntou finalmente.

— Na Companhia Elétrica Midland, em Coventry.

— Ele não lhe faria uma visita de surpresa?

— Ora, Sr. Holmes! Como se eu não fosse reconhecê-lo!

— A senhorita teve outros admiradores?

— Vários, antes de conhecer Cyril.

— E depois dele?

— Há esse homem insuportável, Woodley, se é que pode ser chamado de admirador.

— Mais ninguém?

Nossa bela cliente parecia um pouco confusa.

— Quem mais? — perguntou Holmes.

— Ora, pode ser só a minha imaginação; mas parece-me

às vezes que meu empregador, o Sr. Carruthers, se interessa muito por mim. Passamos bastante tempo juntos. Eu o acompanho ao piano à noite. Ele nunca disse nada. É um perfeito cavalheiro. Mas uma mulher sempre sabe.

— Ha! — Holmes parecia sério. — Como ele ganha a vida?

— Ele é rico.

— E não tem carruagens nem cavalos?

— Bem, é no mínimo abastado. Mas vai para a cidade duas ou três vezes por semana. Está profundamente interessado nas ações das minas de ouro sul-africanas.

— Vai me avisar de qualquer novo desdobramento, Srta. Smith. Estou muito ocupado no momento, mas encontrarei tempo para fazer algumas investigações no seu caso. Enquanto isso, não faça nada sem me avisar. Adeus, e acredito que não nos enviará nada além de boas notícias.

— Faz parte da ordem estabelecida da natureza que uma garota assim tenha seguidores — disse Holmes, baforando seu cachimbo de meditação —, mas de preferência não de bicicleta, em estradas desertas no campo. Algum enamorado secreto, sem sombra de dúvida. Mas há detalhes curiosos e sugestivos nesse caso, Watson.

— O fato de ele aparecer somente naquele trecho?

— Exatamente. Nosso primeiro esforço deve ser descobrir quem são os ocupantes de Charlington Hall. E também qual a conexão entre Carruthers e Woodley, já que parecem ser homens de tipos tão diferentes? Como *ambos* resolveram

# O CICLISTA SOLITÁRIO

procurar com tanto afinco as parentes de Ralph Smith? Mais uma questão. Que espécie de residência é essa, que paga o dobro do preço de mercado por uma tutora particular, mas não tem um cavalo, embora fique a dez quilômetros da estação? Estranho, Watson, muito estranho.

— Você irá para lá?

— Não, meu caro colega, *você* irá. O caso pode ser uma intriga sem importância, e eu não posso interromper minha outra importante pesquisa em nome disso. Na segunda-feira, você chegará cedo a Farnham; vai se esconder perto do Pântano de Charlington; vai observar esses fatos pessoalmente e agir como seu juízo lhe aconselhar. Então, depois de perguntar sobre os ocupantes de Charlington Hall, você voltará e me fará um relatório. E agora, Watson, nem mais uma palavra sobre o assunto até que tenhamos algumas pedras sólidas, formando um caminho pelo qual possamos ter esperança de alcançar a nossa solução.

Havíamos sido informados pela jovem que ela chegava às segundas-feiras com o trem que parte de Waterloo às 9h50, por isso acordei cedo e peguei o das 9h13. Na Estação de Farnham, não tive dificuldade para me informar sobre como chegar ao Pântano de Charlington. Era impossível confundir o cenário da aventura da jovem, pois a estrada corre com o pântano aberto de um lado e uma velha cerca viva do outro, em volta de um parque cheio de árvores magníficas. Havia uma entrada principal de pedras manchadas

131

de líquen, cada pilastra lateral encimada por emblemas heráldicos cobertos de musgo; mas dos lados dessa via carroçável central, observei vários lugares onde havia buracos na cerca e caminhos que a atravessavam. A casa era invisível da estrada, mas tudo ao redor falava de tristeza e decrepitude.

O pântano estava coberto por trechos dourados de tojos em flor, brilhando magnificamente à luz do sol radiante da primavera. Atrás de um desses arbustos eu me posicionei para vigiar tanto a entrada da propriedade quanto um longo trecho da estrada de cada lado. Estava deserta quando me afastei, mas agora eu via um ciclista pedalando, vindo do sentido oposto daquele de onde eu chegara. Ele usava um terno escuro, e vi que tinha uma barba preta. Ao chegar no final da propriedade de Charlington, ele desceu de seu veículo e o conduziu por uma abertura na cerca, desaparecendo da minha visão.

Um quarto de hora se passou e então uma segunda bicicleta apareceu. Dessa vez, era a jovem vindo da estação. Eu a vi olhar ao redor quando chegou à cerca viva de Charlington. Um instante depois, o homem emergiu de seu esconderijo, saltou em sua bicicleta e a seguiu. Em toda a ampla paisagem, aquelas eram as únicas figuras em movimento, a graciosa garota sentada muito ereta em sua máquina e o homem atrás dela debruçado sobre seu guidom, com uma curiosa atitude furtiva em cada movimento. Ela olhou para trás, avistou-o e diminuiu o ritmo. Ele também diminuiu. Ela parou. Ele imediatamente parou também, mantendo-se duzentos metros atrás dela.

## O CICLISTA SOLITÁRIO

A ação seguinte da moça foi tão inesperada quanto cheia de espírito. Ela repentinamente deu meia-volta e desabalou na direção dele! Ele foi tão rápido quanto ela, todavia, e chispou numa fuga desesperada. Finalmente, ela voltou a seguir pela estrada, erguendo a cabeça com altivez, sem dignar de mais atenção seu silencioso seguidor. Ele também havia virado, e também manteve a distância até que a curva na estrada os obliterasse da minha visão.

Continuei no meu esconderijo, e ainda bem que o fiz, pois em seguida o homem reapareceu, pedalando lentamente de volta. Ele virou na entrada da propriedade e desceu de sua máquina. Por alguns minutos, pude vê-lo de pé entre as árvores. Suas mãos estavam levantadas, e ele parecia estar ajeitando a gravata. Então montou na bicicleta e afastou-se de mim pelo caminho que levava à propriedade. Eu corri pelo pântano e espiei por entre as árvores. A distância, podia vislumbrar o velho edifício cinza com suas salientes chaminés estilo Tudor, mas o caminho passava em meio a arbustos, e não vi mais o meu homem.

No entanto, pareceu-me que eu havia aproveitado bem a manhã de trabalho, e voltei andando alegremente para Farnham. O corretor local nada soube me dizer sobre Charlington Hall, e me indicou uma conhecida imobiliária em Pall Mall. Parei ali na volta para casa, e o representante me recebeu com cortesia. Não, eu não poderia locar Charlington Hall para o verão. Chegara tarde demais. Ela havia sido alugada um mês atrás. O locador se chamava Sr. Williamson. Era um respeitável senhor de idade. Infelizmente, o educado corretor não podia dizer mais nada, pois os negócios de seus clientes não eram assuntos que pudesse discutir.

O Sr. Sherlock Holmes ouviu com atenção o longo relatório que pude lhe apresentar naquela noite, mas este não suscitou o econômico elogio que eu esperava e tanto teria valorizado. Pelo contrário, o rosto austero do meu amigo estava até mais sério do que de costume quando ele comentou as coisas que eu fizera e as coisas que eu não fizera.

— Seu esconderijo, meu caro Watson, deixou muito a desejar. Você deveria ter ficado atrás da cerca; assim teria visto muito mais de perto essa interessante pessoa. Mas você estava a centenas de metros dali, e pôde me revelar até menos do que a Srta. Smith. Ela acha que não conhece o homem; eu estou convencido de que conhece. Senão, por que ele estaria tão desesperadamente ansioso para que ela não chegasse perto e visse seu semblante? Disse que ele estava curvado sobre o guidom. Também tentando se esconder, como vê. Você se saiu notavelmente mal mesmo. Ele volta para a casa, e você quer descobrir quem ele é. Você procura um corretor em Londres!

— O que eu deveria ter feito? — exclamei, um tanto alterado.

— Ido até o bar mais próximo. Esse é o centro dos mexericos na zona rural. Lá ter-lhe-iam informado os nomes de todos, desde o dono da casa até a criada que lava os pratos. Williamson! Isso não me diz nada. Se ele é um senhor de idade, não é esse ágil ciclista que sai correndo ao ser perseguido por uma jovem atlética. O que ganhamos com sua expedição? Só confirmamos que a história da garota é verdadeira. Jamais duvidei disso. Que há uma conexão entre o ciclista e Charlington Hall. Disso eu tampouco duvidava. Que a propriedade foi alugada para Williamson. Em que isso melhorou nossa situação? Ora, ora, caro senhor, não fique tão deprimido. Pouco podemos fazer até o próximo sábado, e enquanto isso, eu mesmo ocupar-me-ei de algumas indagações.

Na manhã seguinte, recebemos um bilhete da Srta. Smith, narrando breve e meticulosamente os mesmos acontecimentos que eu presenciara, mas o mais importante da missiva estava neste pós-escrito:

*Estou certa de que respeitará minha confidência, Sr. Holmes, quando digo que minha posição aqui tornou-se difícil, devido ao fato de que meu empregador me pediu em casamento. Estou convencida de que os sentimentos dele são profundos e muito honrados. No entanto, naturalmente, já estou comprometida. Ele reagiu à minha recusa com muito pesar, mas também com extrema delicadeza. O senhor pode compreender, todavia, que a situação está um tanto tensa.*

— Nossa jovem amiga parece estar se metendo num atoleiro — disse Holmes, pensativo, ao terminar de ler a carta. — O caso com certeza apresenta mais características interessantes e maior possibilidade de desdobramentos do que eu imaginava inicialmente. Um dia calmo e pacífico no campo não me faria mal, e estou inclinado a ir para lá hoje à tarde e pôr à prova uma ou duas teorias que formulei.

O dia calmo de Holmes no campo terminou de maneira singular, pois ele voltou para a Baker Street tarde, com um corte no lábio e um galo arroxeado na testa, além de um ar geral de dissipação que poderia tornar sua própria pessoa o alvo justificado de uma investigação da Scotland Yard. Ele estava imensamente empolgado com suas aventuras, e ria gostosamente ao relatá-las.

— Tenho tão poucas oportunidades de me exercitar que isso é sempre um prazer — ele disse. — Você deve saber que tenho alguma proficiência no bom e velho desporto britânico do pugilismo. Ocasionalmente, ela me é útil. Hoje, por exemplo, salvou-me de incorrer em penas assaz ignominiosas.

Roguei para ele me contasse o que acontecera.

— Descobri aquele bar local que já havia recomendado à sua atenção e ali fiz minhas discretas indagações. Dentro do bar, o proprietário, muito tagarela, estava me dando tudo que eu queria. Williamson é um homem de barba branca e mora sozinho com uma pequena criadagem na propriedade. Há alguns rumores de que ele é ou foi um clérigo; mas um ou dois incidentes de sua breve estada no local pareceram-me peculiarmente pouco eclesiásticos. Eu já havia feito algumas perguntas junto a um organismo do clero,

## O CICLISTA SOLITÁRIO

e lá me disseram que *houve* um homem com esse nome no sacerdócio, cuja carreira foi singularmente sombria. O proprietário também me informou de que geralmente há visitantes nos fins de semana — "uns tipos exaltados, senhor" — na propriedade, e especialmente um cavalheiro com um bigode ruivo, de nome Woodley, que está sempre por lá. Íamos por essa altura quando entrou nada menos que o cavalheiro em pessoa, que estava tomando sua cerveja na outra sala e ouvira a conversa toda. Quem era eu? O que eu queria? Que intenções tinha, fazendo tais perguntas? Seu linguajar era abundante, e seus adjetivos, assaz vigorosos. Ele arrematou uma algaravia de insultos com um sopapo dos bons, do qual não consegui me esquivar completamente. Os minutos seguintes foram deliciosos. Eram diretos de canhota contra um rufião cambaleante. Saí da refrega como você me vê. O Sr. Woodley foi para casa numa carroça de feno. Assim terminou minha ida ao campo, e é preciso confessar que, embora agradável, meu dia nos arredores de Surrey não foi muito mais proveitoso do que o seu.

A quinta-feira nos trouxe mais uma carta de nossa cliente.

*Não vai ficar surpreso, Sr. Holmes (ela dizia), ao saber que estou deixando o serviço do Sr. Carruthers. Nem mesmo o alto salário pode me reconciliar com o desconforto da situação. No sábado, irei para a cidade e não pretendo retornar. O Sr. Carruthers tem uma carroça, portanto os perigos da estrada deserta, se um dia existiram, acabaram agora.*

*Quanto ao motivo especial de minha partida, não é meramente a situação tensa com o Sr. Carruthers, mas o reaparecimento daquele odioso Sr. Woodley. Ele sempre foi repugnante, mas agora está pior do que nunca, pois parece ter sofrido um acidente que o deixou assaz desfigurado. Eu o vi pela janela, mas fico feliz em dizer que não topei com o bruto. Ele conversou longamente com o Sr. Carruthers, que pareceu muito exaltado em seguida. Woodley deve estar hospedado nos arredores, pois não pernoitou aqui, e mesmo assim o vi de relance novamente esta manhã, esgueirando-se entre os arbustos. Preferiria que um animal selvagem estivesse à solta por aqui. Eu o abomino e o temo mais do que posso expressar. Como o Sr. Carruthers suporta ficar um segundo perto de tal criatura? De qualquer forma, todos os meus problemas vão terminar no sábado.*

— Assim espero, Watson, assim espero — disse Holmes gravemente. — Há alguma intriga profunda acontecendo ao redor daquela mocinha, e é nosso dever garantir que ninguém a molestará durante essa última jornada. Eu acho, Watson, que podemos encontrar tempo para irmos juntos na manhã de sábado, e nos assegurarmos de que essa investigação tão curiosa e inconclusiva não tenha um final desfavorável.

Confesso que até então eu não havia levado muito a sério o caso, que me parecia mais grotesco e bizarro do que perigoso. Um homem ficar esperando e seguir uma mulher muito atraente não é algo inaudito, e se esse homem tinha tão pouca audácia a ponto de não só não ousar abordá-la, mas até fugir de sua aproximação, não era um agressor tão formidável. Woodley, o rufião, era um caso muito diferente, porém, exceto numa ocasião, jamais molestara nossa cliente, e agora visitara a casa de Carruthers sem impor sua presença à moça. O homem de bicicleta sem dúvida participava daquelas festas de fim de semana na propriedade, das quais o dono do bar falara; mas quem ele era ou o que ele queria, sabia-se menos do que nunca. Foi a gravidade na atitude de Holmes, e o fato de ele enfiar um revólver no bolso antes de sairmos de nossos aposentos, que me passaram a sensação de que uma tragédia poderia revelar-se por trás de nossa curiosa sequência de acontecimentos.

Uma noite chuvosa fora seguida por uma manhã radiante, e o interior pantanoso, com as touceiras brilhantes de tojos em flor, parecia mais lindo ainda para olhos cansados dos beges, marrons e cinzas de Londres. Holmes e eu andávamos pela estrada larga e poeirenta inspirando o ar fresco da manhã, e regozijando-nos com a música dos pássaros e a brisa refrescante da primavera. De uma elevação na estrada na encosta do Monte Crooksbury, podíamos ver a sinistra mansão elevando-se em meio aos carvalhos centenários, os quais, velhos como eram, ainda eram mais novos do que o prédio que circundavam. Holmes apontou para o longo trecho de estrada, uma faixa alaranjada que serpenteava entre o marrom do pântano e a floresta verdejante. Bem distante, como

# O RETORNO DE SHERLOCK HOLMES

um ponto preto, podíamos ver um veículo vindo em nossa direção. Holmes proferiu uma exclamação de impaciência.

— Eu lhe dei uma margem de meia hora — ele disse. — Se aquela é a carroça da jovem, ela deve estar indo pegar um trem mais cedo. Temo, Watson, que ela passará por Charlington antes que possamos alcançá-la.

Do momento em que passamos a elevação, não pudemos mais ver o veículo, mas apertamos o passo de tal forma que minha vida sedentária começou a me comprometer, e vi-me obrigado a ficar para trás. Holmes, no entanto, estava sempre em forma, pois tinha reservas inesgotáveis de energia nervosa à sua disposição. Seu passo lépido não diminuiu, até que de repente, quando estava uns cem metros à minha frente, ele parou, e o vi erguer a mão num gesto de dor e desespero. No mesmo instante, uma carroça vazia, com o cavalo trotando, arrastando as rédeas atrás de si, apareceu na curva da estrada e sacolejou velozmente em nossa direção.

— Tarde demais, Watson; tarde demais! — exclamou Holmes quando o alcancei, ofegante. — Tolo que fui em não pensar no trem que partia mais cedo! É um sequestro, Watson — um sequestro! Um homicídio! Sabe Deus o quê! Feche a estrada! Segure o cavalo! Isso mesmo. Agora suba, e vejamos se consigo reparar as consequências da minha própria trapalhada.

Havíamos subido na carroça, e Holmes, depois de fazer o cavalo virar, deu-lhe um golpe rápido com o chicote, e

# O CICLISTA SOLITÁRIO

desabalamos de volta pela estrada. Depois da curva, todo o trecho entre a Charlington Hall e o pântano abria-se diante de nós. Eu agarrei Holmes pelo braço.

— Lá está o homem! — exclamei.

Um ciclista solitário vinha em nossa direção. Sua cabeça estava abaixada e os ombros encolhidos, enquanto ele despejava toda a energia que tinha nos pedais. Corria como numa prova de ciclismo. De repente, ergueu o rosto barbado, viu que estávamos próximos e parou, descendo da bicicleta. Aquela barba preta como carvão fazia um contraste singular com a palidez de seu rosto, e seus olhos brilhavam como se ele estivesse febril. Olhava para nós e para a carroça. Então uma expressão de assombro cruzou o seu rosto.

— Olá! Parem aí! — ele gritou, segurando a bicicleta para impedir nossa passagem. — Onde pegaram essa carroça? Pare, homem! — ele urrou, puxando uma pistola do bolso.

— Pare aí, estou dizendo, ou pelos céus, atiro no seu cavalo!

Holmes jogou as rédeas no meu colo e saltou da carroça.

— Você é o homem que procuramos. Onde está a Srta. Violet Smith? — ele indagou, em seu tom rápido e claro.

— É o que estou perguntando. Estão na carroça dela. Deveriam saber onde ela está.

— Encontramos a carroça na estrada. Não havia ninguém nela. Voltamos para ajudar a jovem.

— Bom Deus! Bom Deus! O que vou fazer? — gritou o estranho, tresloucado pelo desespero. — Eles a pegaram;

O RETORNO DE SHERLOCK HOLMES

Woodley, aquele cão dos infernos, e o pastor infame. Vamos, homem, vamos, se é realmente amigo dela. Ajude-me e vamos salvá-la, ainda que eu tenha que deixar minha carcaça nessa floresta.

Ele correu loucamente, com a pistola na mão, até uma passagem na cerca. Holmes o seguiu, e eu, depois de deixar o cavalo pastando ao lado da estrada, segui Holmes.

— Foi por aqui que eles passaram — ele disse, apontando para várias pegadas no caminho enlameado. — Olá! Pare um minuto! Quem é esse nos arbustos?

Era um jovem de uns 17 anos, vestido de cavalariço, com cordões de couro e polainas. Ele estava deitado de costas, com os joelhos dobrados e um corte horrível na cabeça. Estava inconsciente, mas vivo. Uma olhada em seu ferimento me revelou que este não penetrara o osso.

— É Peter, o pajem — exclamou o desconhecido. — Ele a estava levando. Aqueles animais o arrancaram da carroça e o espancaram. Deixem-no aí; não podemos ajudá-lo, mas podemos salvá-la do pior destino que uma mulher pode ter.

Corremos freneticamente pelo caminho, que serpenteava entre as árvores. Havíamos chegado aos arbustos que cercavam a casa quando Holmes parou.

— Eles não entraram na casa. Aqui estão suas pegadas à esquerda; aqui, perto dos loureiros! Ah, bem que eu disse!

Enquanto ele falava, o grito agudo de uma mulher — um grito que vibrava num frenesi de horror — partiu da densa touceira de arbustos à nossa frente. Ele se interrompeu repentinamente na nota mais aguda, com um som sufocado e borbulhante.

— Por aqui! Por aqui! Eles estão na pista de boliche — gritou o desconhecido, correndo entre os arbustos. — Ah, cães covardes! Sigam-me, cavalheiros! Tarde demais! Tarde demais! Por tudo que é mais sagrado!

Havíamos entrado de repente num adorável pátio gramado, rodeado por árvores antigas. Do outro lado dele, à sombra de um grande carvalho, havia um grupo singular de três pessoas. Uma delas era uma mulher, a nossa cliente, cambaleante e fraca, com um lenço cobrindo-lhe a boca. Diante dela estava um jovem abrutalhado, de traços pesados e bigode ruivo, com as pernas metidas em polainas abertas, um braço na cintura e outro brandindo um chicote de montaria, todo o seu ar sugerindo uma empáfia triunfante. No meio dos dois, um ancião de barba grisalha, usando uma curta sobrepeliz por cima de um terno claro de *tweed*, havia evidentemente acabado de celebrar um matrimônio, pois enfiou no bolso seu breviário quando aparecemos e deu um tapinha de congratulação jovial nas costas do sinistro nubente.

— Estão casados! — exclamei.

— Vamos! — gritou nosso guia. — Vamos! — Ele correu pelo gramado, com Holmes e eu em seu encalço. Quando nos aproximamos, a dama apoiou-se, trôpega, no tronco da árvore. Williamson, o ex-clérigo, curvou-se para nós com polidez zombeteira, e o valentão Woodley avançou com uma risada exultante e brutal.

— Pode tirar a barba, Bob — ele disse. — Conheço bem você. Então, você e seus camaradas chegaram bem a tempo de serem apresentados à Sra. Woodley.

A reação do nosso guia foi singular. Ele arrancou a barba escura que o disfarçava e jogou-a no chão, revelando um rosto comprido, pálido e bem barbeado. Então ergueu seu revólver e o apontou para o jovem rufião, que avançava em sua direção, agitando seu perigoso chicote.

— Sim — disse o nosso aliado —, eu *sou* Bob Carruthers, e farei justiça por essa mulher, ainda que isso me leve à forca. Eu disse o que faria se você a molestasse, e pelo Senhor, cumprirei minha palavra!

— Chegou tarde demais. Ela é minha esposa!

— Não, ela é sua viúva.

O revólver disparou, e vi o sangue jorrar da frente do colete de Woodley. Ele girou com um grito e desabou de costas, com o hediondo rosto rubro assumindo repentinamente uma horripilante palidez manchada. O velho, ainda usando sua sobrepeliz, irrompeu numa saraivada de pragas imundas como eu jamais ouvira, e também puxou um revólver, mas antes que pudesse apontá-lo, estava encarando o cano da arma de Holmes.

— Chega disso — meu amigo falou com frieza. — Largue essa pistola! Watson, pegue-a! Aponte-a para a cabeça dele! Obrigado. Você, Carruthers, dê-me o seu revólver. Chega de violência. Vamos, entregue!

## O CICLISTA SOLITÁRIO

— Quem é o senhor, então?

— Meu nome é Sherlock Holmes.

— Meu Deus!

— Percebo que já ouviu falar de mim. Representarei a polícia oficial até que esta chegue. Você! — ele gritou para o apavorado pajem, que aparecera na borda do gramado. — Venha cá. Leve este bilhete o mais rápido possível para Farnham. — Ele rabiscou algumas palavras numa folha de seu caderno. — Entregue-o ao superintendente na chefatura de polícia. Até ele chegar, todos estão detidos sob minha custódia pessoal.

A personalidade forte e imperiosa de Holmes dominou a trágica situação, e todos nos tornamos títeres em suas mãos. Williamson e Carruthers viram-se carregando o ferido Woodley para dentro da casa, e eu ofereci o braço à jovem apavorada. O ferido foi deitado em sua cama, e a pedido de Holmes, eu o examinei. Fiz meu relatório onde Holmes se sentara, na velha sala de jantar adornada com tapeçarias, com seus dois prisioneiros diante de si.

— Ele vai sobreviver — eu disse.

— O quê?! — exclamou Carruthers, saltando de sua poltrona. — Vou subir lá e acabar com ele. Está me dizendo que aquela garota, aquele anjo, ficará amarrada ao Selvagem Jack Woodley pelo resto da vida?

— Não precisa se preocupar com isso — disse Holmes. — Existem dois excelentes motivos pelos quais em circunstância alguma ela poderia ser sua esposa. Em primeiro lugar, seguramente podemos questionar o direito do Sr. Williamson de celebrar um matrimônio.

— Eu fui ordenado — exclamou o velho safado.

— E também expulso da igreja.

— Uma vez sacerdote, sempre sacerdote.

— Acho que não. E quanto à licença?

— Nós tínhamos a licença para o matrimônio. Está aqui no meu bolso.

— Então o senhor a obteve ilicitamente. De qualquer forma, um casamento forçado não é um casamento, mas um crime muito grave, como descobrirá antes de chegar ao fim disso. Terá tempo para pensar no assunto pelos próximos dez anos, se eu não estiver enganado. Quanto a você, Carruthers, teria sido melhor manter sua pistola no bolso.

— Começo a achar que sim, Sr. Holmes; mas quando pensei em todas as precauções que tomei para proteger essa garota — pois eu a amava, Sr. Holmes, e foi a única vez em que eu soube o que era o amor —, praticamente enlouqueci ao pensar que ela estava em poder do maior e mais prepotente bruto da África do Sul, um homem cujo nome é um terror sagrado de Kimberley a Joanesburgo. Ora, Sr. Holmes, dificilmente irá acreditar, mas desde que essa moça começou a trabalhar para mim, não a deixei nenhuma vez passar por esta casa, onde eu sabia que esses canalhas estavam entocados, sem segui-la em minha bicicleta, só para ter certeza de que nada lhe aconteceria.

## O CICLISTA SOLITÁRIO

Eu mantinha distância e usava uma barba para que ela não me reconhecesse, pois é uma boa moça, voluntariosa, e não teria continuado a meu serviço por muito tempo se achasse que eu a estava seguindo pelas estradas.

— Por que não a avisou do perigo?

— Porque nesse caso, repito, ela teria me abandonado, e eu não suportaria enfrentar isso. Mesmo que ela não me amasse, significava muito para mim simplesmente ver sua silhueta delicada pela casa e ouvir o som de sua voz.

— Bem — eu disse —, chama isso de amor, Sr. Carruthers, mas eu chamo de egoísmo.

— Talvez as duas coisas andem juntas. De qualquer forma, eu não podia deixá-la ir. Além disso, com aquela corja nos arredores, era bom que ela tivesse alguém por perto para protegê-la. E quando o telegrama chegou, eu sabia que eles estavam prestes a atacar.

— Que telegrama?

Carruthers tirou um telegrama do bolso.

— Este! — ele disse. A mensagem era breve e concisa:

O VELHO ESTÁ MORTO

— Hum! — exclamou Holmes. — Acho que agora compreendo como as coisas funcionavam, e posso entender como essa mensagem iria, como o senhor diz, precipitá-las. Mas enquanto esperamos, poderia me contar o que sabe.

O velho réprobo de sobrepeliz explodiu numa salva de linguagem chula.

— Pelos céus — ele disse —, se nos denunciar, Bob Carruthers, cuidarei de você como cuidou de Jack Woodley! Pode choramingar quanto quiser pela garota, pois isso é assunto seu, mas se trair seus camaradas para esse policial à paisana, vai ser a pior coisa que você já fez.

— Não precisa se exaltar, reverendo — disse Holmes, acendendo um cigarro. — As provas contra o senhor já são bastante claras, e tudo que peço são uns poucos detalhes para minha curiosidade pessoal. Todavia, se tem qualquer dificuldade em me contar, deixe que eu falo, e veja se tem alguma chance de guardar seus segredos. Em primeiro lugar, três de vocês entraram neste jogo vindo da África do Sul; você, Williamson, você, Carruthers, e Woodley.

— Primeira mentira — afirmou o velho —; eu nunca havia visto os dois até dois meses atrás, e nunca estive na África na minha vida, portanto pode pôr isso no seu cachimbo e fumar, Sr. Enxerido Holmes!

— O que ele diz é verdade — disse Carruthers.

— Tudo bem, dois de vocês vieram de lá. O reverendo é artigo de fabricação nacional. Vocês conheceram Ralph Smith na África do Sul. Tinham motivos para crer que ele não viveria por muito tempo. Descobriram que a sobrinha dele herdaria sua fortuna. Que tal, hein?

Carruthers balançou a cabeça e Williamson praguejou.

# O CICLISTA SOLITÁRIO

— Ela era a parente mais próxima, sem dúvida, e vocês sabiam que o velho não faria um testamento.

— Não sabia ler nem escrever — disse Carruthers.

— Então vocês vieram, vocês dois, e caçaram a garota. A ideia era um dos dois casar-se com ela, e o outro receber uma parte do lucro. Por algum motivo, Woodley foi escolhido como marido. Por quê?

— Apostamos a moça nas cartas durante a viagem. Ele ganhou.

— Entendo. Você contratou a jovem, e em sua casa Woodley deveria fazer-lhe a corte. Ela reconheceu o bruto beberrão que ele era e não quis nem saber. Enquanto isso, o acordo de vocês foi um tanto perturbado pelo fato de você ter-se apaixonado pela dama. Não suportava mais a ideia desse rufião possuí-la.

— Não, pelos céus. Não suportava!

— Houve uma altercação entre os dois. Ele foi embora furioso e começou a fazer seus próprios planos de maneira independente.

— Percebo, Williamson, que não há muito que possamos contar a esse cavalheiro — exclamou Carruthers, com uma risada amarga. — Sim, nós discutimos e ele me derrubou. Bem, depois nos acertamos quanto a isso, de qualquer forma. Então eu o perdi de vista. Foi quando ele se associou a esse padreco renegado. Descobri que os dois se hospedaram juntos neste lugar, no caminho por onde ela precisava passar rumo à estação. Fiquei de olho nela depois disso, pois sabia que algo diabólico estava para acontecer. Eu os recebia de vez em quando, pois queria muito saber o que pretendiam. Dois dias atrás, Woodley veio à minha casa com este telegrama, que informava que Ralph Smith estava morto. Ele me perguntou se eu cumpriria o acordo. Eu respondi que não. Ele perguntou se eu me casaria com a garota e lhe daria uma parte. Eu disse que faria isso de bom grado, só que ela não me queria. Ele propôs: "Vamos fazer logo esse casamento, e depois de uma semana ou duas, talvez ela veja as coisas de forma um pouco diferente". Eu disse que não me envolveria em nenhuma violência. Então ele foi embora praguejando, como o patife boca-suja que é, e jurando que ela ainda seria sua. Ela iria me deixar neste fim de semana, e eu havia arranjado uma carroça para levá-la à estação, mas estava tão preocupado que a segui de bicicleta. Ela estava adiantada, porém, e antes que eu pudesse alcançá-la, o mal estava feito. A primeira certeza que tive disso foi quando vi os senhores voltando em sua carroça.

Holmes se levantou e jogou o toco do cigarro na lareira.

— Eu fui muito obtuso, Watson — ele disse. — Quando, no seu relatório, você disse que pensou ter visto o ciclista ajeitar a gravata nos arbustos, só isso já deveria ter-me revelado tudo. No entanto, podemos nos congratular por um caso curioso e, sob alguns aspectos, único. Percebo três policiais da força local chegando, e fico feliz em ver que o pequeno cavalariço

# O CICLISTA SOLITÁRIO

consegue acompanhá-los; portanto, é provável que nem ele, nem o interessante noivo sofrerão sequelas permanentes de suas aventuras matinais. Acho, Watson, que na condição de médico você deveria cuidar da Srta. Smith e lhe dizer que, se ela estiver suficientemente recuperada, ficaremos felizes em acompanhá--la até a casa da mãe. Se ela ainda estiver convalescente, você verá que basta insinuar que enviaremos um telegrama a um jovem eletricista das Midlands para provavelmente completar a cura. Quanto ao Sr. Carruthers, acho que fez o que pôde para se redimir de sua participação num esquema sinistro. Aqui está meu cartão, senhor, e se meu depoimento puder ajudá-lo em seu julgamento, estarei à disposição.

Na roda-viva de nossa atividade incessante, amiúde me é difícil, como o leitor provavelmente já observou, arrematar minhas narrativas e fornecer aqueles detalhes finais que os curiosos poderiam esperar. Cada caso tem sido o prelúdio de outro, e assim que a crise acaba, os atores saem para sempre de nossa vida atarefada. Encontrei, no entanto, uma curta anotação no final dos meus manuscritos referentes a este caso, na qual registrei que a Srta. Violet Smith herdou de fato uma vultosa fortuna e que agora é esposa de Cyril Morton, sócio majoritário da Morton and Kennedy, a famosa companhia elétrica de Westminster. Williamson e Woodley foram julgados por sequestro e agressão; o primeiro pegou sete anos, e o último, dez. Quanto ao destino de Carruthers, não tenho registros dele, mas tenho certeza de que sua agressão não foi julgada com severidade excessiva pela corte, já que Woodley tinha a reputação de ser um bandido assaz perigoso, e imagino que alguns meses foram suficientes para satisfazer as exigências da justiça.

*cinco*

# A ESCOLA DO PRIORADO

Já tivemos algumas entradas e saídas dramáticas em nosso pequeno palco da Baker Street, mas não me lembro de nada mais repentino e assustador do que a primeira aparição do Dr. Thorneycroft Huxtable, MA, PhD etc. Seu cartão, que parecia pequeno demais para carregar o peso de suas distinções acadêmicas, precedeu-o por alguns segundos, e então ele mesmo entrou — tão grande, tão pomposo e tão digno que era a própria personificação do autocontrole e da polidez. No entanto, seu primeiro gesto, quando a porta se fechou atrás dele, foi apoiar-se à mesa, trôpego, de onde deslizou para o chão, e lá ficou aquela figura majestosa, prostrada e inconsciente sobre nosso tapete de pele de urso.

Havíamos saltado de pé, e por alguns momentos olhamos, silenciosamente intrigados, aquele portentoso naufrágio humano, que denotava alguma tempestade repentina e fatal nos oceanos da vida. Então Holmes correu com uma almofada para a sua cabeça, e eu com *brandy* para seus lábios. O rosto pesado e pálido estava vincado por rugas de preocupação, as bolsas sob os olhos fechados eram cor de chumbo, os cantos da boca inerte pendiam dolorosamente para baixo e a papada tinha uma barba incipiente. O colarinho e a camisa traziam a sujeira de uma longa jornada, e o cabelo se arrepiava em desalinho sobre a cabeça bem formada. Era um homem amargamente destruído que jazia diante de nós.

— O que ele tem, Watson? — perguntou Holmes.

— Exaustão absoluta; possivelmente, apenas fome e fadiga — eu disse, sentindo com o dedo seu pulso fraco, por onde corria um fio de vida fino e tênue.

— Passagem de ida e volta para Mackleton, no norte da Inglaterra — disse Holmes, puxando-a do bolso interno do paletó. — Ainda não é meio-dia. Ele certamente saiu cedo de lá.

As pálpebras enrugadas haviam começado a tremer, e agora um par de olhos cinzentos e vazios nos olhava. Um instante depois, o homem se pôs de pé, com o rosto rubro de vergonha.

— Perdoe esta fraqueza, Sr. Holmes; ando um pouco tenso. Obrigado, se tiverem um copo de leite ou um biscoito, sem dúvida sentir-me-ei melhor. Vim pessoalmente, Sr. Holmes,

A ESCOLA DO PRIORADO

para ter certeza de que voltaria comigo. Temia que nenhum telegrama o convenceria da absoluta urgência do caso.

— Quando o senhor estiver restabelecido...

— Já estou bem de novo. Não posso imaginar como fiquei tão fraco. Gostaria, Sr. Holmes, que fosse comigo para Mackleton no próximo trem.

Meu amigo balançou a cabeça.

— Meu colega, o Dr. Watson, pode confirmar que estamos muito ocupados no momento. Estou preso a esse caso dos Documentos Ferrers, e o assassinato de Abergavenny irá a julgamento. Somente uma questão muito importante poderia me afastar de Londres, no momento.

— Importante! — Nosso visitante jogou as mãos para cima. — Não ouviu falar nada sobre o sequestro do filho único do Duque de Holdernesse?

— O quê?! O ex-ministro do Gabinete?

— Exatamente. Tentamos manter o assunto fora dos jornais, mas rumores foram publicados no *Globe* noite passada. Achei que o senhor pudesse ter ouvido a respeito.

Holmes estendeu seu braço longo e magro e puxou o volume "H" de sua enciclopédia de referências.

— "Holdernesse, sexto duque, KG, PC..." metade do alfabeto! "Barão de Beverley, conde de Carston...", céus, que lista! "Governador de Hallamshire desde 1900. Casou-se com Edith, filha de Sir Charles Appledore, em 1888. Herdeiro e filho único: Lorde Saltire. Possui cerca de cem mil hectares de terras. Minérios em Lancashire e no País de Gales. Endereço: Carlton House Terrace, Holdernesse Hall, Hallamshire; Castelo Carston, Bangor, País de Gales. Lorde do almirantado, 1872; secretário-chefe de Estado de...” Ora, ora, esse homem é certamente um dos maiores súditos da Coroa!

— O maior, e talvez o mais rico. Sei, Sr. Holmes, que o senhor leva muito a sério os assuntos profissionais, e que está disposto a trabalhar por amor ao trabalho. Devo dizer, todavia, que o duque já informou que um cheque de cinco mil libras será entregue à pessoa que souber lhe dizer onde está o filho, e mais mil para aquele que for capaz de revelar o nome do homem, ou homens, que o levaram.

— É uma oferta principesca — disse Holmes. — Watson, acho que acompanharemos o Dr. Huxtable de volta ao norte da Inglaterra. E agora, Dr. Huxtable, quando terminar de tomar o seu leite, faça a gentileza de me contar o que aconteceu, quando aconteceu, como aconteceu e, finalmente, o que o Dr. Thorneycroft Huxtable, da Escola do Priorado, próxima a Mackleton, tem a ver com o assunto, e por que ele aparece três dias após o ocorrido, a barba em seu queixo indica a data, para solicitar meus humildes serviços.

Nosso visitante terminara seu leite com biscoitos. O brilho havia voltado aos seus olhos e a cor às suas faces quando ele encetou, com grande vigor e lucidez, explicar a situação.

— Devo informá-los, cavalheiros, de que o Priorado é uma escola preparatória da qual sou fundador e diretor.

# A ESCOLA DO PRIORADO

*Considerações de Huxtable sobre Horácio*, possivelmente, trará meu nome à sua memória. O Priorado é, sem reservas, a melhor e mais seleta escola preparatória da Inglaterra. O Lorde Leverstoke, o Conde de Blackwater, Sir Cathcart Soames, todos eles me confiaram seus filhos. Mas senti que minha escola atingira seu zênite quando, três semanas atrás, o Duque de Holdernesse mandou o Sr. James Wilder, seu secretário, com a informação de que o jovem Lorde Saltire, de 10 anos de idade, seu único filho e herdeiro, estava para ser confiado aos meus cuidados. Nem imaginava que esse seria o prelúdio do infortúnio mais esmagador da minha vida.

"No dia 1º de maio, o menino chegou, no início do período de verão. Era um jovem encantador, e logo adaptou-se aos nossos hábitos. Devo dizer — creio que não estarei cometendo uma indiscrição; confidências pela metade são absurdas num caso assim — que ele não era totalmente feliz em casa. É um segredo de polichinelo que a vida matrimonial do duque não era pacífica, e que a situação culminara numa separação consensual, a duquesa indo residir no sul da França. Isso acontecera pouco tempo antes, e sabe-se que o menino era fortemente parcial à sua mãe. Ele sofreu após a partida dela de Holdernesse Hall, e foi por esse motivo que o duque resolveu mandá-lo para o meu estabelecimento. Em duas semanas, o menino já se sentia em casa conosco, e em aparência, estava absolutamente feliz.

"Foi visto pela última vez na noite de 13 de maio — isto é, na noite de segunda-feira passada. Seu quarto ficava no segundo andar, e era acessível através de outro quarto maior, onde dois meninos estavam dormindo. Esses meninos não viram nem ouviram nada, portanto é certo que o jovem Saltire não saiu por ali. Sua janela estava aberta, e há um robusto pé de hera indo dela até o chão. Não encontramos pegadas lá embaixo, mas com certeza aquela era a única saída possível.

"Sua ausência foi descoberta às sete da manhã de terça-feira. Sua cama estava desarrumada. Ele se vestira completamente antes de sair, usando seu costumeiro uniforme escolar, paletó curto preto e calça cinza-escura. Não havia sinais de que ninguém tivesse entrado no quarto, e é bem certo que qualquer coisa como gritos ou uma luta teriam sido ouvidos, já que Caunter, o menino mais velho no quarto contíguo, tem sono muito leve.

"Quando o desaparecimento do Lorde Saltire foi descoberto, fiz imediatamente uma chamada em todo o estabelecimento — alunos, professores e criados. Foi então que verificamos que o Lorde Saltire não fugira sozinho. Heidegger, professor de alemão, estava desaparecido. Seu quarto ficava no segundo andar, na outra extremidade do prédio, do mesmo lado que o de Lorde Saltire. Sua cama também estava desarrumada; mas ele, aparentemente, saíra parcialmente vestido, visto que sua camisa e suas meias estavam no chão. Sem dúvida descera pela hera, pois podíamos ver as pegadas onde ele pousara no gramado. Sua bicicleta ficava num pequeno abrigo ao lado desse gramado, e também estava desaparecida.

# A ESCOLA DO PRIORADO

"Ele trabalhava comigo havia dois anos e chegara com as melhores referências; mas era um homem calado e moroso, pouco popular tanto entre professores quanto com os alunos. Nem sinal pôde ser encontrado dos fugitivos, e agora, na manhã de quinta-feira, continuamos tão ignorantes quanto estávamos na terça. Fomos imediatamente perguntar, é claro, em Holdernesse Hall. Fica a poucos quilômetros dali, e imaginamos que, num ataque repentino de saudade, ele houvesse voltado para o pai; mas lá ninguém sabia dele. O duque está muito agitado — e quanto a mim, os senhores viram com seus próprios olhos o estado de prostração nervosa a que a expectativa e a responsabilidade me reduziram. Sr. Holmes, se um dia já empregou todos os seus poderes, imploro que o faça agora, pois nunca na sua vida encontrará um caso mais digno deles."

Sherlock Holmes ouvira com a mais completa atenção o depoimento do infeliz mestre-escola. O cenho franzido e o fundo vinco entre os olhos de Holmes mostravam que ele não precisava de exortação para concentrar toda a sua atenção num problema que, à parte os tremendos interesses envolvidos, devia apelar tão diretamente ao seu amor pelo complexo e pelo incomum. Então ele sacou seu caderno e rabiscou uma ou duas anotações.

— Foi muito negligente em não ter me procurado antes — ele disse com severidade. — Obriga-me a começar a investigação gravemente em desvantagem. É inconcebível, por exemplo, que aquela hera e aquele gramado não tivessem nada a revelar a um observador especializado.

— A culpa não é minha, Sr. Holmes. O duque desejava ao extremo evitar um escândalo público. Temia que a infelicidade da sua família fosse exibida ao mundo. Ele tem um profundo horror a coisas desse tipo.

— Mas houve alguma investigação oficial?

— Sim, senhor, e revelou-se assaz decepcionante. Uma aparente pista foi obtida numa ocasião, pois um menino e um jovem foram vistos saindo de uma estação próxima num trem matutino. Noite passada, soubemos que a dupla foi alcançada em Liverpool, e que os dois não tinham ligação nenhuma com o assunto em questão. Foi então que, em meu desespero e decepção, depois de uma noite insone, vim diretamente para cá com o primeiro trem.

— Suponho que relaxaram a investigação local enquanto essa pista falsa estava sendo seguida?

— Ela foi abandonada por completo.

— Assim, três dias foram desperdiçados. O caso foi tratado de maneira deplorável.

— Eu sinto e admito isso.

— No entanto, o problema ainda pode ter uma solução definitiva. Ficarei feliz em examiná-lo. Conseguiu descobrir alguma conexão entre o menino desaparecido e esse professor alemão?

— Nenhuma.

— Ele estava na classe desse professor?

— Não; nunca trocou uma palavra com ele, até onde sei.

— Isso certamente é singular. O menino tinha uma bicicleta?

— Não.

— Alguma outra bicicleta sumiu?

— Não.

— Tem certeza?

— Absoluta.

— Bem, não está sugerindo seriamente que esse alemão saiu pedalando no meio da noite com o menino no colo?

— Certamente que não.

— Então que teoria tem em mente?

— A bicicleta pode ter sido um disfarce. Pode ter sido escondida em algum lugar, e a dupla partiu a pé.

— Deveras; mas parece um disfarce um tanto absurdo, não? Havia outras bicicletas nesse abrigo?

— Várias.

— Ele não teria escondido *duas*, se desejasse dar a ideia de que fugiram pedalando?

— Imagino que sim.

— Claro que sim. A teoria do disfarce não serve. Mas o incidente é um ponto de partida admirável para a investigação. Afinal, uma bicicleta não é algo fácil de se esconder ou destruir. Mais uma pergunta. Alguém visitou o garoto no dia do desaparecimento?

— Não.

— Ele recebeu alguma carta?

— Sim; uma carta.

— De quem?

— Do pai.

— O senhor abre as cartas dos meninos?

— Não.

— Como sabe que era do pai?

— O brasão estava no envelope, e ela era sobrescrita na peculiar caligrafia rígida do duque. Além disso, o duque se lembra de tê-la escrito.

— Quando ele recebeu a última carta antes dessa?

— Vários dias antes.

— Já recebeu alguma carta da França?

— Não, nunca.

— O senhor entende o propósito das minhas perguntas, naturalmente. Ou o garoto foi levado à força, ou partiu de livre e espontânea vontade. Nesse último caso, era de se esperar que fosse necessária alguma motivação externa para levar um menino tão jovem a fazer tal coisa. Se ele não teve visitas, essa motivação deve ter chegado por carta. Por isso tento descobrir quem eram seus correspondentes.

— Infelizmente, não posso ajudar muito. Seu único correspondente, até onde sei, era seu pai.

— Que lhe escreveu no mesmo dia do desaparecimento. O relacionamento do pai com o filho era muito amigável?

— O duque nunca é muito amigável com ninguém. Está completamente absorto em importantes questões públicas, e é um tanto inacessível a todas as emoções comuns. Mas sempre foi gentil com o garoto, à sua maneira.

— Mas a afeição deste último era dirigida à mãe?

— Sim.

— Ele dizia isso?

— Não.

— O duque, então?

— Pelos céus, não!

— Então como o senhor sabia?

— Tive algumas conversas confidenciais com o Sr. James Wilder, o secretário do duque. Foi ele que me informou sobre os sentimentos de Lorde Saltire.

— Entendo. A propósito, essa última carta do duque foi encontrada no quarto do garoto depois que ele se foi?

— Não; ele a levou consigo. Eu acho, Sr. Holmes, que está na hora de partirmos para Euston.

— Mandarei chamar uma carruagem. Dentro de um quarto de hora estaremos ao seu dispor. Se for telegrafar para casa, Sr. Huxtable, seria bom que deixasse o povo de sua vizinhança imaginar que a investigação continua acontecendo em Liverpool, ou onde quer que seu pessoal foi dar com os burros n'água. Enquanto isso, farei um trabalhinho discreto em seu estabelecimento, e talvez o rastro não tenha se dissipado a tal ponto que dois velhos sabujos como Watson e eu não consigamos farejá-lo.

O RETORNO DE SHERLOCK HOLMES

Naquela noite, vimo-nos na atmosfera fria e revigorante da região dos Picos, onde a famosa escola do Dr. Huxtable está situada. Já escurecera quando chegamos. Havia um cartão sobre a mesa da sala, e o mordomo sussurrou algo para seu patrão, que nos encarou com agitação em seus traços pesados.

— O duque está aqui — ele disse. — O duque e o Sr. Wilder estão no escritório. Venham, cavalheiros, vou apresentá-los.

Eu estava, é claro, familiarizado com os retratos do famoso estadista, mas o homem em pessoa era muito diferente de sua representação. Alto e imponente, trajava-se com escrúpulo, tinha um rosto tenso e magro e um nariz grotescamente encurvado e longo. Sua tez era morbidamente pálida, o que era mais chocante em contraste com uma barba longa e pontuda de um vermelho vivo, que descia sobre seu colete branco, com a corrente do relógio brilhando em sua borda. Tal era a imponente presença que nos olhava, imóvel, do meio do tapete do Dr. Huxtable. Ao lado dele estava um rapaz bastante jovem, que supus ser Wilder, o secretário particular. Ele era pequeno, nervoso, alerta, com olhos azul-claros inteligentes e traços irrequietos. Foi ele que imediatamente, em tom marcante e positivo, abriu a conversa.

— Vim vê-lo hoje de manhã, Dr. Huxtable, e cheguei tarde demais para evitar sua partida para Londres. Fiquei sabendo que o motivo da viagem era convidar o Sr. Sherlock Holmes para assumir a condução deste caso. O duque está surpreso, Dr. Huxtable, pelo senhor ter dado esse passo sem consultá-lo.

— Quando eu soube que a polícia havia fracassado...

A ESCOLA DO PRIORADO

— O duque de modo algum está convencido de que a polícia tenha fracassado.

— Mas certamente, Sr. Wilder...

— O senhor sabe muito bem, Dr. Huxtable, que o duque está particularmente ansioso para evitar qualquer escândalo público. Ele prefere confidenciar-se com o menor número possível de pessoas.

— A questão pode ser facilmente resolvida — disse o acabrunhado professor. — O Sr. Sherlock Holmes pode voltar para Londres com o trem matinal.

— Longe disso, doutor, longe disso — Holmes interveio, em seu tom mais brando. — Este ar do Norte é revigorante e agradável, por isso pretendo passar alguns dias nestes charcos, e ocupar minha mente da melhor forma que puder. Se terei como abrigo o seu teto ou o da hospedaria da aldeia, é claro, o senhor é quem decide.

Eu percebia que o desventurado professor estava no último grau da indecisão, do qual foi resgatado pela voz profunda e sonora do duque de barba ruiva, que ecoou como um gongo de refeitório.

— Concordo com o Sr. Wilder, Dr. Huxtable, que o senhor teria sido sábio se tivesse me consultado. Mas como já se confidenciou com o Sr. Holmes, seria de fato absurdo que não nos valêssemos de seus serviços. Longe de ir para a hospedaria, Sr. Holmes, seria um prazer se viesse ficar comigo em Holdernesse Hall.

## O RETORNO DE SHERLOCK HOLMES

— Eu agradeço, duque. Mas para os fins da minha investigação, acho que seria mais sensato permanecer no local do mistério.

— Como quiser, Sr. Holmes. Qualquer informação que o Sr. Wilder ou eu pudermos dar está, é claro, à sua disposição.

— Provavelmente será necessário que eu o visite em sua propriedade — disse Holmes. — Eu só perguntaria agora, senhor, se formulou alguma explicação em sua mente para o misterioso desaparecimento do seu filho?

— Não, senhor, não consegui.

— Perdoe-me se me refiro a fatos que lhe são dolorosos, mas não tenho alternativa. Acha que a duquesa teve algo a ver com o caso?

O grande ministro teve um instante de perceptível hesitação.

— Acho que não — ele respondeu finalmente.

— A outra explicação mais óbvia é que a criança tenha sido sequestrada com o objetivo de pedir um resgate. Não recebeu nenhuma exigência do tipo?

— Não, senhor.

— Mais uma pergunta, duque. Pelo que sei, escreveu para o seu filho no dia em que esse incidente aconteceu.

— Não! Escrevi no dia anterior.

— Exatamente. Mas ele recebeu a carta naquele dia?

— Sim.

— Havia alguma coisa na sua carta que poderia tê-lo perturbado ou induzido tal atitude?

# A ESCOLA DO PRIORADO

— Não, senhor, certamente que não.

— O senhor mesmo postou a carta?

A resposta do nobre foi interrompida por seu secretário, que interveio, um tanto irritado.

— O duque não tem o hábito de postar sua correspondência pessoalmente — ele disse. — A missiva foi deixada com outras sobre a mesa do escritório e eu mesmo as pus no malote dos correios.

— Tem certeza de que essa estava em meio às outras?

— Sim; eu a observei.

— Quantas cartas o senhor escreveu naquele dia?

— Vinte ou trinta. Tenho muitos correspondentes. Mas decerto isso é um tanto irrelevante, não?

— Não completamente — disse Holmes.

— De minha parte — o duque continuou —, aconselhei a polícia a dirigir suas atenções para o sul da França. Já falei que não acredito que a duquesa encorajaria um ato tão monstruoso, mas o rapazinho tinha as opiniões mais falaciosas, e é possível que tenha fugido para ir encontrá-la, auxiliado por esse alemão. Eu acho, Dr. Huxtable, que agora voltaremos para casa.

Percebi que havia outras perguntas que Holmes gostaria de ter feito; mas os modos abruptos do nobre mostravam que a entrevista havia terminado. Era evidente que, para sua natureza intensamente aristocrática, essa discussão de assuntos íntimos de família com um desconhecido era absolutamente abominável, e que ele temia que cada nova pergunta pudesse lançar uma luz mais forte nos recônditos mais discretamente adumbrados de sua história ducal.

Depois que o aristocrata e seu secretário saíram, meu amigo lançou-se imediatamente, com sofreguidão característica, à investigação.

O quarto do menino foi cuidadosamente examinado e não revelou nada, a não ser a absoluta convicção de que só através da janela ele poderia ter escapado. O quarto e os pertences do professor alemão não forneceram nenhuma outra pista. No caso deste último, uma treliça da hera havia cedido sob seu peso, e vimos à luz de uma lanterna a marca no gramado onde seus calcanhares afundaram. Aquela depressão na grama verde e curta era o único testemunho material dessa inexplicável fuga noturna.

Sherlock Holmes saiu da casa sozinho e só retornou depois das 23 horas. Ele obtivera um grande mapa tático dos arredores, e o levou para o meu quarto, onde o estendeu na cama e, depois de equilibrar a lâmpada no meio dele, começou a fumar sobre o papel, ocasionalmente apontando objetos de interesse com o bocal de âmbar do cachimbo.

— Este caso está me conquistando, Watson — ele disse. — Decididamente, há alguns detalhes interessantes conectados a ele. Nesta etapa inicial, quero que perceba estas características geográficas, que podem ter muito a ver com a nossa investigação.

"Veja este mapa. Este quadrado escuro é a Escola do Priorado. Vou marcá-la com um alfinete. Bem, esta linha é

## A ESCOLA DO PRIORADO

a estrada principal. Veja que ela se estende para o leste e para o oeste da escola, e veja também que não há nenhuma estrada vicinal a menos de um quilômetro e meio em ambas as direções. Se essas duas pessoas fugiram pela estrada, foi por *esta* estrada."

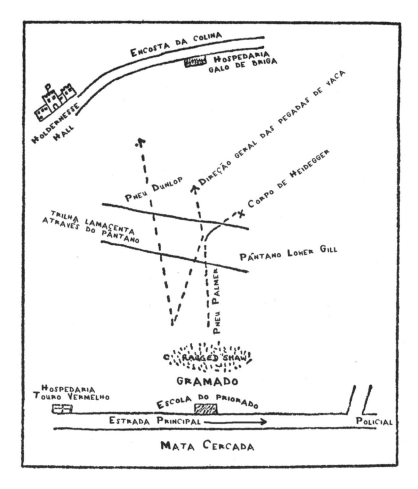

ESBOÇO DE MAPA MOSTRANDO O LOCAL

— Exatamente.

— Por um singular e feliz acaso, podemos verificar até certo ponto o que passou por esta estrada durante a noite em questão. Neste lugar onde agora pus meu cachimbo, um policial local ficou em serviço da meia-noite às 6 horas. É, como pode perceber, o primeiro cruzamento do lado leste. Esse homem declara que não se ausentou de seu posto nem por um instante, e tem certeza absoluta de que nenhum menino ou adulto poderiam ter passado por ali sem serem vistos. Falei com o policial hoje à noite, e ele me parece ser uma pessoa perfeitamente confiável. Isso descarta este lado. Agora precisamos abordar o outro. Há uma hospedaria ali, a Touro Vermelho, cuja proprietária estava doente. Ela mandou chamar um médico em Mackleton, mas ele só chegou de manhã, pois estava atendendo outro caso. O pessoal da hospedaria ficou alerta a noite toda esperando o médico, e ao que parece havia sempre alguém de olho na estrada. Eles declaram que ninguém passou por ali. Se esse depoimento for válido, então, para nossa sorte, podemos descartar o lado oeste, e também podemos afirmar que os fugitivos *não* seguiram pela estrada.

— Mas e a bicicleta? — argumentei.

— Pois é. Vamos falar da bicicleta num instante. Continuando nosso raciocínio: se essas pessoas não seguiram pela estrada, devem ter atravessado o campo ao norte da casa ou ao sul da casa. Isso é garantido. Vamos ponderar uma alternativa contra a outra. Ao sul da casa há, como pode perceber, um grande trecho de terra arável, dividido em pequenos lotes, com muros de pedra entre eles. Ali, admito que uma bicicleta seria impossível. Podemos descartar a ideia. Chegamos ao campo ao norte.

"Aqui há um pequeno bosque, marcado como 'Ragged Shaw', e do outro lado há um grande terreno pantanoso, Lower Gill, que se estende por 16 quilômetros com um gradual aclive. Aqui, de um lado desse deserto, fica Holdernesse Hall, a 16 quilômetros de distância pela estrada, mas somente dez através do pântano. É uma planície peculiarmente desolada. Alguns poucos fazendeiros têm pequenas propriedades, onde criam gado ovino e vacum. Além deles, tarambolas e maçaricos são os únicos habitantes, até chegar à estrada principal de Chesterfield. Há uma igreja ali, veja, algumas casinhas e uma hospedaria. Além desse ponto, as colinas se tornam íngremes. Certamente, é aqui ao norte que nossa busca deve continuar.

— Mas e a bicicleta? — eu persisti.

— Ora, ora! — disse Holmes, impaciente. — Um bom ciclista não precisa de uma estrada pavimentada. O pântano é riscado por trilhas, e a lua estava cheia. Olá! O que é isso?

Alguém bateu freneticamente na porta, e um instante depois, o Dr. Huxtable estava no quarto. Em sua mão, trazia um boné azul de críquete, com uma asna branca no alto.

— Finalmente temos uma pista! — ele exclamou. — Graças a Deus, finalmente estamos na pista do amado menino! É o boné dele.

— Onde foi encontrado?

— Na carroça dos ciganos que acampavam no pântano. Eles partiram na terça-feira. Hoje a polícia os localizou e vasculhou sua caravana. Isto foi encontrado.

— Como eles explicaram isso?

— Torceram-se todos e mentiram — disseram que encontraram o boné no pântano, na manhã de terça-feira. Sabem onde o menino está, os safados! Felizmente, estão todos seguramente trancafiados. O medo da lei ou o dinheiro do duque certamente arrancarão deles tudo o que sabem.

— Até aqui, tudo bem — disse Holmes, quando o professor finalmente saiu do quarto. — Isso ao menos corrobora a teoria de que é do lado do Pântano Lower Gill que devemos esperar resultados. A polícia não fez mesmo nada localmente, à parte prender esses ciganos. Veja aqui, Watson! Há um curso de água através do pântano. Veja-o marcado aqui no mapa. Em algumas partes, alarga-se num charco. Isso acontece particularmente na região entre Holdernesse Hall e a escola. É inútil procurar rastros em qualquer outro lugar, com este tempo seco; mas *nesse* ponto certamente existe a possibilidade de restar algum registro. Vou chamar você cedo amanhã de manhã e juntos tentaremos lançar alguma luz sobre esse mistério.

O dia estava raiando quando acordei e vi a figura alta e magra de Holmes ao lado da minha cama. Ele estava vestido e aparentemente já havia saído.

# A ESCOLA DO PRIORADO

— Já examinei o gramado e o abrigo das bicicletas — ele disse. — Também fiz uma caminhada por Ragged Shaw. Bem, Watson, o chocolate quente está pronto no quarto ao lado. Rogo que se apresse, pois temos um dia cheio pela frente.

Seus olhos brilhavam, e suas faces estavam coradas pela empolgação do trabalhador talentoso que se prepara para começar sua obra. Um Holmes muito diferente, esse homem ativo e alerta, do sonhador introspectivo e pálido da Baker Street. Eu sentia, olhando para aquela figura esguia, tomada pela energia nervosa, que de fato um dia extenuante nos aguardava.

No entanto, ele começou com a decepção mais negra. Com grandes esperanças partimos através do pântano amarelado e rubro, entrecortado por mil trilhas de ovelhas, até chegarmos à larga faixa verde-clara que marcava o terreno barrento entre nós e Holdernesse. Certamente, se o menino tivesse ido para casa, deveria ter passado por ali, e não passaria sem deixar marcas. Mas nenhum sinal dele nem do alemão estava visível. Com o rosto cada vez mais turvo, meu amigo andava a passos largos pela margem, observando afoito cada marca de barro na superfície recoberta de musgo. Pegadas de ovelhas havia em profusão, e num lugar, a alguns quilômetros do nosso ponto de partida, vacas haviam deixado suas marcas. Nada mais.

— Obstáculo número um — disse Holmes, olhando com desânimo para a vasta expansão do pântano. — Há outro trecho barrento lá embaixo, e uma passagem estreita no meio. Olá! Olá! Olá! O que temos aqui?

Havíamos chegado a uma pequena trilha preta. No meio dela, claramente marcado no terreno encharcado, estava o rastro de uma bicicleta.

— Viva! — exclamei. — Encontramos.

Mas Holmes balançava a cabeça, e seu rosto estava intrigado e ansioso em vez de alegre.

— Uma bicicleta, com certeza, mas não *a* bicicleta — ele disse. — Estou familiarizado com 42 marcas diferentes de pneus. Esta, como pode perceber, é de um Dunlop com um remendo na lateral. Os pneus de Heidegger eram Palmer, que deixam sulcos longitudinais. Aveling, o professor de matemática, estava certo disso. Portanto, não é o rastro de Heidegger.

— Do garoto, então?

— Possivelmente, se pudéssemos provar que ele possuía uma bicicleta. Mas nisso nós fracassamos por completo. Este rastro, como percebe, foi feito por um ciclista que estava vindo da direção da escola.

— Ou indo para lá?

— Não, não, meu caro Watson. O sulco mais fundo é, claro, o da roda de trás, sobre a qual está o peso. Perceba vários lugares em que ela passou por cima e obliterou a marca mais rasa da roda da frente. Sem dúvida estava se afastando da escola. Pode ou não ter ligação com nossa investigação, mas vamos segui-la para trás antes de prosseguir.

Fizemos isso, e ao fim de algumas centenas de metros, perdemos o rastro ao emergir da parte lamacenta do terreno.

# A ESCOLA DO PRIORADO

Prosseguindo para trás na mesma direção, encontramos outro lugar onde corria um fio de água. Ali, mais uma vez, estava a marca da bicicleta, embora quase obliterada pelos cascos das vacas. Depois disso, não havia mais sinal dela, mas o caminho seguia diretamente para Ragged Shaw, o bosque que dava para a escola. O ciclista devia ter saído daquele bosque. Holmes se sentou numa pedra e apoiou o queixo nas mãos. Tive tempo para fumar dois cigarros antes que ele se movesse.

— Bem, bem — ele disse finalmente. — Claro, é possível que um homem astuto troque o pneu de sua bicicleta para deixar marcas desconhecidas. Um criminoso capaz de pensar numa coisa dessas é alguém com quem eu ficaria orgulhoso de trabalhar. Vamos deixar essa questão em aberto e voltar para nosso terreno alagado, pois deixamos boa parte dele inexplorada.

Continuamos nossa pesquisa sistemática da margem da porção encharcada do terreno, e logo nossa perseverança foi gloriosamente recompensada.

Bem na parte inferior do charco, havia uma trilha lamacenta. Holmes soltou uma exclamação de deleite ao se aproximar dela. Uma impressão como de um feixe fino de fios de telégrafo corria no meio da trilha. Era o pneu Palmer.

— Aqui está Herr Heidegger, com certeza! — Holmes exclamou exultante. — Meu raciocínio parece ser bem sólido, Watson.

— Parabéns.

— Mas ainda temos um longo caminho a percorrer. Por gentileza, ande fora da trilha. Agora vamos seguir o rastro. Temo que ele não irá muito longe.

Descobrimos, todavia, ao avançar, que aquele trecho do terreno tinha muitas partes moles, e embora amiúde perdêssemos de vista o rastro, sempre conseguíamos reencontrá-lo.

— Você observa — disse Holmes — que aqui o ciclista indubitavelmente está acelerando o ritmo? Disso não resta dúvida. Veja esta marca, em que podemos distinguir os dois pneus. Um afunda tanto quanto o outro. Isso só pode significar que o ciclista está jogando seu peso sobre o guidom, como se faz ao pedalar velozmente. Por Jove! Ele caiu aqui.

Havia um borrão largo e irregular cobrindo alguns metros do rastro. Depois havia algumas pegadas, e o pneu reaparecia.

— Derrapou — sugeri.

Holmes pegou um ramo amassado de tojo em flor. Para meu horror, percebi que os brotos amarelos estavam salpicados de escarlate. A trilha e também as urzes tinham manchas escuras de sangue coagulado.

— Péssimo! — disse Holmes. — Péssimo. Fique longe, Watson! Nem um passo a mais que o necessário! O que detecto aqui? Ele caiu, ferido, levantou-se, montou na bicicleta de novo e prosseguiu. Mas não há outra trilha. Há gado nesta área. Não terá sido massacrado por um touro? Impossível! Mas não vejo sinal de mais ninguém. Precisamos prosseguir, Watson. Certamente, com manchas de sangue além do rastro para nos orientar, agora ele não nos escapará.

Nossa busca não foi muito longa. As marcas dos pneus começaram a fazer curvas fantásticas na trilha úmida e brilhante. De repente, quando eu olhava para a frente, o reluzir de metal atraiu o meu olhar em meio às espessas touceiras de tojo. Puxamos uma bicicleta de dentro delas, com pneus Palmer, um pedal amassado, e toda a dianteira horrivelmente lambuzada de sangue. Do outro lado dos arbustos despontava um sapato. Demos a volta, e lá estava o malfadado ciclista. Era um homem alto, de barba cheia e óculos, aos quais faltava uma das lentes. A causa da morte foi um golpe pavoroso na cabeça, que esmagara parte do seu crânio. O fato de ele ter seguido em frente depois de receber tal ferimento revelava muito sobre a vitalidade e a coragem do homem. Ele estava calçado, mas sem meias, e por baixo de seu casaco aberto via-se uma camisa de dormir. Era sem dúvida o professor de alemão.

Holmes virou respeitosamente o corpo e o examinou com grande atenção. Então ficou sentado, profundamente pensativo por algum tempo, e pude perceber por seu cenho franzido que essa descoberta macabra não fizera avançar muito, em sua opinião, a nossa investigação.

— É um tanto difícil saber o que fazer, Watson — ele disse finalmente. — Minha inclinação é continuar com a investigação, pois já perdemos tanto tempo que não podemos nos dar ao luxo de desperdiçar uma só hora que seja.

Por outro lado, nossa obrigação é informar a polícia acerca desta descoberta, e providenciar cuidados para o corpo deste pobre sujeito.

— Eu poderia voltar com um bilhete.

— Mas preciso da sua companhia e assistência. Espere aí! Tem um sujeito cavando turfa ali. Vá chamá-lo, e ele trará a polícia.

Eu trouxe o camponês, e Holmes despachou o assustado rapaz com um bilhete para o Dr. Huxtable.

— Bem, Watson — ele disse —, encontramos duas pistas nesta manhã. Uma é a bicicleta com os pneus Palmer, e vimos ao que isso levou. A outra é a bicicleta com o pneu Dunlop remendado. Antes de começarmos a investigá-la, vamos tentar perceber o *que* sabemos, para aproveitar essas informações ao máximo, e para separar o que é essencial do que é acidental.

"Antes de tudo, quero salientar para você que o menino certamente fugiu de livre e espontânea vontade. Ele desceu pela janela e foi embora, sozinho ou com alguém. Isso é certo."

Eu concordei.

— Bem, agora voltemos a este desventurado professor de alemão. O menino estava completamente vestido quando fugiu. Portanto, planejou o que ia fazer. Mas o alemão saiu sem meias. Está claro que agiu sem muito planejamento prévio.

— Sem dúvida.

— Por que ele saiu? Porque, da janela do seu quarto, viu a fuga do garoto. Queria alcançá-lo e trazê-lo de volta. Pegou sua bicicleta, perseguiu o menino e, ao fazer isso, encontrou a morte.

— Assim parece.

— Agora chego à parte crítica do meu argumento. A ação natural de um homem, ao perseguir um menininho, seria correr atrás dele. Ele saberia que poderia alcançá-lo. Mas o alemão não fez isso. Recorreu à bicicleta. Fiquei sabendo que ele era exímio ciclista. Não faria isso se não visse que o menino tinha algum meio veloz de fuga.

— A outra bicicleta.

— Continuemos nossa reconstituição. Ele encontrou a morte a oito quilômetros da escola, não com um tiro de pistola, veja bem, que até um menino possivelmente seria capaz de dar, mas com um golpe terrível, desferido por um braço vigoroso. O menino, portanto, *tinha* um acompanhante em sua fuga. E a fuga foi veloz, já que um ciclista especializado precisou de oito quilômetros para alcançá-los. No entanto, nós vasculhamos o terreno ao redor do local da tragédia. O que encontramos? Alguns rastros de gado, nada mais. Examinei uma grande área ao redor, e não há nenhuma trilha num raio de cinquenta metros. O assassinato em si não poderia ter sido obra de outro ciclista. Tampouco havia pegadas humanas.

— Holmes — exclamei —, isso é impossível.

— Admirável! — ele disse. — Um comentário deveras esclarecedor. É impossível quando digo, e portanto, sob algum aspecto, devo ter dito da forma errada. No entanto, você mesmo viu. Pode sugerir alguma falácia?

— Ele não poderia ter fraturado o crânio numa queda?

— Num pântano, Watson?

— Não sei mais o que pensar.

— Ora, ora; já resolvemos alguns problemas piores. Ao menos temos abundância de material, se apenas soubermos usá-lo. Venha, então, e já tendo esgotado o Palmer, vejamos o que o Dunlop remendado tem a nos oferecer.

Encontramos o rastro e o seguimos adiante a alguma distância; mas logo o pântano se elevou numa longa curva coberta por urzes, e o curso de água ficou para trás. Não poderíamos mais esperar nenhuma ajuda das marcas dos pneus. Do local onde vimos os últimos traços do pneu Dunlop, ele poderia igualmente ter seguido para Holdernesse Hall, cujas torres imponentes surgiam alguns quilômetros à nossa esquerda, ou para uma aldeia baixa e cinzenta diante de nós, que marcava a posição da estrada principal de Chesterfield.

Ao nos aproximarmos da inóspita e esquálida hospedaria com a insígnia de um galo de briga sobre a porta, Holmes soltou um gemido repentino e segurou meu ombro para não cair. Ele tivera um daqueles violentos estiramentos no tornozelo que deixam um homem sem ação. Com dificuldade, coxeou até a porta, onde um senhor atarracado, escuro e idoso fumava um cachimbo de argila preta.

— Como vai, Sr. Reuben Hayes? — disse Holmes.

## A ESCOLA DO PRIORADO

— Quem é o senhor, e como sabe meu nome? — o aldeão respondeu, com um brilho de suspeita num par de olhos matreiros.

— Bem, está escrito na placa acima de sua cabeça. É fácil reconhecer o homem que é dono da própria casa. Suponho que não tenha algo como uma carruagem em seu estábulo?

— Não; não tenho.

— Eu mal consigo apoiar o pé no chão.

— Então não o apoie no chão.

— Mas não posso andar.

— Pois fique parado, então.

Os modos do Sr. Reuben Hayes estavam longe de ser corteses, mas Holmes reagiu com admirável bom humor.

— Olhe aqui, homem — ele disse. — Estou numa situação um tanto difícil. Preciso sair dela, não me importa como.

— Nem a mim — disse o moroso proprietário.

— O assunto é muito importante. Ofereço um soberano pelo uso de uma bicicleta.

O proprietário aguçou os ouvidos.

— Aonde quer ir?

— Para Holdernesse Hall.

— O duque é seu chapa, imagino? — perguntou o proprietário, esquadrinhando nossa indumentária enlameada com olhar irônico.

Holmes riu tranquilamente.

— De qualquer forma, ele ficará feliz em nos ver.

— Por quê?

— Porque trazemos notícias do filho desaparecido dele.

O proprietário teve um sobressalto bem visível.

— O quê, estão no encalço dele?

— Ele foi visto em Liverpool. Vão pegá-lo a qualquer momento.

Mais uma vez, uma mudança rápida aconteceu em seu rosto balofo e barbado. De repente, tornou-se cordial.

— Tenho menos motivos para querer o bem do duque do que muita gente — ele disse —, pois já fui seu cocheiro-chefe, e ele era bem cruel comigo. Foi ele que me demitiu sem pensar, com base na palavra de um vendedor de milho mentiroso. Mas fico feliz em saber que o jovem lorde foi visto em Liverpool e ajudarei o senhor a levar a notícia à casa dele.

— Obrigado — disse Holmes. — Mas antes vamos comer. Depois, pode trazer sua bicicleta.

— Não tenho bicicleta.

Holmes segurou um soberano.

— Estou dizendo, homem, não tenho. Vou arranjar dois cavalos para vocês.

— Ora, ora — disse Holmes —, vamos discutir isso depois de comer.

Quando ficamos a sós na cozinha com piso de pedra, foi assombrosa a rapidez com que o tornozelo estirado se recuperou. Estava quase escurecendo, e não havíamos comido nada desde a madrugada, por isso nossa refeição levou

## A ESCOLA DO PRIORADO

algum tempo. Holmes estava perdido em pensamentos, e uma ou duas vezes andou até a janela e olhou intensamente para fora. A janela dava para um pátio esquálido. No canto mais distante ficava uma ferraria, onde um rapazinho, preto de fuligem, estava trabalhando. Ao lado ficavam os estábulos. Holmes havia voltado a se sentar depois de uma dessas incursões, quando de repente saltou da cadeira com uma ruidosa exclamação.

— Pelos céus, Watson, acho que descobri! — ele gritou. — Sim, sim, deve ser isso. Watson, você se lembra de ter visto pegadas de vacas hoje?

— Sim, várias.

— Onde?

— Bem, por toda parte. No terreno enlameado, e também na trilha, e novamente perto de onde o pobre Heidegger encontrou a morte.

— Exatamente. Pois bem, Watson, quantas vacas você viu no pântano?

— Não me lembro de ter visto nenhuma.

— Estranho, Watson, termos visto suas pegadas por todo o caminho, mas nem uma só vaca por todo o pântano; muito estranho, Watson, hein?

— Sim, é estranho.

— Agora, Watson, esforce-se; vasculhe em sua mente! Está vendo aquelas pegadas no caminho?

— Sim, estou.

— Lembra que às vezes as pegadas eram assim, Watson — ele dispôs migalhas desta maneira : : : : : e às vezes assim : · : · : · · , e ocasionalmente assim : · : · : · , você lembra?

— Não, não lembro.

— Mas eu lembro. Posso jurar. De qualquer forma, quando nos aprouver, voltaremos e verificaremos. Que cego eu fui em não tirar uma conclusão disso!

— E qual é a sua conclusão?

— Apenas que é uma vaca notável essa que anda, trota e galopa. Pelos céus, Watson, não foi o cérebro de um taberneiro do interior que concebeu esse disfarce! A barra parece estar limpa, exceto por aquele rapaz na ferraria. Vamos sair de fininho e ver o que descobrimos.

Havia dois cavalos desgrenhados e malcuidados no precário estábulo. Holmes ergueu a pata traseira de um deles e riu alto.

— Ferraduras velhas, mas recém-colocadas; ferraduras velhas, mas com cravos novos. Este caso merece tornar-se um clássico. Vamos passar pela ferraria.

O rapaz continuou seu trabalho sem se incomodar conosco. Vi o olhar de Holmes relancear para a direita e para a esquerda em meio aos pedaços de ferro e lenha espalhados pelo chão. De repente, porém, ouvimos passos atrás de nós, e lá estava o proprietário, com o cenho espesso franzido sobre os olhos selvagens, seu semblante escuro alterado pela emoção.

## A ESCOLA DO PRIORADO

Ele segurava um bastão curto com metal na ponta, e avançou de forma tão ameaçadora que fiquei feliz ao apalpar o revólver no meu bolso.

— Espiões do inferno! — o homem exclamou. — O que estão fazendo aqui?

— Ora, Sr. Reuben Hayes — disse Holmes calmamente —, poder-se-ia pensar que teme que descubramos alguma coisa.

O homem se controlou com um esforço violento, e sua boca crispada abriu-se num riso falso, mais ameaçador do que seu cenho franzido.

— Fique à vontade para procurar o que quiser na minha ferraria — ele disse. — Mas olhe aqui, senhor, não gosto de gente que fica fuçando no meu local sem permissão, por isso, quanto mais rápido pagar sua conta e for embora, mais contente vou ficar.

— Tudo bem, Sr. Hayes; não queremos prejudicá-lo — disse Holmes. — Estávamos dando uma olhada nos seus cavalos; mas suponho que iremos mesmo a pé. Acho que não é longe.

— Não mais do que três quilômetros até os portões da propriedade. A estrada fica ali à esquerda. — Ele nos vigiou com olhar contrariado até que saíssemos do estabelecimento.

Não fomos muito longe pela estrada, pois Holmes parou assim que a curva nos ocultou à visão do proprietário.

— Estava quente, como dizem as crianças, naquela hospedaria — ele falou. — Parece esfriar a cada passo que nos afastamos dela. Não, não; não posso mesmo ir embora.

— Estou convencido — eu disse — de que esse Reuben Hayes sabe tudo sobre o caso. Um vilão mais descarado eu nunca vi.

— Oh! Ele causou essa impressão em você, então? Há os cavalos, há a ferraria. Sim, é um lugar interessante, esse Galo de Briga. Acho que vamos dar mais uma olhada, de maneira mais discreta.

Uma encosta de colina longa e íngreme, pontilhada de rochedos de calcário cinza, estendia-se diante de nós. Havíamos saído da estrada e estávamos subindo pela colina quando, olhando na direção de Holdernesse Hall, vi um ciclista vindo celeremente em nossa direção.

— Abaixe-se, Watson! — gritou Holmes, pondo a mão pesada em meu ombro. Mal havíamos nos escondido quando o homem passou chispando por nós na estrada. Em meio a uma nuvem de poeira, vislumbrei um rosto pálido e agitado — um rosto com horror em todos os traços, a boca aberta, olhando loucamente para a frente. Era como uma estranha caricatura do elegante James Wilder que conhecêramos na noite anterior.

— O secretário do duque! — exclamou Holmes. — Venha, Watson, vamos ver o que ele faz.

Rastejamos de pedra em pedra até que, momentos depois, chegamos a um ponto do qual conseguíamos ver a entrada da hospedaria. A bicicleta de Wilder estava encostada na parede ao lado. Ninguém andava pela casa, tampouco podíamos ver algum rosto na janela. Aos poucos, o lusco-fusco avançava, à medida que o sol afundava atrás das altas torres de Holdernesse Hall. Então, na penumbra, vimos as duas lanternas laterais de uma carroça se acenderem no pátio da hospedaria, logo depois ouvimos cascos batendo, e o veículo saiu para a estrada e desabalou em ritmo furioso na direção de Chesterfield.

— O que acha disso, Watson? — Holmes sussurrou.

— Parece uma fuga.

— Um só homem numa carroça, até onde pude ver. Bem, certamente não era o Sr. James Wilder, pois lá está ele na porta.

Um retângulo de luz avermelhada surgira na escuridão. No meio dele estava a silhueta negra do secretário, com o pescoço esticado, olhando para a noite. Era evidente que estava esperando alguém. Finalmente, ouviram-se passos na estrada, uma segunda silhueta ficou visível por um instante contra a luz, a porta se fechou, e tudo escureceu mais uma vez. Cinco minutos depois, uma lâmpada se acendeu num quarto do primeiro andar.

— Parecem bem estranhos, os hóspedes do Galo de Briga — disse Holmes.

— A recepção fica do outro lado.

— De fato. Esses são o que podemos chamar de hóspedes particulares. Agora, o que será que o Sr. James Wilder está fazendo nesse covil a essa hora da noite, e quem é o colega que vem visitá-lo? Acompanhe-me, Watson, precisamos realmente nos arriscar e tentar investigar isso um pouco mais de perto.

O RETORNO DE SHERLOCK HOLMES

Juntos, nos esgueiramos pela estrada e chegamos sorrateiramente à porta da hospedaria. A bicicleta ainda estava encostada na parede. Holmes riscou um fósforo e o encostou à roda traseira, e ouvi sua risadinha quando a luz revelou um pneu Dunlop remendado. Acima de nós estava a janela iluminada.

— Preciso dar uma olhada através dela, Watson. Se você se curvar e se apoiar na parede, acho que consigo.

Um instante depois, os pés dele estavam nos meus ombros. Mas ele mal ficara de pé e já estava descendo de novo.

— Venha, meu amigo — ele disse —, nosso dia de trabalho já foi suficientemente demorado. Acho que coletamos tudo o que podíamos. A caminhada até a escola é longa, e quanto antes partirmos, melhor.

Ele mal abriu a boca durante o cansativo périplo através do pântano, e tampouco entrou na escola quando chegamos a ela, mas seguiu para a Estação de Mackleton, de onde poderia enviar alguns telegramas. Mais tarde, eu o ouvi consolando o Dr. Huxtable, arrasado pela tragédia da morte do seu professor, e mais tarde ainda, ele entrou no meu quarto, tão alerta e vigoroso quanto acordara de manhã.

— Tudo está indo bem, amigo — ele disse. — Prometo que antes da noite de amanhã chegaremos à solução do mistério.

Às onze horas da manhã seguinte, meu amigo e eu estávamos andando pela famosa alameda de teixos de Holdernesse

Hall. Fomos recebidos através do magnífico portal elizabetano e levados para o escritório ducal. Ali, encontramos o Sr. James Wilder, tímido e cortês, mas com alguns traços do terror selvagem da noite anterior ainda velando seus olhos furtivos e seu semblante trêmulo.

— Vieram ver o duque? Sinto muito; mas o fato é que o duque está longe de se sentir bem. Ficou muito agitado com a trágica notícia. Recebemos um telegrama do Dr. Huxtable ontem à tarde, relatando o que os senhores descobriram.

— Preciso ver o duque, Sr. Wilder.

— Mas ele está em seu quarto.

— Então preciso ir ao quarto dele.

— Acredito que ele está na cama.

— Eu o verei lá.

A atitude fria e inexorável de Holmes mostrou ao secretário que era inútil discutir com ele.

— Muito bem, Sr. Holmes; vou avisá-lo de sua presença.

Depois de meia hora de demora, o grande nobre apareceu. Seu rosto estava mais cadavérico do que nunca, seus ombros encolhidos, e ele me parecia ser, de maneira geral, um homem mais velho do que era na manhã anterior. Ele nos cumprimentou com cortesia formal e sentou-se à sua escrivaninha, com a barba ruiva chegando à mesa.

— Então, Sr. Holmes? — ele disse.

Mas os olhos do meu amigo estavam fixos no secretário, de pé ao lado da cadeira do patrão.

— Eu acho, duque, que poderia falar com mais liberdade na ausência do Sr. Wilder.

O homem ficou um tom mais pálido e dirigiu a Holmes um olhar cheio de ódio.

— Se o duque prefere...

— Sim, sim; é melhor você ir. Bem, Sr. Holmes, o que tem a dizer?

Meu amigo esperou até que a porta se fechasse atrás do secretário em retirada.

— O fato, duque — ele disse —, é que meu colega, o Dr. Watson, e eu fomos certificados pelo Dr. Huxtable de que uma recompensa foi oferecida neste caso. Eu gostaria de ouvir essa confirmação dos seus lábios.

— Certamente, Sr. Holmes.

— O montante, se fui corretamente informado, é de cinco mil libras para quem lhe disser onde está o seu filho?

— Exatamente.

— E mais mil para o homem que disser quem é a pessoa, ou as pessoas, que o mantiveram prisioneiro?

— Exatamente.

— Nesse último caso incluem-se, sem dúvida, não apenas aqueles que possam tê-lo levado embora, mas também aqueles que conspiram para mantê-lo em sua atual situação?

— Sim, sim — exclamou o duque com impaciência. — Se fizer bem o seu trabalho, Sr. Sherlock Holmes, não terá motivo para queixar-se de tratamento mesquinho.

# A ESCOLA DO PRIORADO

Meu amigo esfregou as mãos magras com uma aparência de avidez que era uma surpresa para mim, conhecendo como eu conhecia seus gostos frugais.

— Suponho que estou vendo seu talão de cheques sobre a mesa — ele disse. — Ficaria feliz se me preenchesse um cheque de seis mil libras. Também seria bom, talvez, que o cruzasse. A agência da Oxford Street do Banco Capital and Counties me representa.

O duque estava muito tenso e empertigado em sua cadeira, e olhou friamente para o meu amigo.

— Isso é uma piada, Sr. Holmes? Não me parece assunto para gracejos.

— De modo algum, duque. Nunca fui mais sincero em minha vida.

— O que quer dizer, então?

— Quero dizer que mereço a recompensa. Sei onde o seu filho está e sei o nome de pelo menos alguns daqueles que o mantêm prisioneiro.

A barba do duque se tornara mais agressivamente vermelha do que nunca, em contraste com seu rosto mortalmente pálido.

— Onde ele está? — ele gemeu.

— Ele está, ou estava, noite passada, na Hospedaria Galo de Briga, a uns três quilômetros do seu portão.

O duque voltou a desabar na cadeira.

— E quem o senhor acusa?

# O RETORNO DE SHERLOCK HOLMES

A resposta de Sherlock Holmes foi estarrecedora. Ele se adiantou rapidamente e tocou no ombro do duque.

— Eu acuso *o senhor* — ele disse. — E agora, senhor, vou lhe pedir aquele cheque.

Jamais vou esquecer a aparência do duque quando ele saltou de pé e crispou as mãos como alguém que está despencando num abismo. Então, com um extraordinário esforço de autocontrole aristocrático, sentou-se e cobriu o rosto com as mãos. Passaram-se alguns minutos antes que ele falasse.

— Quanto o senhor sabe? — ele perguntou finalmente, sem levantar a cabeça.

— Vi o senhor com ele ontem à noite.

— Alguém mais sabe, além do seu amigo?

— Não falei com ninguém.

O duque tomou a pena em seus dedos trêmulos e abriu o talão de cheques.

— Cumprirei minha palavra, Sr. Holmes. Vou preencher o seu cheque, por mais indesejável que a informação que obtive possa ser para mim. Quando a oferta foi feita, eu pouco imaginava o viés que os acontecimentos iriam assumir. Mas o senhor e seu amigo são homens discretos, Sr. Holmes?

— Não estou entendendo, duque.

— Preciso falar francamente, Sr. Holmes. Se só o senhor e ele sabem do incidente, não há motivo para que ele se espalhe mais. Acho que doze mil libras é a soma que lhe devo, não?

Mas Holmes sorriu e balançou a cabeça.

— Temo, duque, que a questão não possa ser acomodada tão facilmente. É preciso responder pela morte desse mestre-escola.

— Mas James não sabia nada disso. Não pode responsabilizá-lo por isso. Foi obra desse rufião brutal que ele teve o azar de empregar.

— Do meu ponto de vista, duque, quando um homem comete um crime, ele é moralmente culpado de qualquer outro crime que possa resultar do primeiro.

— Moralmente, Sr. Holmes. Sem dúvida, tem razão. Mas certamente não aos olhos da lei. Um homem não pode ser condenado por um assassinato ao qual não esteve presente, e que ele repele e abomina tanto quanto o senhor. Assim que ele soube, me fez uma confissão completa, de tão tomado que estava pelo horror e remorso. Não perdeu nem uma hora em romper completamente com o assassino. Oh, Sr. Holmes, precisa salvá-lo, precisa salvá-lo! Eu digo que o senhor precisa salvá-lo! — O duque abandonara as últimas tentativas de autocontrole, e andava de um lado para o outro do quarto com o semblante alterado e agitando os punhos cerrados no ar. Finalmente, acalmou-se e sentou-se mais uma vez à escrivaninha. — Agradeço sua conduta, vindo aqui antes de falar com quem quer que fosse — ele disse. — Ao menos podemos ponderar até onde conseguiremos minimizar este horrível escândalo.

— Exatamente — disse Holmes. — Eu acho, duque, que isso só pode ser feito com franqueza completa e absoluta entre nós. Estou disposto a ajudá-lo o melhor que eu puder; mas para fazer isso, preciso entender nos mínimos detalhes como está a questão. Percebo que suas palavras se aplicam ao Sr. James Wilder, e que ele não é o assassino.

— Não; o assassino escapou.

Sherlock Holmes sorriu timidamente.

— O duque provavelmente não conhece a modesta reputação que possuo, caso contrário não imaginaria ser tão fácil escapar de mim. O Sr. Reuben Hayes foi preso em Chesterfield com base em minhas informações às 23 horas de ontem. Recebi um telegrama do chefe da polícia local antes de sair da escola, esta manhã.

O duque se recostou em sua cadeira e olhou com assombro para o meu amigo.

— O senhor parece ter poderes que nem são humanos — ele disse. — Então Reuben Hayes foi capturado? Fico feliz em saber, contanto que isso não influa no destino de James.

— Seu secretário?

— Não, senhor; meu filho.

Foi a vez de Holmes parecer assombrado.

— Confesso que isso é inteiramente novo para mim, duque. Devo pedir que seja mais explícito.

— Não lhe esconderei nada. Concordo com o senhor que a total franqueza, por mais que me seja dolorosa, é a melhor política na situação desesperada em que a loucura e o ciúme de James nos colocaram. Quando eu era jovem, Sr. Holmes, tive um amor daqueles que só acontecem uma vez na vida. Ofereci casamento à dama, mas ela recusou, dizendo que uma união assim poderia prejudicar minha carreira. Se ela tivesse sobrevivido, certamente eu jamais me casaria com mais ninguém. Ela morreu e deixou um filho, que por amor a ela acolhi e criei. Não podia assumir a paternidade para o mundo; mas dei-lhe a melhor educação, e desde que ele se tornou adulto, mantive-o perto de mim. Ele descobriu meu segredo, e valeu-se desde então dos direitos que tem sobre mim e de seu poder de provocar um escândalo que ser-me--ia abominável. A presença dele teve algo a ver com o fim infeliz do meu casamento. Acima de tudo, ele odiou meu jovem herdeiro legítimo desde o início, com um rancor persistente. O senhor bem poderia me perguntar por que, em tais circunstâncias, eu ainda mantinha James sob o meu teto. Respondo que era porque eu conseguia ver nele o rosto da mãe, e pelo amor que eu tinha a ela, meu prolongado sofrimento não tinha fim. Todos os trejeitos encantadores dela também, não havia nenhum que ele não pudesse invocar e trazer à minha lembrança. Eu não *conseguiria* mandá-lo embora. Mas temia tanto que ele fizesse alguma maldade com Arthur, isto é, com o Lorde Saltire, que para a segurança do menino, despachei-o para a escola do Dr. Huxtable.

"James entrou em contato com esse tal de Hayes porque o homem era meu inquilino, e James fazia as vezes de meu corretor. O camarada foi um canalha desde o início; mas de alguma forma extraordinária, ele e James tornaram-se íntimos. Ele sempre gostou das más companhias. Quando James decidiu sequestrar Lorde Saltire, foi dos serviços desse homem que lançou mão. O senhor lembra que escrevi a Arthur naquele dia. Bem, James abriu a carta e inseriu nela um bilhete pedindo que Arthur o encontrasse num pequeno bosque chamado de Ragged Shaw, que fica perto da escola. Ele usou o nome da duquesa, e dessa maneira persuadiu o menino a ir. Naquela noite, James pedalou para lá — estou contando o que o próprio me confessou — e disse a Arthur, com quem se encontrou no bosque, que sua mãe estava ansiosa para vê-lo, que o estava esperando no pântano, e que se ele voltasse para o bosque à meia-noite, encontraria um homem com um cavalo que o levaria até ela. O pobre Arthur caiu na armadilha. Compareceu ao encontro marcado e topou com o tal de Hayes trazendo um pônei pelos arreios. Arthur montou no animal e os dois partiram juntos. Ao que parece — embora disso James só soube ontem —, eles foram perseguidos, Hayes bateu no perseguidor com seu bastão, e o homem morreu dos ferimentos sofridos. Hayes levou Arthur para a sua hospedaria, chamada Galo de Briga, onde o menino foi confinado a um quarto no andar de cima, sob os cuidados da Sra. Hayes, que é uma boa mulher, mas totalmente controlada por seu brutal marido.

"Bem, Sr. Holmes, esse era o estado das coisas quando vi o senhor pela primeira vez há dois dias. Eu não sabia da verdade mais do que o senhor. Vai me perguntar que motivo

A ESCOLA DO PRIORADO

James tinha para cometer tal ato. Respondo que boa parte do ódio que ele sentia pelo meu herdeiro era insensato e fanático. Em sua visão, ele mesmo deveria ser o herdeiro de todas as minhas propriedades, e se ressentia profundamente das leis da sociedade que tornavam isso impossível. Ao mesmo tempo, ele tinha um motivo bem concreto: estava ansioso para que eu modificasse a sucessão, e achava que eu tivesse o poder de fazê-lo. Pretendia barganhar comigo — devolver Arthur caso eu alterasse a sucessão, possibilitando que minha fortuna lhe fosse deixada em testamento. James sabia muito bem que eu jamais invocaria voluntariamente a ajuda da polícia contra ele. Eu digo que James ter-me-ia proposto essa barganha, mas não chegou a fazê-lo, pois as coisas aconteceram rapidamente demais para ele, que não teve tempo de pôr seus planos em prática.

"O que fez desmoronar todo o seu plano perverso foi a descoberta que o senhor fez do cadáver desse Heidegger. James ficou horrorizado quando soube. A notícia nos chegou ontem, quando estávamos juntos neste escritório. O Dr. Huxtable nos informou por telegrama. A dor e a agitação de James foram tão avassaladoras que minha suspeita, que jamais havia se dissipado por completo, cristalizou-se instantaneamente em certeza, e eu o acusei de ser o culpado. Ele fez uma confissão completa e voluntária. Depois implorou que eu guardasse segredo por mais três dias, para dar ao seu miserável cúmplice uma chance de salvar sua criminosa vida. Cedi — como sempre cedo — às suas rogativas, e James correu no mesmo instante até o Galo de Briga para avisar Hayes e proporcionar-lhe meios para a fuga. Eu não poderia ir para lá à luz do dia sem provocar comentários, mas assim que escureceu, corri para ver meu caro Arthur. Encontrei-o a salvo e bem, mas horrorizado de forma indizível pelo ato hediondo que testemunhara. Em deferência à minha promessa, e muito a contragosto, consenti em deixá-lo ali por três dias aos cuidados da Sra. Hayes, já que era evidente que seria impossível informar seu paradeiro à polícia sem também lhes contar quem era o assassino, e eu não via maneira de punir este último sem arruinar meu desventurado James. O senhor me pediu franqueza, Sr. Holmes, e eu confiei em sua palavra, pois já lhe contei tudo sem tentar tergiversar ou esconder nada. Seja, por sua vez, igualmente franco comigo."

— Eu serei — disse Holmes. — Em primeiro lugar, duque, sou obrigado a lhe dizer que o senhor se colocou numa posição assaz delicada aos olhos da lei. Compactuou com um crime e ajudou na fuga de um assassino; pois não me resta dúvida de que qualquer soma levada por James Wilder para ajudar seu cúmplice a escapar tenha vindo da bolsa ducal.

O duque balançou a cabeça, concordando.

— Essa é realmente uma questão muito grave. Ainda mais condenável, na minha opinião, duque, foi sua atitude para com seu filho mais novo. O senhor o deixou naquele covil por três dias.

— Sob a solene promessa...

— O que são promessas para gente assim? O senhor não tem nenhuma garantia de que eles não o farão desaparecer de novo. Para contentar seu criminoso filho mais velho, o senhor expôs seu filho mais novo e inocente a um perigo real e desnecessário. Foi um ato totalmente injustificável.

O orgulhoso senhor de Holdernesse não estava acostumado a ser tratado assim em seus próprios salões ducais. O sangue subiu-lhe à fronte altiva, mas sua consciência o conservou mudo.

— Vou ajudar o senhor, mas somente sob uma condição: que chame seu criado e me deixe dar as ordens que eu quiser.

Sem uma palavra, o duque apertou o botão elétrico. Um serviçal entrou.

— Vai ficar feliz em saber — disse Holmes —, que seu jovem patrão foi encontrado. O duque deseja que a carruagem vá imediatamente para a Hospedaria Galo de Briga e traga Lorde Saltire para casa.

"Agora" — continuou Holmes, assim que o exultante lacaio foi embora —, "depois de assegurar o futuro, podemos nos dar ao luxo de sermos mais condescendentes com o passado. Não estou aqui numa função oficial, e não tenho motivo, contanto que os fins da justiça sejam atendidos, para revelar tudo o que sei. Quanto a Hayes, não digo nada. A forca o espera e nada farei para salvá-lo. O que ele revelará, não posso prever, mas não tenho dúvidas de que o senhor poderia fazê-lo entender que seria do interesse dele guardar silêncio. Do ponto de vista da polícia, ele terá sequestrado o menino para pedir um resgate. Se a própria polícia nada mais descobrir, não vejo razões para ajudá-la a esclarecer melhor o caso. Aviso o senhor, todavia, que a futura presença do Sr. James Wilder em sua casa só poderá levar a infortúnios."

— Entendo isso, Sr. Holmes, e já está acertado que ele me deixará para sempre e irá tentar a sorte na Austrália.

— Nesse caso, duque, já que o senhor mesmo declarou que toda a infelicidade em sua vida conjugal foi causada pela presença dele, sugiro que se desculpe como puder à duquesa e tente reconstruir esse relacionamento tão tristemente interrompido.

— Também já tomei providências nesse sentido, Sr. Holmes. Escrevi para a duquesa hoje de manhã.

— Sendo assim — Holmes disse, levantando-se —, acho que meu amigo e eu podemos nos congratular por vários resultados positivos de nossa visitinha ao Norte. Há um outro pequeno detalhe que eu gostaria que esclarecesse. Esse sujeito, Hayes, havia ferrado os cavalos com ferraduras que imitavam pegadas de vacas. Foi com o Sr. Wilder que ele aprendeu um truque tão extraordinário?

O duque ficou pensativo por um momento, com uma expressão de surpresa intensa no rosto. Então abriu uma porta e nos levou para uma grande sala, decorada como um museu. Ele foi até um gabinete de vidro num canto e apontou para a inscrição.

## A ESCOLA DO PRIORADO

"Estas ferraduras", ela dizia, "foram encontradas no fosso de Holdernesse Hall. São para cavalos; mas na parte de baixo, têm a forma de um casco fendido de ferro, para despistar perseguidores. Supõe-se que pertenceram a alguns dos barões pilhadores de Holdernesse na Idade Média."

Holmes abriu o gabinete e, umedecendo o dedo, passou-o pela ferradura. Uma camada fina de lama recente ficou em sua pele.

— Obrigado — ele disse, fechando o gabinete. — Esse é o segundo objeto mais interessante que vi no Norte.

— E o primeiro?

Holmes dobrou e guardou seu cheque cuidadosamente entre as páginas do seu caderno.

— Eu sou pobre — ele disse, afagando-o com carinho e enfiando-o no bolso de dentro do paletó.

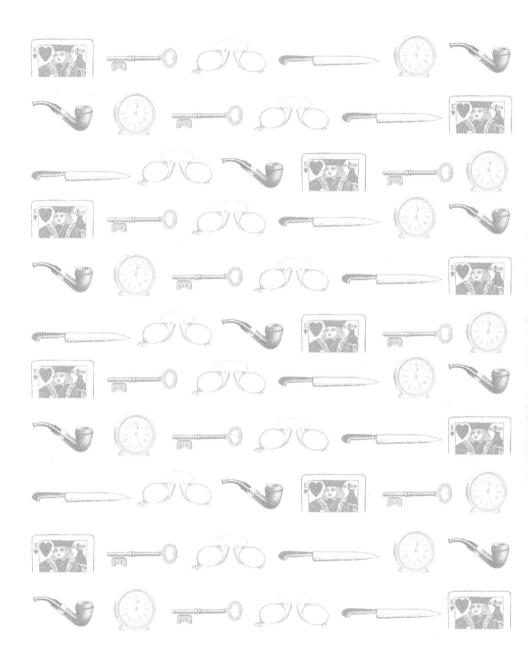

*seis*

# BLACK PETER

Nunca vi meu amigo mais em forma, tanto mental quanto fisicamente, do que no ano de 1895. Sua fama crescente trouxera a reboque uma imensa prática, e eu estaria cometendo uma indiscrição se mencionasse a identidade de alguns dos clientes ilustres que cruzaram nossa humilde soleira na Baker Street. Holmes, no entanto, como todos os grandes artistas, vivia por amor à sua arte, e salvo no caso do duque de Holdernesse, poucas vezes soube que ele tivesse solicitado qualquer recompensa vultosa por seus inestimáveis serviços. Tão desapegado ele era — ou tão caprichoso —, que amiúde negava ajuda aos ricos e poderosos, quando o problema não cativava sua simpatia, ao passo que devotava semanas da mais intensa aplicação aos interesses de algum cliente humilde cujo caso apresentasse as estranhas qualidades dramáticas que despertavam sua imaginação e desafiavam sua engenhosidade.

Nesse memorável ano de 1895, uma sucessão curiosa e incongruente de casos dominou sua atenção, indo de sua famosa investigação da morte repentina do Cardeal Tosca — um inquérito assumido por ele atendendo a um desejo expresso de Sua Santidade o Papa — até a prisão de Wilson, o famigerado treinador de canários, que acabou com uma praga que assolava o East End de Londres. No encalço desses dois casos famosos, seguiu-se a tragédia de Woodman's Lee, e as mui obscuras circunstâncias acerca da morte do Capitão Peter Carey. Nenhum registro das façanhas do Sr. Sherlock Holmes seria completo se não incluísse algum relato desse caso tão incomum.

Durante a primeira semana de julho, meu amigo se ausentou com tanta frequência e por tanto tempo dos nossos aposentos que eu sabia que ele estava envolvido em algo. As visitas de vários homens de aspecto rude durante aquele período, perguntando pelo Capitão Basil, me fizeram entender que Holmes estava trabalhando em algum lugar sob um dos numerosos disfarces e nomes com os quais ocultava sua formidável identidade. Ele tinha ao menos cinco pequenos refúgios em diferentes partes de Londres, nos quais podia mudar de personalidade. Ele não me dissera nada sobre o caso, e não era meu hábito forçá-lo a fazer confidências. O primeiro sinal positivo que ele me deu da direção que sua investigação estava tomando

## BLACK PETER

foi extraordinário. Holmes havia saído antes do desjejum, e eu me sentara para fazer o meu, quando ele entrou no quarto a passos largos, com o chapéu na cabeça e um grande arpão com farpas metido debaixo do braço como um guarda-chuva.

— Bom Deus, Holmes! — exclamei. — Não me diga que estava andando por Londres com essa coisa?

— Fui até o açougueiro e voltei.

— O açougueiro?

— E volto com excelente apetite. Não há como questionar, meu caro Watson, o valor do exercício físico antes do desjejum. Mas estou disposto a apostar que você não consegue adivinhar a forma que meu exercício assumiu.

— Não vou nem tentar.

Ele riu enquanto se servia de café.

— Se você tivesse olhado para os fundos do açougue de Allardyce, teria visto um porco morto pendurado num gancho no teto, e um cavalheiro em mangas de camisa estocando-o furiosamente com este arpão. Eu era aquela enérgica pessoa, e me convenci de que nem com todas as minhas forças conseguiria varar o porco com um só golpe. Você gostaria de tentar, talvez?

— Nem pelo mundo inteiro. Mas por que você estava fazendo isso?

— Porque me parecia ter uma relevância indireta no mistério de Woodman's Lee. Ah, Hopkins, recebi seu telegrama ontem à noite, e estava à sua espera. Entre e junte-se a nós.

Nosso visitante era um homem deveras alerta, de 30 anos de idade, usando um discreto terno de *tweed*, mas conservando a postura ereta de quem está habituado a um uniforme oficial. Reconheci-o imediatamente como Stanley Hopkins, jovem inspetor da polícia cujo futuro inspirava em Holmes grandes esperanças, ao passo que ele, por sua vez, devotava a admiração e o respeito de um pupilo pelos métodos científicos do famoso amador. A fronte de Hopkins estava anuviada quando ele se sentou, com um ar de profunda desolação.

— Não, obrigado, senhor. Fiz meu desjejum antes de vir. Passei a noite na cidade, pois cheguei ontem para fazer meu relatório.

— E o que tinha para relatar?

— Fracasso, senhor; fracasso completo.

— Não fez nenhum progresso?

— Nenhum.

— Céus! Preciso examinar a questão.

— Queria muito que o fizesse, Sr. Holmes. É minha primeira grande oportunidade, e não sei mais o que pensar. Pelo amor de Deus, venha e me dê uma mão.

— Bem, bem, acontece que já li todas as provas disponíveis, incluindo o relatório da investigação, com algum cuidado. A propósito, o que acha daquela bolsa de tabaco encontrada no local do crime? Não há nenhuma pista nela?

Hopkins pareceu surpreso.

— Pertencia à própria vítima, senhor. Suas iniciais estavam dentro dela. E era feita de pele de foca; e era um velho caçador de focas.

— Mas ele não tinha um cachimbo.

— Não, senhor, não encontramos nenhum cachimbo; na verdade, ele fumava muito pouco. No entanto, talvez tivesse o tabaco para oferecê-lo aos amigos.

— Sem dúvida. Só menciono isso porque, se eu estivesse investigando o caso, estaria inclinado a fazer disso o ponto de partida da minha investigação. De qualquer forma, meu amigo, o Dr. Watson nada sabe sobre o assunto, e não me fará mal ouvir a sequência dos acontecimentos novamente. Dê-nos apenas um breve esboço dos fatos essenciais.

Stanley Hopkins puxou uma tira de papel do bolso.

— Tenho algumas datas aqui que resumem a carreira do falecido, o Capitão Peter Carey. Nasceu em 1845; tinha 50 anos de idade. Era caçador de focas e pescador, ousado e bem-sucedido. Em 1883, comandou o vapor de caça *Unicórnio do Mar*, de Dundee. Fez com ele várias viagens exitosas em sucessão, e no ano seguinte, 1884, aposentou-se. Depois disso, viajou por alguns anos, e finalmente comprou uma pequena propriedade chamada Woodman's Lee, perto da Forest Row, em Sussex. Ali morou por seis anos, e ali morreu, faz apenas uma semana hoje.

"O homem tinha algumas características muito singulares. No dia a dia, era um puritano rígido — um sujeito silencioso e sorumbático. Em sua casa moravam a esposa, a filha de 20 anos e duas criadas. Essas últimas eram constantemente substituídas, pois a situação nunca era muito agradável, e às vezes tornava-se insuportável. O homem bebia esporadicamente, e quando enchia a cara, tornava-se um perfeito patife. Dizem que já pôs a esposa e a filha para fora de casa no meio da noite, espancando-as pelo parque, até que toda a cidade acordou com seus gritos.

"Ele foi chamado a depor uma vez sobre uma agressão selvagem ao velho vigário, que o visitara para condená-lo por sua conduta. Resumindo, Sr. Holmes, seria difícil encontrar um homem mais perigoso do que Peter Carey, e ouvi dizer que ele tinha o mesmo caráter ao comandar seu navio. Era conhecido na profissão como Black Peter, e o nome lhe foi dado não só por conta de sua tez escura e da cor de sua comprida barba, mas pelo temperamento, que era o terror de todos ao seu redor. Nem preciso dizer que ele era odiado e evitado por todos os vizinhos, e não ouvi uma só palavra lamentando seu terrível fim.

"O senhor deve ter lido, no relatório do inquérito, sobre a cabine do homem, Sr. Holmes; mas talvez seu amigo aqui não tenha ouvido falar dela. Ele havia construído uma barraca de madeira — sempre a chamava de 'cabine' — a algumas centenas de metros de sua casa, e era ali que dormia toda noite. Era uma pequena cabana de um cômodo só, medindo cinco metros por três. Ele guardava a chave no bolso, arrumava sua

## BLACK PETER

cama sozinho, fazia faxina, e não permitia que mais ninguém pisasse lá dentro. Há pequenas janelas nas laterais, que eram cobertas com cortinas, e nunca eram abertas. Uma dessas janelas dava para a estrada principal, e quando a candeia a iluminava à noite, as pessoas costumavam apontá-la e se perguntar o que Black Peter estaria fazendo lá dentro. Essa é a janela, Sr. Holmes, que nos deu uma das poucas pistas reais que surgiram na investigação.

"O senhor lembra que um pedreiro chamado Slater, andando pela Forest Row por volta de uma da manhã — dois dias antes do assassinato — parou ao passar pelo local e olhou para o quadrado iluminado ainda brilhando entre as árvores. Ele jura que a sombra da cabeça de um homem de perfil era claramente visível na cortina, e que aquela sombra certamente não era de Peter Carey, que ele conhecia bem. Era de um homem barbudo, mas a barba era curta e arrepiada para a frente, de uma forma bem diferente daquela do capitão. Isso é o que Slater diz, mas ele passara duas horas na taberna, e a estrada fica um pouco distante da janela. Além disso, o fato aconteceu na segunda-feira, e o crime foi cometido na quarta.

"Na terça-feira, Peter Carey estava num dos seus piores humores, ébrio e tão violento quanto uma perigosa fera selvagem. Andava pela casa, e as mulheres fugiam quando o ouviam chegar. Mais tarde naquela noite, desceu para a sua cabine. Por volta das duas da manhã seguinte, a filha dele, que dormia com a janela aberta, ouviu um grito pavoroso vindo daquela direção, mas não era incomum que ele choramingasse e gritasse depois de beber, por isso ninguém estranhou. Ao se levantar às 7 horas, uma das criadas notou que a porta da cabine estava aberta, mas o terror que o homem causava era tão grande que só ao meio-dia alguém se atreveu a ir ver o que lhe acontecera. Espiando pela porta aberta, elas viram uma cena que as fez correr, pálidas, até a aldeia. Uma hora depois, eu estava no local e assumi o caso.

"Bem, eu tenho nervos bem fortes, como sabe, Sr. Holmes, mas dou minha palavra de que comecei a tremer quando enfiei a cabeça naquela casinha. Estava zumbindo como uma gaita de fole de tantas moscas e varejeiras, e o chão e as paredes pareciam os de um abatedouro. Ele a chamava de cabine, e era mesmo uma cabine, pois dava a impressão de se estar dentro de um navio. Havia um beliche numa ponta, um baú marítimo, mapas e cartas náuticas, um retrato do *Unicórnio do Mar*, vários diários de bordo numa prateleira, tudo exatamente como alguém esperaria encontrar numa cabine de capitão. E ali, no meio dela, estava o homem, seu rosto distorcido como o de uma alma penada em tormento, e sua grande barba grisalha arrepiada em sua agonia. Um arpão de aço transpassara o seu peito, penetrando profundamente na madeira da parede atrás dele. Ele estava espetado como um besouro numa coleção. Naturalmente, já estava morto, desde o momento em que proferira aquele último urro de agonia.

# BLACK PETER

"Conheço seus métodos, senhor, e os apliquei. Antes de permitir que qualquer coisa fosse tocada, examinei com o maior cuidado o terreno ao redor, e também o chão do cômodo. Não havia pegadas."

— Quer dizer que o senhor não viu nenhuma?

— Eu lhe garanto, senhor, que não havia nenhuma.

— Meu bom Hopkins, já investiguei muitos crimes, mas até hoje ainda não vi nenhum que tivesse sido cometido por uma criatura voadora. Se o criminoso tem duas pernas, deve haver alguma depressão, alguma abrasão, algum deslocamento mínimo que pode ser detectado por um pesquisador científico. É inconcebível que aquele cômodo lambuzado de sangue não contivesse nenhuma pista que pudesse nos ajudar. Eu soube, todavia, pelo inquérito, que você deixou de inspecionar alguns objetos.

O jovem inspetor fez uma careta para os comentários irônicos do meu colega.

— Fui um tolo em não chamá-lo na hora, Sr. Holmes. No entanto, agora não adianta lamentar. Sim, havia vários objetos no quarto que requeriam atenção especial. Um era o arpão com o qual o crime fora cometido. Ele fora arrancado de um suporte na parede. Dois outros continuavam ali, e havia um lugar vazio para o terceiro. Na haste estava gravado "S. S. *Unicórnio do Mar*, Dundee". Isso parecia provar que o crime fora cometido num momento de fúria, e que o assassino lançara mão da primeira arma que encontrou.

O fato de o crime ter sido cometido às duas da manhã, embora Peter Carey estivesse completamente vestido, sugeria que ele tinha um encontro marcado com o assassino, o que é reforçado pelo fato de uma garrafa de rum e dois copos usados estarem sobre a mesa.

— Sim — disse Holmes —; acho que essas duas inferências são admissíveis. Havia alguma outra bebida além de rum no quarto?

— Sim; havia um *tantalus* contendo conhaque e uísque sobre o baú. Não tem importância para nós, no entanto, pois as garrafas estavam cheias, e portanto não foram usadas.

— Ainda que sua presença tenha alguma relevância — afirmou Holmes. — Mas vamos ouvir mais sobre os objetos que lhe parecem importantes para o caso.

— Havia uma bolsa de tabaco aberta sobre a mesa.

— Que parte da mesa?

— Estava bem no meio. Era de pele de foca rústica, de pelo reto, com uma tira de couro para fechá-la. Tinha as iniciais "P. C." na parte interior da aba. Continha quinze gramas de tabaco forte de marinheiro.

— Excelente! O que mais?

Stanley Hopkins tirou do bolso um caderno de capa amarelada. O exterior estava puído e gasto, e as folhas, desbotadas. Na primeira página estavam as iniciais "J. H. N." e a data "1883". Holmes o abriu sobre a mesa e o examinou à sua maneira meticulosa, enquanto Hopkins e eu olhávamos

# BLACK PETER

por cima dos seus ombros. Na segunda página estavam as letras "F. C. P.", e depois vinham várias folhas com números. Outro título era Argentina, outro Costa Rica, e outro São Paulo, cada um com páginas de sinais e cifras a seguir.

— O que acha disso? — perguntou Holmes.

— Parecem ser listas de títulos da Bolsa de Valores. Imaginei que "J. H. N." fossem as iniciais de um corretor, e que "F. C. P." pudesse ser seu cliente.

— Tente Ferrovia Canadense do Pacífico — disse Holmes.

Stanley Hopkins praguejou entredentes e bateu na coxa com o punho fechado.

— Que tolo eu fui! — exclamou. — Claro que é como o senhor diz. Então, "J. H. N." são as únicas iniciais que precisamos desvendar. Já examinei as velhas listas da Bolsa de Valores e não encontrei ninguém, em 1883, tanto naquela casa quanto entre os corretores externos, cujo nome corresponda a essas iniciais. No entanto, sinto que essa é a pista mais importante que tenho. Vai admitir, Sr. Holmes, que existe a possibilidade de que essas iniciais sejam da segunda pessoa que estava presente; em outras palavras, do assassino. Também reitero que a introdução no caso de um documento relacionando grandes volumes de títulos valiosos nos dá, pela primeira vez, alguma indicação de um motivo para o crime.

O rosto de Sherlock Holmes demonstrou que ele estava completamente surpreso com esse novo desdobramento.

— Preciso admitir seus dois argumentos — ele disse. — Confesso que o caderno, que não foi mencionado no inquérito, modifica quaisquer pontos de vista que eu pudesse ter formado. Eu havia desenvolvido uma teoria para o crime na qual não há lugar para isso. Já tentou rastrear algum dos títulos aqui mencionados?

— Investigações estão sendo feitas agora nos escritórios, mas temo que o registro completo dos acionistas dessas empresas sul-americanas esteja na América do Sul, e que vão se passar algumas semanas antes que consigamos rastrear as ações.

Holmes estava examinando a capa do caderno com sua lupa.

— Certamente há algum desbotamento aqui — ele disse.

— Sim, senhor, é uma mancha de sangue. Eu disse que peguei esse livro do chão.

— A mancha de sangue estava em cima ou embaixo?

— Ao lado, perto das tábuas.

— O que prova, é claro, que o livro foi derrubado ali depois que o crime foi cometido.

— Exatamente, Sr. Holmes. Reconheci esse fato e conjecturei que ele foi derrubado pelo assassino em sua fuga atabalhoada. Estava perto da porta.

— Suponho que nenhum desses títulos tenha sido encontrado entre os pertences do morto?

— Nenhum, senhor.

— Tem algum motivo para suspeitar de um roubo?

— Não, senhor. Ao que parece, nada foi levado.

# BLACK PETER

— Céus, certamente é um caso muito interessante. Então havia um punhal, não havia?

— Um punhal com bainha, ainda na bainha. Estava aos pés do morto. A Sra. Carey o identificou como sendo de propriedade do marido.

Holmes ficou perdido em pensamentos por algum tempo.

— Bem — disse finalmente —, acho que vou ter que ir vê-lo.

Stanley Hopkins proferiu uma exclamação de felicidade.

— Obrigado, senhor. Isso certamente aliviará a minha mente.

Holmes agitou o dedo para o inspetor.

— Teria sido uma tarefa mais fácil há uma semana — ele afirmou. — Mas mesmo agora, minha visita talvez não seja totalmente infrutífera. Watson, se você tiver tempo, eu ficaria muito feliz com sua companhia. Se puder chamar uma carruagem, Hopkins, estaremos prontos para ir a Forest Row em um quarto de hora.

Ao descer na pequena estação ao lado dos trilhos, percorremos alguns quilômetros através dos restos de uma mata esparsa que já fizeram parte da grande floresta que por tanto tempo manteve longe os invasores saxões — a impenetrável *weald*, durante sessenta anos o baluarte da Inglaterra. Vastas porções dela estão desertas, pois aquele foi o local das primeiras forjas do país, e as árvores foram derrubadas para derreter o minério. As minas mais ricas do Norte absorveram a produção, e agora nada além desses sofridos arvoredos e grandes cicatrizes na terra revela o trabalho do passado. Numa clareira na encosta verdejante de uma colina ficava uma casa comprida e baixa de pedra, acessível por um caminho em curva que atravessava os campos. Mais perto da estrada, e cercada em três lados por arbustos, havia uma pequena cabana com uma janela e a porta de um único lado. Era o local do assassinato.

Stanley Hopkins nos levou primeiro até a casa, onde nos apresentou a uma mulher desalinhada e grisalha, a viúva do homem assassinado, cujo rosto magro e enrugado, com a expressão furtiva de terror no fundo de seus olhos vermelhos, revelava os anos de privações e maus-tratos que ela sofrera. Com ela estava a filha, uma menina pálida e loura, cujos olhos brilharam desafiadores quando nos contou que estava feliz com a morte do pai, e que abençoava a mão que o abatera. Era um lar terrível, o que Black Peter Carey construíra para si, e foi com sensação de alívio que nos vimos ao sol de novo e percorrendo o caminho aberto na grama pelos pés do morto.

A cabana era a mais simples das moradias, com paredes de madeira, teto de uma só água, uma janela ao lado da porta e outra na parede oposta. Stanley Hopkins tirou a chave do bolso e havia se curvado para abrir a porta quando parou, com uma expressão de atenção e surpresa no rosto.

— Alguém andou mexendo aqui — ele disse.

# BLACK PETER

Não restava dúvida do fato. A madeira estava cortada, e os arranhões apareciam brancos sobre a tinta, como se tivessem sido feitos naquele instante. Holmes estava examinando a janela.

— Alguém tentou forçar a janela também. Seja quem for, não conseguiu entrar. Devia ser um arrombador bem incompetente.

— Isso é extraordinário — disse o inspetor —; eu poderia jurar que essas marcas não estavam aqui ontem à noite.

— Algum curioso da aldeia, talvez — sugeri.

— Muito improvável. Poucos ousariam pôr os pés na propriedade, muito menos tentar arrombar a cabine. O que acha, Sr. Holmes?

— Acho que a sorte foi muito generosa conosco.

— Quer dizer que essa pessoa vai voltar?

— É muito provável. Ele veio esperando encontrar a porta aberta. Tentou entrar usando a lâmina de um canivete muito pequeno. Não conseguiu. O que faria depois?

— Voltaria na noite seguinte com uma ferramenta melhor.

— É o que eu digo. Seria uma falha não estarmos aqui para recebê-lo. Enquanto isso, deixe-me ver o interior da cabine.

As marcas da tragédia haviam sido removidas, mas a mobília do pequeno cômodo continuava como estava na noite do crime. Por duas horas, com a concentração mais intensa, Holmes examinou um objeto de cada vez, mas seu rosto demonstrava que sua busca não era bem-sucedida. Somente uma vez ele fez uma pausa em sua paciente investigação.

— Você tirou alguma coisa desta prateleira, Hopkins?

— Não; não mexi em nada.

— Algo foi tirado. Há menos poeira neste canto da prateleira do que em outros lugares. Podia ser um livro deitado de lado. Podia ser uma caixa. Bem, bem, não posso fazer nada mais. Andemos por esta bela floresta, Watson, e dediquemos algumas horas aos pássaros e flores. Vamos nos encontrar aqui mais tarde, Hopkins, e ver se conseguimos fazer contato com o cavalheiro que visitou o local esta noite.

Passava das 23 horas quando preparamos nossa pequena emboscada. Hopkins era a favor de deixar a porta da cabana aberta, mas a opinião de Holmes era que isso despertaria suspeitas no desconhecido. A fechadura era das mais simples, e uma lâmina resistente bastaria para forçar a lingueta. Holmes também sugeriu que devíamos esperar não dentro da cabana, mas do lado de fora, entre os arbustos que cresciam ao redor da janela oposta. Dessa maneira, poderíamos observar nosso homem caso ele riscasse um fósforo, e ver qual o objetivo de sua sorrateira visita noturna.

Foi uma vigília longa e melancólica, mas ainda assim suscitou um pouco da empolgação que o caçador sente ao deitar-se perto de um lago e esperar pela chegada do predador sedento. Que criatura selvagem surgiria diante de nós vinda da escuridão? Seria um tigre feroz do crime, que somente poderia ser dominado lutando com unhas e dentes, ou um discreto chacal, perigoso apenas para os fracos e indefesos? Em silêncio absoluto, ficamos agachados em meio aos arbustos, esperando pelo que viria. De início, os passos de alguns aldeões retardatários, ou o som de vozes vindas da aldeia, aliviavam nossa vigília; mas uma a uma essas interrupções foram cessando, e um silêncio absoluto caiu sobre nós, quebrado apenas pelos sinos da igreja distante marcando as horas, que nos informavam do progresso da noite, e pelo farfalhar e murmurar de uma chuva fina caindo sobre a folhagem que nos abrigava.

Os sinos haviam batido duas e meia, e era a hora mais escura que precedia a aurora, quando todos nos sobressaltamos com um estalo baixo, mas agudo, vindo da direção do portão. Alguém entrara na propriedade. Mais uma vez, houve um longo silêncio, e comecei a temer que fosse um falso alarme, quando passos sorrateiros fizeram-se ouvir do outro lado da cabana, e um momento depois, algo metálico raspando e estalando. O homem estava tentando forçar a fechadura! Dessa vez ele foi mais habilidoso, ou tinha uma ferramenta melhor, pois seguiram-se um ruído repentino e o ranger das dobradiças. Então um fósforo foi riscado, e um momento depois, a luz contínua de uma vela encheu o interior da cabana. Através da cortina de gaze, nossos olhos estavam pregados na cena que se desenrolava lá dentro.

O visitante noturno era um jovem frágil e magro, com um bigode preto que intensificava a palidez cadavérica do seu rosto. Não deveria ter muito mais do que 20 anos de idade. Nunca vi um ser humano demonstrar um pavor mais lamentável, pois ele visivelmente batia os dentes, e seu corpo todo tremia. Estava elegantemente vestido, usando um casaco com cinto e calça corsário, com um gorro de pano na cabeça. Nós o vimos correr o olhar assustado ao redor. Então ele deixou o toco de vela sobre a mesa e saiu do nosso campo de visão, indo para um dos cantos. Voltou com um livro volumoso, um dos diários de bordo que preenchiam as prateleiras. Curvando-se sobre a mesa, ele virou rapidamente as páginas do volume até chegar à parte que procurava. Então, com um gesto furioso da mão crispada, fechou o livro, devolveu-o ao seu lugar e apagou a luz. Ele mal havia se virado para sair da cabana quando a mão de Hopkins agarrou seu colarinho, e ouvi seu gemido alto de terror ao entender que fora capturado. A vela foi acesa novamente, e lá estava nosso miserável prisioneiro, tremendo e encolhendo-se em poder do detetive. Ele desabou sobre o baú e correu desconsoladamente os olhos entre nós.

— E então, caro camarada — disse Stanley Hopkins —, quem é você, e o que deseja aqui?

O homem se recompôs e nos encarou com um esforço de autocontrole.

— São detetives, suponho? — ele perguntou. — Imaginam que eu tenha alguma ligação com a morte do Capitão Peter Carey. Garanto que sou inocente.

— Isso nós veremos — disse Hopkins. — Antes de tudo, qual o seu nome?

— É John Hopley Neligan.

# BLACK PETER

Vi Holmes e Hopkins se entreolharem rapidamente.

— O que está fazendo aqui?

— Posso falar confidencialmente?

— Não, claro que não.

— E por que eu deveria lhes contar?

— Se não responder, isso pode prejudicá-lo no julgamento.

O jovem fez uma careta.

— Bem, vou contar — ele disse. — Por que não deveria? Ainda assim, detesto a ideia desse velho escândalo ganhar vida novamente. Já ouviram falar da Dawson & Neligan?

Pude perceber, pela expressão de Hopkins, que ele nunca ouvira; mas Holmes estava profundamente interessado.

— Está falando dos banqueiros do Oeste — ele respondeu. — O banco tinha um rombo de um milhão, arruinou metade das famílias da Cornualha, e Neligan desapareceu.

— Exatamente. Neligan era o meu pai.

Finalmente estávamos obtendo algo positivo; no entanto, parecia haver um abismo entre um banqueiro em fuga e o Capitão Peter Carey espetado na parede com um de seus próprios arpões. Todos ouvimos com atenção as palavras do jovem.

— Meu pai foi responsabilizado, na verdade. Dawson já havia se aposentado. Eu tinha apenas 10 anos na época, mas era crescido o suficiente para sentir toda a vergonha e o horror. Sempre disseram que meu pai roubou todos os títulos e fugiu. Isso não é verdade. Ele acreditava que se tivesse tempo para liquidá-los, tudo ficaria bem, e todos os credores

O RETORNO DE SHERLOCK HOLMES

seriam integralmente pagos. Ele partiu para a Noruega em seu pequeno iate pouco antes que expedissem o mandado para a sua prisão. Lembro aquela última noite em que ele se despediu da minha mãe. Deixou-nos uma lista dos títulos que estava levando e jurou que voltaria com sua honra resgatada, e que nenhum dos que confiaram nele sofreria. Bem, nunca mais se soube dele. Tanto o iate quanto ele desapareceram completamente. Nós acreditávamos, minha mãe e eu, que meu pai e a embarcação, com os títulos que ele levara, estavam no fundo do mar. Tínhamos um amigo fiel, todavia, que é um homem de negócios, e foi ele que descobriu, algum tempo atrás, que alguns dos títulos que meu pai levara haviam reaparecido no mercado londrino. Podem imaginar nossa surpresa. Passei meses tentando rastreá-los, e por fim, depois de muitas reviravoltas e vicissitudes, descobri que quem vendera originalmente os títulos fora o Capitão Peter Carey, proprietário desta cabana.

"Naturalmente, investiguei um pouco esse homem. Descobri que ele estivera no comando de um baleeiro que regressara do Mar Ártico na mesma época que meu pai estava viajando para a Noruega. O outono daquele ano fora tempestuoso, e houvera uma longa sucessão de tormentas vindas do Sul. O iate do meu pai poderia muito bem ter sido desviado para o Norte, e ali ter encontrado o navio do Capitão Peter Carey. Se isso aconteceu, o que houve com meu pai? Em todo caso, se eu pudesse provar, com o depoimento de Peter Carey, como esses títulos chegaram ao mercado, isso serviria como prova de que não fora meu pai a vendê-los, e que ele não visava ao lucro pessoal ao levá-los.

"Vim para Sussex com a intenção de ver o capitão, mas foi nesse momento que sua morte terrível aconteceu. Li uma descrição de sua cabine no inquérito, que dizia que os velhos diários de bordo do seu navio estavam aqui conservados. Percebi que se eu pudesse verificar o que aconteceu no mês de agosto de 1883 a bordo do *Unicórnio do Mar*, poderia resolver o mistério do destino do meu pai. Tentei pegar esses diários de bordo ontem à noite, mas não consegui abrir a porta. Hoje tentei de novo e consegui; mas descobri que as páginas referentes àquele mês foram arrancadas do livro. Foi nesse momento que me vi capturado pelos senhores."

— Isso é tudo? — perguntou Hopkins.

—- Sim, é tudo. — Ele desviou o olhar ao dizê-lo.

— Não tem mais nada para nos contar?

Ele hesitou.

— Não; mais nada.

— Não esteve aqui antes da noite passada?

— Não.

— Então como explica *isto*? — exclamou Hopkins, segurando o caderninho acusador, com as iniciais de nosso prisioneiro na primeira página e a mancha de sangue na capa.

O pobre homem desabou. Mergulhou o rosto nas mãos e tremeu todo.

— Onde achou isso? — ele gemeu. — Eu não sabia. Pensei tê-lo perdido no hotel.

— Já chega — disse Hopkins severamente. — O que mais tiver que dizer, o senhor o fará no tribunal. Agora irá comigo até a chefatura de polícia. Bem, Sr. Holmes, agradeço muito ao senhor e ao seu amigo por terem vindo me ajudar. No fim das contas, sua presença foi desnecessária, e eu teria resolvido o caso desta forma bem-sucedida sem o senhor; mas mesmo assim, fico muito grato. Foram feitas reservas para os senhores no Hotel Brambletye, portanto, podemos todos voltar juntos para a aldeia.

— Bem, Watson, o que acha disso? — perguntou Holmes durante a viagem de volta a Londres, na manhã seguinte.

— Percebo que você não ficou satisfeito.

— Ah, sim, meu caro Watson, estou perfeitamente satisfeito. Por outro lado, os métodos de Stanley Hopkins não me agradam muito. Estou decepcionado com Stanley Hopkins. Esperava coisa melhor dele. Deve-se sempre procurar uma possível alternativa e preparar-se para ela. É a primeira regra da investigação criminal.

— Qual, então, é a alternativa?

— A linha de investigação que estou seguindo. Pode não dar em nada. Não tenho como saber. Mas pelo menos vou segui-la até o fim.

Várias cartas estavam à espera de Sherlock Holmes na Baker Street. Ele pegou uma, abriu, e caiu numa triunfante gargalhada.

# BLACK PETER

— Excelente, Watson. A alternativa se desenvolve. Você tem formulários telegráficos? Apenas anote umas mensagens para mim: "Agência Marítima de Empregos Sumner, Ratcliff Highway. Mande três homens, para chegarem aqui amanhã às 10 horas. — Basil". Esse é meu nome por aqueles lados. A outra é: "Inspetor Stanley Hopkins, Lord Street, 46, Brixton. Venha para o desjejum amanhã às 9h30. Importante. Telegrafe caso não possa vir. — Sherlock Holmes". Pronto, Watson, este caso infernal já me atormentou por dez dias. Neste momento, eu o estou banindo completamente da minha presença. Amanhã, acredito, ouviremos falar dele pela última vez.

Precisamente na hora marcada, o inspetor Stanley Hopkins apareceu, e nos sentamos à mesa para o excelente desjejum que a Sra. Hudson preparara. O jovem detetive estava animado com seu sucesso.

— Acha mesmo que a sua solução é a correta? — perguntou Holmes.

— Não consigo imaginar um caso mais completo.

— Não me pareceu conclusiva.

— O senhor me assombra, Sr. Holmes. O que mais pode-se pedir?

— Sua explicação cobre todos os aspectos?

— Sem dúvida. Descobri que o jovem Neligan chegou ao Hotel Brambletye no dia exato do crime. Veio com o pretexto de jogar golfe. Seu quarto ficava no térreo, e ele podia sair quando bem entendesse. Naquela mesma noite, ele foi até Woodman's Lee, viu Peter Carey na cabana, discutiu com ele e o matou com o arpão. Então, horrorizado pelo que fez, fugiu do local, deixando cair o caderno que trouxera consigo para questionar Peter Carey quanto aos títulos. O senhor pode ter observado que alguns deles estavam marcados, e outros — a grande maioria — não estavam. Aqueles que estão marcados foram localizados no mercado londrino; mas os outros presumivelmente continuavam em poder de Carey, e o jovem Neligan, de acordo com seu próprio relato, estava ansioso para recuperá-los a fim de fazer jus aos credores do pai. Depois de sua fuga, não ousou se aproximar da cabana de novo por algum tempo; mas, finalmente, obrigou-se a fazê-lo para obter a informação de que precisava. Certamente concorda que tudo isso é simples e óbvio?

Holmes sorriu e balançou a cabeça.

— Parece-me ter uma só ressalva, Hopkins: é intrinsecamente impossível. Você já tentou varar um corpo com um arpão? Não? Ora, ora, caro senhor; precisa começar a prestar atenção nesses detalhes. Meu amigo Watson poderá confirmar que passei uma manhã inteira nessa atividade. Não é fácil, e requer braço forte e prática. Ademais, esse golpe foi desferido com tamanha violência que a ponta da arma afundou muito na parede. Você acha que aquele jovem anêmico seria capaz de um ataque tão terrível? É ele o homem que tomava rum com água com Black Peter no meio da noite? Foi a silhueta dele que se viu na cortina duas

# BLACK PETER

noites antes? Não, não, Hopkins; é outra pessoa, muito mais formidável, que devemos procurar.

O rosto do detetive foi murchando cada vez mais durante o discurso de Holmes. Suas esperanças e ambições estavam desmoronando ao seu redor. Mas ele não abandonaria sua posição sem luta.

— Não pode negar que Neligan estava presente naquela noite, Sr. Holmes. O caderno evidencia isso. Imagino ter provas suficientes para satisfazer um júri, mesmo se o senhor encontrar alguma falha nelas. Além disso, Sr. Holmes, eu pus as mãos no *meu* homem. Quanto a essa sua pessoa terrível, onde ela está?

— Imagino que esteja subindo a escada — disse Holmes serenamente. — Eu acho, Watson, que seria bom você manter seu revólver ao alcance da mão. — Ele se levantou e deixou um papel escrito numa mesinha lateral. — Agora estamos prontos — ele disse.

Ouvimos vozes irritadas conversando lá fora, e em seguida a Sra. Hudson abriu a porta para informar que havia três homens perguntando pelo Capitão Basil.

— Mande-os entrar um por um — disse Holmes.

O primeiro que entrou era um homenzinho engraçado, com bochechas vermelhas e um espesso bigodão branco. Holmes havia tirado uma carta do bolso.

— Nome? — ele perguntou.

— James Lancaster.

— Lamento, Lancaster, mas o navio está completo. Aqui está meio soberano pelo seu incômodo. Entre nesta sala e espere alguns minutos.

O segundo homem era uma criatura longa e seca, de cabelo comprido e bochechas murchas. Seu nome era Hugh Pattins. Ele também recebeu sua dispensa, seu meio soberano e a ordem para esperar.

O terceiro candidato era um homem de aparência notável. Seu rosto feroz de buldogue era emoldurado por barba e cabelos desgrenhados, e dois olhos desafiadores e escuros brilhavam por baixo de sobrancelhas espessas, eriçadas e salientes. Ele prestou continência e postou-se como um marinheiro, revirando o boné nas mãos.

— Seu nome? — perguntou Holmes.

— Patrick Cairns.

— Arpoador?

— Sim, senhor. Vinte e seis viagens.

— Dundee, suponho?

— Sim, senhor.

— E está pronto para partir num navio de exploração?

— Sim, senhor.

— Qual o salário?

— Oito libras por mês.

— Pode começar imediatamente?

— Assim que eu pegar meu material.

— Está com seus documentos?

# BLACK PETER

— Sim, senhor. — Ele tirou um maço de formulários gastos e ensebados do bolso. Holmes correu os olhos por eles e os devolveu.

— Você é exatamente o homem que procuro — ele disse.

— O contrato está ali na mesinha lateral. Se o assinar, está tudo resolvido.

O marinheiro arrastou os pés pela sala e pegou a pena.

— Assino aqui? — ele perguntou, curvando-se sobre a mesa.

Holmes debruçou-se sobre o ombro dele e pôs as duas mãos no seu pescoço.

— Assim está bom — ele disse.

Ouvi um estalo metálico e um urro como o de um touro enfurecido. No instante seguinte, Holmes e o marinheiro estavam rolando engalfinhados pelo chão. Ele era um homem de força tão gigantesca que, mesmo com as algemas que Holmes prendera tão agilmente aos seus pulsos, teria rapidamente levado a melhor sobre o meu amigo se Hopkins e eu não corrêssemos para ajudá-lo. Só quando pressionei o cano frio do revólver em sua têmpora ele finalmente entendeu que não adiantaria resistir. Amarramos seus tornozelos com uma corda e nos erguemos, ofegantes, da luta.

— Preciso realmente me desculpar, Hopkins — disse Sherlock Holmes —; temo que os ovos mexidos tenham esfriado. Porém, vai apreciar melhor o resto de seu desjejum, não vai, sabendo que levou o seu caso a uma conclusão triunfante?

Stanley Hopkins estava emudecido pelo assombro.

## O RETORNO DE SHERLOCK HOLMES

— Nem sei o que dizer, Sr. Holmes — ele exclamou finalmente, com o rosto muito vermelho. — Parece-me que fiz papel de tolo desde o início. Entendo agora o que jamais deveria ter esquecido que sou o pupilo e o senhor é o mestre. Agora mesmo, estou vendo o que o senhor fez, mas não sei como fez, nem o que significa.

— Bem, bem — disse Holmes com bom humor. — Todos aprendemos com a experiência, e sua lição, desta vez, é que nunca deve perder de vista a alternativa. Você estava tão absorto com o jovem Neligan que não teve um pensamento sequer para Patrick Cairns, o verdadeiro assassino de Peter Carey.

A voz rouca do marinheiro interrompeu nossa conversa.

— Olhe aqui, senhor — ele disse —, eu não reclamo de ser tratado dessa maneira, mas gostaria que chamasse as coisas pelos nomes certos. O senhor disse que eu assassinei Peter Carey; eu digo que *matei* Peter Carey, e nisso está toda a diferença. Talvez não acredite no que digo. Talvez pense que estou apenas inventando uma história.

— De modo algum — disse Holmes. — Ouçamos o que tem a dizer.

— Contarei logo, e juro por Deus que cada palavra é verdade. Eu conhecia Black Peter, e quando ele puxou o punhal, logo finquei um arpão através dele, pois sabia que seria ele ou eu. Foi assim que ele morreu. Podem chamar de assassinato. De qualquer forma, melhor morrer com uma corda no pescoço do que com o punhal de Black Peter no coração.

# BLACK PETER

— Como chegou a isso? — perguntou Holmes.

— Vou contar desde o início. Só me ponha sentado para que fique mais fácil falar. Foi em 1883 que aconteceu, em agosto daquele ano. Peter Carey era capitão do *Unicórnio do Mar*, e eu era o segundo arpoador. Estávamos saindo do gelo a caminho de casa, com vento contrário e depois de uma semana de tormenta vindo do Sul, quando encontramos uma pequena embarcação que havia sido soprada para o Norte. Havia um homem a bordo, um homem de terra firme. Sua tripulação achara que o barco iria afundar, e tentara alcançar a costa norueguesa no bote salva-vidas. Acho que se afogaram todos. Bem, nós o trouxemos a bordo, esse homem, e o capitão teve algumas longas conversas com ele em sua cabine. A única bagagem que encontramos com ele foi uma caixa de lata. Até onde sei, o nome do homem nunca foi mencionado, e na segunda noite ele desapareceu como se jamais tivesse existido. Todos achavam que ele tivesse se jogado do navio ou caído no mar durante a tempestade que enfrentamos. Somente um homem sabia o que acontecera com ele, e esse homem era eu, pois com meus próprios olhos vi o capitão erguê-lo pelos calcanhares e jogá-lo por cima do parapeito enquanto eu estava de vigia numa noite escura, dois dias antes que avistássemos as luzes de Shetland.

"Bem, guardei o que sabia para mim e esperei para ver no que ia dar. Quando voltamos para a Escócia, o caso foi facilmente abafado e ninguém fez perguntas. Um desconhecido morrera por acidente, e isso não era da conta de ninguém.

Logo depois, Peter Carey abriu mão do mar, e passaram--se longos anos antes que eu conseguisse descobrir onde ele estava. Imaginei que ele tivesse cometido o ato para ficar com o conteúdo daquela caixa de lata, e que agora pudesse me pagar bem para manter minha boca fechada.

"Descobri onde ele estava por meio de um marinheiro que o encontrara em Londres, e fui para lá dar um aperto nele. Na primeira noite, ele foi bastante sensato, e estava disposto a me dar o suficiente para me livrar do mar pelo resto da vida. Iríamos acertar tudo duas noites depois. Quando cheguei, encontrei-o quase caindo de bêbado e de péssimo humor. Nós nos sentamos, bebemos e tagarelamos sobre os velhos tempos, mas quanto mais ele bebia, menos me agradava a expressão do seu rosto. Avistei aquele arpão na parede e pensei que poderia precisar dele logo. Então, finalmente, ele explodiu comigo, cuspindo e praguejando, com um olhar assassino e um grande canivete na mão. Ele nem teve tempo de tirá-lo da bainha, e eu já o havia atravessado com o arpão. Céus! Que grito ele deu; e seu rosto não me deixa dormir! Fiquei ali, com seu sangue esguichando ao meu redor, e esperei um pouco; mas tudo estava em silêncio, então me animei novamente. Olhei à minha volta, e lá estava a caixa de lata numa prateleira. De qualquer forma, eu tinha tanto direito a ela quanto Peter Carey, por isso a levei comigo e saí da cabana. Como um tolo, deixei minha bolsa de tabaco sobre a mesa.

# BLACK PETER

"Agora vou contar a parte mais esquisita da história toda. Eu mal saíra da cabana quando ouvi alguém vindo e me escondi entre os arbustos. Um homem chegou, sorrateiro, entrou na cabana, gritou como se tivesse visto um fantasma e saiu correndo tão rápido quanto suas pernas conseguiam levá-lo até desaparecer de vista. Quem ele era ou o que queria, não sei dizer. De minha parte, caminhei 16 quilômetros, peguei um trem em Tunbridge Wells, e assim cheguei a Londres, e ninguém desconfiou de nada.

"Bem, quando pude examinar a caixa, descobri que não havia dinheiro nela, e nada além de documentos que eu não me atrevia a vender. Eu perdera meu domínio sobre Black Peter e estava desabrigado em Londres, sem um xelim. Só me restava o meu ofício. Vi uns anúncios pedindo arpoadores e oferecendo altos salários, então procurei as agências marítimas e elas me mandaram para cá. Isso é tudo o que sei, e volto a dizer que se matei Black Peter, a lei deveria me agradecer, pois lhes poupei o preço de uma corda de cânhamo."

— Um depoimento muito claro — disse Holmes, levantando-se e acendendo seu cachimbo. — Eu acho, Hopkins, que você não deve perder tempo em levar seu prisioneiro para um lugar seguro. Este quarto não está bem equipado como cela, e o Sr. Patrick Cairns ocupa espaço demais no nosso tapete.

— Sr. Holmes — disse Hopkins —, não sei como exprimir minha gratidão. Mesmo agora, não entendo como chegou a este resultado.

— Simplesmente tendo a sorte de encontrar a pista certa desde o início. É bem possível que se eu soubesse desse caderno, ele poderia ter desviado meus pensamentos, como fez com os seus. Mas tudo que eu ouvia apontava numa só direção. A força descomunal, a habilidade no uso do arpão, o rum com água, a bolsa de tabaco de pele de foca contendo fumo rústico; tudo isso indicava um marinheiro, e que já tivesse caçado baleias. Eu estava convencido de que as iniciais "P. C." na bolsa de tabaco eram uma coincidência, e não as de Peter Carey, pois ele raramente fumava e nenhum cachimbo fora encontrado em sua cabine. Você lembra que eu perguntei se uísque e conhaque haviam sido encontrados na cabine. Você disse que sim. Quantos homens de terra firme tomariam rum, tendo essas outras bebidas à mão? Sim, eu tinha certeza de que era um marinheiro.

— E como o encontrou?

— Caro senhor, o problema se tornara muito simples. Se era um marinheiro, só poderia ser um dos que estiveram com ele a bordo do *Unicórnio do Mar*. Até onde eu sabia, ele não navegara em nenhuma outra embarcação. Passei três dias telegrafando para Dundee, e no final desse período, havia descoberto os nomes da tripulação do *Unicórnio do Mar* em 1883. Quando encontrei Patrick Cairns entre os arpoadores, minha pesquisa estava perto do fim. Supus que o homem provavelmente estivesse em Londres, e que desejasse deixar o país por algum tempo. Assim, passei alguns

# BLACK PETER

dias no East End, inventei uma expedição ao Ártico, ofereci condições tentadoras para arpoadores dispostos a zarpar com o Capitão Basil, e aqui está o resultado!

— Maravilhoso! — exclamou Hopkins. — Maravilhoso!

— Precisa providenciar a soltura do jovem Neligan o mais rápido possível — disse Holmes. — Confesso que acho que você lhe deve desculpas. A caixa de lata deve ser devolvida a ele, mas, naturalmente, os títulos que Peter Carey vendeu estão perdidos para sempre. Aí está o táxi, Hopkins, pode levar o homem. Se quiser que eu deponha no processo, meu endereço e o de Watson será o de algum lugar na Noruega, informarei os detalhes mais tarde.

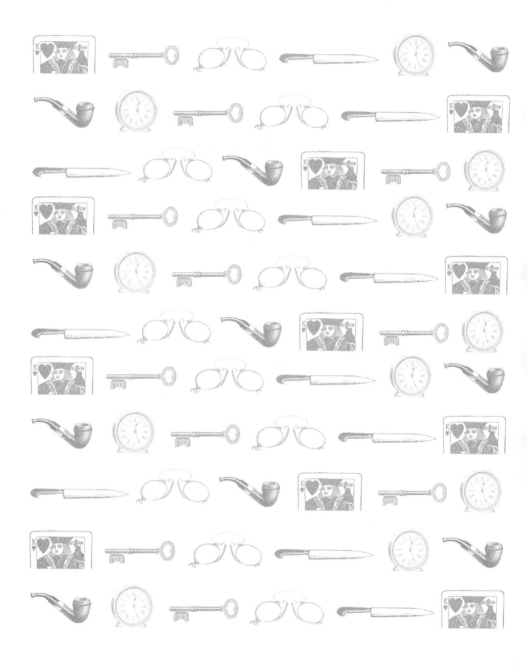

*sete*

# CHARLES AUGUSTUS MILVERTON

Já faz anos que os incidentes que narro aconteceram; no entanto, é com relutância que me refiro a eles. Por muito tempo, mesmo com a maior discrição e reticência, teria sido impossível trazer os fatos a público; mas agora, a pessoa mais interessada está fora do alcance da lei dos homens, e com as devidas supressões, a história pode ser contada de maneira a não prejudicar ninguém. Ela relata uma experiência absolutamente única, tanto na carreira do Sr. Sherlock Holmes quanto na minha. O leitor vai me perdoar se omito a data ou qualquer outro fato que possibilitaria situar o que realmente aconteceu.

Havíamos saído para um de nossos passeios vespertinos, Holmes e eu, e voltáramos lá pelas seis num entardecer frio e nevado de inverno. Quando Holmes acendeu a lâmpada, a luz revelou um cartão de visitas sobre a mesa. Ele o olhou, e então, com uma exclamação de repulsa, jogou-o no chão. Eu o peguei e li:

CHARLES AUGUSTUS MILVERTON

Appledore Towers

Hampstead

*Agente*

— Quem é ele? — perguntei.

— O pior homem de Londres — Holmes respondeu, sentando-se e esticando as pernas diante do fogo. — Há alguma coisa no verso do cartão?

Eu o virei.

— "Chamarei às 18h30. — C. A. M." — eu li.

— Hum! Está quase na hora. Você tem uma sensação arrepiante e repulsiva, Watson, quando está diante das serpentes no zoológico e vê aquelas criaturas viscosas, rastejantes, venenosas, com seus olhos mortais e seus focinhos perversos e achatados? Bem, essa é a impressão que Milverton me causa. Já lidei com cinquenta assassinos na minha carreira, mas o pior deles jamais suscitou a repulsa que sinto por esse camarada. No entanto, não consigo deixar de trabalhar com ele; aliás, ele está aqui a convite meu.

— Mas quem é ele?

— Vou contar, Watson. É o rei de todos os chantagistas. Que Deus ajude o homem, e ainda mais a mulher, cujo segredo e reputação venham a ficar em poder de Milverton. Com um rosto sorridente e um coração de mármore, ele vai espremer e espremer até deixá-los secos. O sujeito é um gênio, à sua maneira, e teria deixado sua marca em qualquer ofício mais agradável. Seu método é o seguinte: ele permite que todos saibam que está preparado a pagar quantias muito altas por cartas que comprometam pessoas de grande fortuna ou posição. Obtém tais documentos não só com criadas ou pajens traiçoeiros, mas muitas vezes com rufiões de fala mansa, que conquistaram a confiança e afeição de mulheres ingênuas. Ele não é mesquinho nesse comércio. Sei que ele já pagou setecentas libras a um lacaio por um bilhete de duas linhas, e a ruína de uma nobre família foi o resultado. Tudo o que está no mercado vai para Milverton, e há centenas de pessoas nesta grande cidade que empalidecem ao ouvir seu nome. Ninguém sabe quem poderá ser atingido por seu golpe, pois ele é rico e astuto demais para trabalhar em condições precárias. É capaz de conservar uma carta na manga por anos, para jogá-la no momento em que o cacife mais vale a pena. Eu disse que ele é o pior homem de Londres, e pergunto: como se pode comparar o rufião que golpeia o próximo quando lhe ferve o sangue com esse homem, que metodicamente e a seu bel-prazer tortura a alma e dilacera os nervos para fazer crescer sua bolsa já cheia?

Raramente ouvi meu amigo falar com tal intensidade de sentimento.

— Mas, certamente — eu disse —, o sujeito deve estar ao alcance da lei?

— Tecnicamente, sem dúvida, mas na prática não. O que uma mulher lucraria, por exemplo, em vê-lo preso por alguns meses, sabendo ela que sua ruína seguir-se-ia imediatamente? Suas vítimas não ousam revidar. Se um dia ele chantageasse um inocente, então, de fato, conseguiríamos pegá-lo; mas ele é tão sagaz quanto o Príncipe do Mal. Não, não; precisamos encontrar outras maneiras de combatê-lo.

— E por que ele está aqui?

— Porque uma cliente ilustre pôs seu caso lamentável em minhas mãos. É Lady Eva Brackwell, a mais linda *débutante* da última estação. Deve se casar daqui a 15 dias com o Conde de Dovercourt. Aquele vilão tem várias cartas imprudentes — imprudentes, Watson, nada pior do que isso — que foram escritas para um fazendeiro jovem e pobre. Elas bastariam para inviabilizar o enlace. Milverton enviará as cartas ao conde, a menos que uma grande quantia lhe seja paga. Recebi a incumbência de falar com ele e... chegar às melhores condições que eu puder.

Nesse instante, ouvimos um chocalhar na rua. Olhando para baixo, vi uma luxuosa carruagem puxada por uma parelha, com lanternas brilhantes reluzindo nos dorsos lustrosos dos nobres baios. Um lacaio abriu a porta e um

## CHARLES AUGUSTUS MILVERTON

homenzinho atarracado, com um sobretudo puído de astracã, desceu. Um minuto depois, ele estava na sala.

Charles Augustus Milverton era um homem de 50 anos, com uma cabeça grande de intelectual, rosto redondo, roliço e imberbe, um sorriso perpetuamente congelado e dois olhos cinzentos e matreiros, que brilhavam por trás de grandes óculos de armação dourada. Havia algo da benevolência do Sr. Pickwick em seu semblante, estragada somente pela falsidade do sorriso fixo e pelo duro reluzir daqueles olhos inquietos e penetrantes. Sua voz era tão branda e suave quanto suas feições enquanto ele se aproximava com uma mãozinha balofa estendida, murmurando lamentar não ter-nos encontrado em sua primeira visita.

Holmes ignorou a mão estendida e olhou para ele com um rosto de granito. O sorriso de Milverton se alargou; ele deu de ombros, tirou o sobretudo, dobrou-o com grande tranquilidade sobre as costas de uma cadeira e sentou-se em seguida.

— Esse cavalheiro — ele disse, acenando na minha direção — é discreto? Isso está certo?

— O Dr. Watson é meu amigo e colega.

— Muito bem, Sr. Holmes. Perguntei apenas no interesse de sua cliente. A questão é tão delicada...

— O Dr. Watson já a ouviu.

— Então podemos passar aos negócios. O senhor diz representar Lady Eva. Ela lhe deu poderes para aceitar minhas condições?

— Quais são as suas condições?

— Sete mil libras.

— E a alternativa?

— Caro senhor, isso me é doloroso discutir; mas se o dinheiro não for entregue no dia 14, certamente não haverá casamento no dia 18. — Seu sorriso insuportável estava mais complacente do que nunca. Holmes pensou um pouco.

— O senhor me parece — ele disse finalmente — dar isso como certo demais. Naturalmente, estou a par do conteúdo dessas cartas. Minha cliente sem dúvida fará o que eu recomendar. Vou aconselhá-la a contar ao futuro marido toda a história e confiar na generosidade dele.

Milverton deu uma risadinha.

— É evidente que o senhor não conhece o conde — ele disse.

Pela expressão perplexa de Holmes, percebi claramente que ele conhecia.

— Que mal há nessas cartas? — ele perguntou.

— São vivazes; vivazes demais — respondeu Milverton. A madame é uma missivista encantadora. Mas posso garantir que o Conde de Dovercourt não irá apreciá-las. Todavia, já que o senhor discorda, deixaremos por isso mesmo. É puramente uma questão de negócios. Se o senhor acha que é do interesse de sua cliente que essas cartas cheguem às mãos do conde, então seria mesmo tolice pagar tão alta quantia para recuperá-las. — Ele se levantou e pegou o casaco de astracã.

Holmes estava pálido de fúria e mortificação.

## CHARLES AUGUSTUS MILVERTON

— Espere um pouco — ele disse. — Está indo rápido demais. Certamente faremos qualquer esforço para evitar um escândalo numa questão tão delicada.

Milverton voltou a se sentar.

— Eu tinha certeza de que o senhor veria por esse lado — ele ronronou.

— Ao mesmo tempo — Holmes continuou —, Lady Eva não é uma mulher rica. Garanto que duas mil libras esgotariam seus recursos e que a cifra que o senhor mencionou está completamente fora do alcance dela. Rogo, portanto, que modere suas exigências e que devolva as cartas pelo preço que indiquei, que é, garanto, o mais alto que pode alcançar.

O sorriso de Milverton se alargou e seus olhos cintilaram de forma bem-humorada.

— Tenho ciência de que o senhor diz a verdade sobre os recursos da madame — ele disse. — Ao mesmo tempo, terá que admitir que a ocasião do matrimônio de uma jovem é um momento deveras adequado para que seus amigos e parentes façam um pequeno esforço em seu favor. Talvez estejam indecisos quanto a um presente de casamento aceitável. Posso lhes garantir que este macinho de cartas dará mais alegria a ela do que todos os candelabros e manteigueiras de Londres.

— É impossível — disse Holmes.

— Céus, céus, que infelicidade! — exclamou Milverton, tirando um volumoso caderno do bolso. — Não consigo deixar de pensar que as damas estão equivocadas em não fazer tal esforço. Veja isto! — Ele mostrou um pequeno bilhete com um brasão no envelope. — Isto pertence a... bem, talvez não seja justo dizer o nome até amanhã de manhã. Mas então ele estará nas mãos do marido da madame. E tudo porque ela não pôde angariar uma quantia miserável, que conseguiria levantar em uma hora, pondo seus diamantes no mercado. É uma pena mesmo. Agora, lembra-se do fim repentino do noivado da honorável Srta. Miles com o Coronel Dorking? Dois dias apenas antes do casamento, um parágrafo foi publicado no *Morning Post*, informando que tudo estava cancelado. E por quê? É quase inacreditável, mas a quantia absurda de doze mil libras teria resolvido toda a questão. Não é lamentável? E agora vejo o senhor, um homem de bom senso, tergiversando quanto às condições, quando o futuro e a honra de sua cliente estão em jogo. O senhor me surpreende, Sr. Holmes.

— O que eu disse é verdade — Holmes respondeu. — O dinheiro não pode ser obtido. Certamente é melhor para o senhor aceitar a quantia substancial que lhe ofereci, em vez de arruinar a carreira dessa jovem sem auferir lucro algum.

— Aí é que se engana, Sr. Holmes. Uma denúncia me faria lucrar indiretamente de forma considerável. Tenho uns oito ou dez casos similares amadurecendo. Se a notícia correr entre eles de que transformei Lady Eva num severo exemplo, todos os outros ouvirão muito mais facilmente a voz da razão. Entende o meu argumento?

## CHARLES AUGUSTUS MILVERTON

Holmes saltou da poltrona.

— Fique atrás dele, Watson. Não o deixe sair! Agora, senhor, vejamos o conteúdo desse caderno.

Milverton correra, rápido como um rato, para a parede do quarto, e estava com as costas apoiadas nela.

— Sr. Holmes, Sr. Holmes! — ele disse, virando a aba do casaco e exibindo o cabo de um grande revólver, que saía do bolso interno. — Eu esperava que o senhor fizesse alguma coisa original. Algo assim já foi tentado com tanta frequência, e que bem jamais resultou disso? Garanto que estou armado até os dentes e perfeitamente preparado para usar minha arma, sabendo que a lei me apoiará. Além disso, sua suposição de que eu traria as cartas para cá dentro de um caderno é completamente equivocada. Eu jamais faria algo tão tolo. E agora, cavalheiros, tenho mais um ou dois encontros esta noite, e a viagem até Hampstead é longa. — Ele deu um passo à frente, pegou seu sobretudo, pôs a mão no revólver e virou-se para a porta. Eu peguei uma cadeira, mas Holmes balançou a cabeça, e eu a pus no chão. Com uma reverência, um sorriso e uma piscadela, Milverton saiu da sala, e alguns momentos depois, ouvimos a porta da carruagem batendo e as rodas rangendo quando ele partiu.

Holmes ficou imóvel ao lado da lareira, com as mãos metidas nos bolsos da calça, o queixo apoiado no peito e o olhar fixo nas brasas brilhantes. Por meia hora, ficou em silêncio e imóvel. Então, com o gesto de alguém que chegou a uma decisão, saltou de pé e foi para o seu quarto. Pouco depois, um jovem operário elegante de cavanhaque e passo balouçante acendeu seu cachimbo de argila na lâmpada, antes de descer para a rua.

— Volto daqui a algum tempo, Watson — ele disse e desapareceu na noite. Compreendi que ele havia lançado sua campanha contra Charles Augustus Milverton; mas nem imaginava a estranha forma que essa campanha estava destinada a tomar.

Por alguns dias, Holmes entrou e saiu nos mais diversos horários, vestido assim, mas à parte um comentário de que passava seu tempo em Hampstead, e que não o estava desperdiçando, eu nada sabia acerca do que ele estava fazendo. Finalmente, porém, numa noite de forte tempestade, quando o vento uivava e fazia tremer as janelas, ele voltou de sua última expedição, e depois de retirar seu disfarce, sentou-se diante do fogo e riu gostosamente, à sua maneira silenciosa e discreta.

— Você diria que não sou do tipo que se casa, Watson?

— Não mesmo!

— Vai ficar interessado em saber que estou noivo.

— Meu caro amigo! Parab...

— Da criada de Milverton.

— Pelos céus, Holmes!

— Eu precisava de informações, Watson.

— Certamente você foi longe demais, não?

— Era um passo mais do que necessário. Sou um encanador com um negócio em expansão, chamado Escort. Saía com ela toda noite, e falava com ela. Meu Deus, essas conversas! De qualquer forma, consegui tudo que precisava. Conheço a casa de Milverton como a palma da minha mão.

— Mas e a garota, Holmes?

Ele deu de ombros.

— É inevitável, meu caro Watson. É preciso dar as melhores cartadas possíveis quando há tanta coisa em jogo. Todavia, folgo em dizer que tenho um odioso rival, que certamente me tirará da jogada assim que eu virar as costas. Que noite esplêndida!

— Você gosta deste clima?

— Condiz com meu propósito. Watson, pretendo invadir a casa de Milverton hoje à noite.

Fiquei sem fôlego e minha pele esfriou ao ouvir essas palavras, que foram pronunciadas lentamente, num tom de determinação concentrada. Como o clarão de um relâmpago à noite mostra num instante cada detalhe de uma vasta paisagem, assim também eu parecia ver cada possível resultado de tal ação — o flagrante, a captura, a honrada carreira terminando em irreparável fracasso e desgraça, e meu amigo à mercê do detestável Milverton.

— Pelo amor de Deus, Holmes, pense no que vai fazer! — exclamei.

— Caro amigo, já considerei o assunto de todas as formas. Jamais sou precipitado em minhas ações, tampouco seguiria um caminho tão enérgico e de fato perigoso, se qualquer outro fosse possível. Examinemos a questão clara e francamente. Suponho que você há de admitir que a ação é moralmente justificável, ainda que tecnicamente criminosa. Invadir a casa dele nada mais é do que tomar seu caderno à força, uma ação na qual você estava disposto a me ajudar.

Eu revirei a questão na minha mente.

— Sim — eu disse —; é moralmente justificável, contanto que nosso objetivo não seja subtrair nenhum item além daqueles usados para fins ilegais.

— Exatamente. Já que é moralmente justificável, só preciso considerar a questão do risco pessoal. Certamente um cavalheiro não deve dar muita atenção a isso, quando uma dama precisa desesperadamente de sua ajuda?

— Você se colocará numa posição tão precária.

— Bem, isso faz parte do risco. Não existe nenhuma outra maneira de recuperar aquelas cartas. A desventurada dama não tem o dinheiro, e não pode confidenciar-se com nenhum conhecido. Amanhã é o último dia do prazo, e a menos que obtenhamos as cartas esta noite, esse vilão cumprirá sua palavra e causará a ruína da madame. Portanto, devo abandonar minha cliente à própria sorte ou dar essa última cartada. Cá entre nós, Watson, é um duelo esportivo entre esse tal de Milverton e eu. Ele se saiu melhor, como você viu, nos primeiros golpes; mas meu respeito próprio e minha reputação exigem que eu lute até o final.

## CHARLES AUGUSTUS MILVERTON

— Bem, não gosto disso; mas suponho que tenha que ser assim — eu disse. — Quando começamos?

— Você não vai.

— Então você também não vai — eu disse. — Dou minha palavra de honra — e jamais a descumpri em minha vida — de que vou tomar um táxi até a chefatura de polícia e denunciar você, a menos que me deixe acompanhá-lo nessa aventura.

— Você não pode me ajudar.

— Como sabe? Não tem como prever o que vai acontecer. De qualquer forma, já tomei minha decisão. Outras pessoas além de você têm respeito próprio, e até reputação.

Holmes parecia aborrecido, mas sua fronte se aclarou e ele deu um tapinha no meu ombro.

— Bem, bem, caro colega, que seja. Dividimos os mesmos aposentos há alguns anos, e seria divertido se acabássemos dividindo a mesma cela. Sabe, Watson, não me incomoda confessar a você que sempre tive a ideia de que eu seria um criminoso altamente eficiente. Esta é a melhor oportunidade da minha vida nessa direção. Veja aqui! — Ele tirou uma pequena bolsa de couro de uma gaveta e, abrindo-a, exibiu vários instrumentos reluzentes. — Isto é um kit de arrombamento de primeira, ultramoderno, com pé de cabra niquelado, cortador de vidro com ponta de diamante, chaves adaptáveis, e todas as melhorias modernas que a marcha da civilização exige. Aqui está também minha lanterna escura. Está tudo preparado. Você tem um par de sapatos silenciosos?

— Tenho sapatos com sola de borracha.

— Excelente. E uma máscara?

— Posso fazer duas de seda preta.

— Percebo que tem uma forte tendência natural para esse tipo de coisa. Muito bem; você preparará as máscaras. Vamos fazer uma refeição fria antes de partir. Agora são 21h30. Às 23 horas, iremos de carruagem até a Church Row. É um quarto de hora de caminhada dali até Appledore Towers. Começaremos o trabalho antes da meia-noite. Milverton tem sono pesado e se deita pontualmente às 22h30. Com um pouco de sorte, estaremos de volta antes das 2 horas, com as cartas de Lady Eva no meu bolso.

Holmes e eu vestimos nossos ternos, para parecermos dois espectadores do teatro voltando para casa. Na Oxford Street, pegamos um *hansom* e fomos até um endereço em Hampstead. Ali, pagamos pela corrida, e com nossos sobretudos abotoados — pois estava um frio cortante e o vento parecia nos atravessar —, andamos pela borda do matagal.

— É um assunto que precisa de tratamento delicado — disse Holmes. — Esses documentos estão num cofre no escritório do sujeito, e o escritório é a antecâmara do seu dormitório. Por outro lado, como todos os homenzinhos atarracados que levam uma boa vida, ele é um excelente dorminhoco. Agatha, minha noiva, diz que já virou piada entre a criadagem como é impossível acordar o patrão. Ele tem um secretário devotado aos seus interesses, que nunca fica fora do escritório o dia todo. Por isso estamos indo à noite. E tem um cão que é uma fera rondando o jardim. Encontrei-me com Agatha tarde nas duas últimas noites, e ela tranca o bruto para me dar livre acesso. Essa é a casa, essa grande, com o terreno ao redor. Passemos o portão, agora à direita, por entre os loureiros. Acho que podemos vestir nossas máscaras aqui. Veja como não há luz em nenhuma das janelas, e tudo está saindo às mil maravilhas.

Com nossa cobertura de seda preta no rosto, que nos transformava em duas das figuras mais truculentas de Londres, nos esgueiramos até a casa silenciosa e às escuras. Uma espécie de varanda azulejada se estendia pela lateral da residência, ladeada por várias janelas e duas portas.

— Este é o quarto dele — Holmes sussurrou. — Esta porta dá diretamente para o escritório. Seria a melhor para nós, mas está trancada e aferrolhada, e faríamos barulho demais para entrar. Venha cá. Há uma estufa que dá para a sala de estar.

O cômodo estava trancado, mas Holmes removeu um círculo do vidro e virou a chave por dentro. Um instante depois, ele fechou a porta atrás de nós, e nos tornamos criminosos aos olhos da lei. O ar tépido e espesso da estufa e a fragrância forte e sufocante das plantas exóticas nos agarraram pela garganta. Ele segurou minha mão na escuridão e me conduziu rapidamente em meio a canteiros de arbustos que roçavam nossos rostos. Holmes tinha o poder notável, cuidadosamente cultivado, de enxergar no escuro. Ainda segurando minha mão com uma das suas, ele abriu uma porta, e tive vagamente a consciência de entrarmos numa sala grande, onde um charuto havia sido fumado pouco tempo antes. Ele caminhou às apalpadelas entre a mobília, abriu outra porta e fechou-a atrás de nós. Estendendo a mão, tateei vários casacos pendurados na parede, e entendi que estava num corredor. Passamos por ele, e Holmes abriu muito cuidadosamente uma porta do lado direito. Algo saltou sobre nós, e meu coração quase saiu pela boca, mas tive vontade de rir quando percebi que era apenas o gato. Uma lareira ardia nesse cômodo, e mais uma vez o ar estava carregado de fumaça de tabaco. Holmes entrou na ponta dos pés, esperou que eu o seguisse, e então fechou suavemente a porta. Estávamos no escritório de Milverton, e uma grossa cortina do lado oposto indicava a entrada do seu dormitório.

O fogo ardia bem e iluminava o cômodo. Perto da porta, vi o brilho de um interruptor elétrico, mas seria desnecessário, mesmo se fosse seguro, acioná-lo. De um lado da lareira, cortinas pesadas cobriam a grande janela que víramos por fora. Do outro lado estava a porta que dava para a varanda. Uma escrivaninha ficava no centro, com uma cadeira giratória de couro vermelho lustroso. Diante dela havia uma grande estante, com um busto em mármore de Palas Atena no alto. No canto entre a estante e a parede ficava um cofre verde alto, em cujas alavancas de bronze polido brilhava a luz das chamas. Holmes se aproximou e o olhou. Depois se esgueirou até a porta do dormitório e encostou a cabeça, ouvindo com atenção. Nenhum som vinha lá de dentro. Enquanto isso, pensei que seria prudente garantir nossa fuga pela porta que dava para fora, por isso a examinei. Para meu assombro, não estava trancada nem aferrolhada! Toquei o braço de Holmes e ele virou seu rosto mascarado naquela direção. Vi-o ter um sobressalto, e ele evidentemente ficou tão surpreso quanto eu.

— Não gosto disso — ele sussurrou, encostando os lábios no meu ouvido. — Não consigo entender. De qualquer forma, não temos tempo a perder.

— Há algo que eu possa fazer?

— Sim, fique perto da porta. Se ouvir alguém vindo, tranque-a por dentro, e poderemos sair por onde entramos. Se vierem do outro lado, sairemos por essa porta se o trabalho estiver terminado, ou nos esconderemos atrás destas cortinas, se não estiver. Entendeu?

Eu balancei a cabeça e postei-me perto da porta. Minha sensação inicial de medo havia passado, e agora eu fremia com um entusiasmo impetuoso que jamais sentira quando éramos os defensores da lei, em vez de desafiá-la. O elevado objetivo de nossa missão, a consciência de que era altruísta e cavalheiresco, o caráter maléfico do nosso oponente, tudo se somava ao interesse esportivo da aventura. Longe de sentir culpa, eu me regozijava e exultava com nossos perigos. Irradiando admiração, eu observava Holmes desenrolando seu estojo de instrumentos e escolhendo suas ferramentas com a precisão calma e científica de um cirurgião realizando uma operação delicada. Eu sabia que a abertura de cofres era um passatempo particular dele, e entendia a alegria que lhe dava confrontar aquele monstro verde e dourado, o dragão que encerrava em sua bocarra a reputação de muitas lindas damas. Arregaçando as mangas do paletó — ele jogara seu sobretudo numa cadeira —, Holmes alinhou duas brocas, um pé de cabra e várias chaves-mestras. Eu estava perto da porta central, lançando olhares para as outras, pronto para uma emergência; embora na verdade meus planos fossem um tanto vagos quanto ao que faria se fôssemos interrompidos. Por meia hora, Holmes trabalhou com energia concentrada, pousando uma ferramenta, pegando outra, manuseando cada uma delas com a força e a delicadeza de um mecânico bem treinado. Finalmente, ouvi um estalo, a grande porta verde se abriu, e dentro vislumbrei vários embrulhos de papel, cada um amarrado, lacrado e sobrescritado. Holmes pegou um, mas era difícil lê-lo à luz bruxuleante do fogo, e ele valeu-se de sua pequena lanterna escura, pois era perigoso demais, com Milverton no quarto ao lado, acionar a luz elétrica. De repente eu o vi parar, escutar com atenção, e então, num instante, ele fechou a porta do cofre, pegou seu casaco, enfiou as ferramentas nos bolsos e correu para trás da cortina, indicando que eu fizesse o mesmo.

Foi só depois que me escondi com ele que ouvi o que alertara seus sentidos mais aguçados. Um barulho estava vindo de algum lugar dentro da casa. Uma porta bateu a distância. Então, um murmúrio baixo e confuso definiu-se nas pancadas compassadas de passos pesados em rápida aproximação. Estavam no corredor, fora do quarto. Pararam na porta. Esta se abriu. Com um estalo agudo, a luz elétrica foi acionada. A porta se fechou mais uma vez, e a pestilência pungente de um charuto forte chegou às nossas narinas. Então os passos continuaram de um lado para o outro, de um lado para o outro, a poucos metros de nós. Finalmente, ouvimos uma cadeira ranger e os passos pararam. Então, uma chave estalou numa fechadura e ouvi o farfalhar de papéis. Até esse instante, eu não ousara olhar para fora, mas então abri delicadamente a fresta das cortinas diante de mim e espiei. A pressão do ombro de Holmes contra o meu indicava que ele partilhava da minha observação. Bem diante de nós, e quase ao nosso alcance, estavam as costas largas e arredondadas de Milverton. Era evidente que havíamos calculado de forma totalmente errada seus movimentos, que ele nem estava em seu dormitório, e sim em alguma sala de fumo ou de bilhar na ala oposta da casa, cujas janelas não víramos. Sua cabeça grande e grisalha, com a calva brilhante, estava em imediata proximidade na nossa visão. Ele estava encostado bem para trás na poltrona de couro vermelho, com as pernas esticadas e um longo charuto preto saindo da boca. Usava um *smoking* de corte um tanto militar, cor vinho, com gola de veludo preto. Em sua mão, segurava um longo formulário legal, que lia de maneira indolente, soprando anéis de fumaça ao fazê-lo. Em sua posição calma e sua atitude confortável, não se notava a promessa de partir em breve.

Senti a mão de Holmes segurando a minha e apertando-a de forma encorajadora, como que para dizer que a situação estava sob seu controle e que ele estava calmo. Eu não sabia ao certo se ele havia visto o que era muito óbvio do meu ângulo — que a porta do cofre não estava perfeitamente fechada, e que Milverton poderia notar isso a qualquer momento. Por minha conta, eu resolvera que se tivesse certeza, pela rigidez do seu olhar, que isso chamara a sua atenção, eu saltaria imediatamente do esconderijo, jogaria meu sobretudo em sua cabeça, seguraria seus braços e deixaria o resto com Holmes. Mas Milverton não ergueu os olhos. Estava languidamente interessado nas folhas que tinha na mão, e página após página era virada, enquanto ele lia o argumento do advogado. Pelo menos, pensei, quando ele terminar de ler o documento e de fumar o charuto, voltará para o seu quarto; mas antes que ele chegasse ao fim de um ou de outro, um notável desdobramento desviou nossos pensamentos totalmente em outra direção.

Várias vezes eu observara que Milverton olhava seu relógio, e uma vez se levantara e se sentara de novo, com um gesto de impaciência. A ideia, porém, de que ele pudesse ter um encontro num horário tão estranho jamais me ocorreu, até que um som fraco chegou aos meus ouvidos, vindo da

## CHARLES AUGUSTUS MILVERTON

varanda lá fora. Milverton largou as folhas e empertigou-se na poltrona. O som se repetiu, e depois, uma batida suave na porta. Milverton levantou-se e a abriu.

— Bem — ele disse secamente —, está quase meia hora atrasada.

Então era essa a explicação da porta destrancada e da vigília noturna de Milverton. Ouviu-se o suave farfalhar de um vestido de mulher. Eu havia fechado a fenda entre as cortinas quando o rosto de Milverton se virara na nossa direção, mas então ousei muito cuidadosamente abri-la uma vez mais. Ele havia voltado ao seu assento, com o charuto ainda projetado num ângulo insolente de um canto da boca. Diante dele, na claridade da luz elétrica, estava uma mulher alta, esguia, morena, com um véu sobre o rosto e um manto ao redor do queixo. Sua respiração era rápida e ofegante, e cada centímetro da figura esbelta tremia, sob uma forte emoção.

— Bem — disse Milverton —, você me fez perder uma boa noite de sono, minha cara. Espero que valha a pena. Não podia ter vindo em nenhum outro horário, hein?

A mulher balançou a cabeça.

— Bem, se não podia, não podia. Se a condessa é uma patroa difícil, agora você tem a chance de acertar as contas com ela. Meu Deus, moça, por que está tremendo? Isso mesmo! Controle-se! Agora vamos aos negócios. — Ele tirou uma anotação da gaveta da escrivaninha. — Você diz ter cinco cartas que comprometem a Condessa D'Albert. Quer vendê-las. Eu quero comprá-las. Até aí, tudo bem. Só falta chegarmos a um preço. Eu gostaria de inspecionar as cartas, é claro. Se realmente forem de qualidade... Céus, é você?

A mulher, sem uma palavra, erguera o véu e abrira a gola do manto. Era um rosto moreno, atraente e de traços fortes que estava diante de Milverton, um rosto com nariz adunco, sobrancelhas grossas e escuras sobre olhos duros e reluzentes, e uma boca reta e de lábios finos, aberta num sorriso perigoso.

— Sou eu — ela disse —, a mulher cuja vida você arruinou.

Milverton riu, mas o medo vibrava em sua voz.

— Você foi tão teimosa — ele disse. — Por que me levou a tais extremos? Garanto que eu não faria mal a uma mosca por vontade própria, mas cada homem tem seu ofício, e o que eu podia fazer? Pedi um preço bem acessível. Você não quis pagar.

— Por isso mandou as cartas para o meu marido, e ele, o cavalheiro mais nobre que já viveu, um homem cujas botas eu nunca fui digna de amarrar, morreu com seu galante coração partido. Lembra a última noite em que passei por esta porta, quando implorei e roguei por sua misericórdia, e você riu na minha cara como está tentando rir agora, embora seu coração covarde não consiga evitar que seus lábios tremam? Sim; você nunca pensou que me veria aqui de novo, mas foi aquela noite que me ensinou como eu poderia encontrá-lo frente a frente e sozinho. Bem, Charles Milverton, o que tem a dizer?

## CHARLES AUGUSTUS MILVERTON

— Não imagine que possa me intimidar — ele disse, levantando-se. — Só preciso erguer a voz para chamar meus criados e mandar prendê-la. Mas serei clemente porque é natural que sinta raiva. Saia já do quarto por onde entrou e não direi mais nada.

A mulher continuou com a mão no peito e o mesmo sorriso mortal nos lábios finos.

— Você não vai arruinar outras vidas como arruinou a minha. Não torturará mais corações como torturou o meu. Vou libertar o mundo de uma coisa venenosa. Tome isto, seu cachorro, e isto! E isto! E isto! E isto!

Ela sacara um pequeno revólver reluzente, e esvaziou o tambor no corpo de Milverton, com o cano a meio metro de seu peito. Ele se encolheu, e em seguida caiu de bruços sobre a mesa, tossindo furiosamente e agarrando os papéis. Então levantou-se, cambaleante, recebeu mais um tiro e desabou no chão.

— Você me matou — ele exclamou, e ficou imóvel. A mulher o olhou intensamente e pisou em seu rosto com o salto do sapato. Ela o olhou de novo, mas não havia som nem movimento. Ouvi um farfalhar repentino, o ar noturno invadiu o quarto aquecido, e a vingadora se foi.

Nenhuma interferência de nossa parte poderia ter evitado o destino do sujeito; mas enquanto a mulher despejava projéteis no corpo encolhido de Milverton, eu ia saltar sobre ela quando senti a mão fria e forte de Holmes sobre o meu pulso. Entendi todo o argumento daquele gesto firme de contenção

# O RETORNO DE SHERLOCK HOLMES

— que aquilo não era da nossa conta; que a justiça alcançara um vilão; que tínhamos deveres e objetivos que não podíamos perder de vista. Mas mal a mulher fugira do quarto e Holmes, com passos rápidos e silenciosos, correu para a outra porta. Ele virou a chave na fechadura. No mesmo instante, ouvimos vozes na casa e o ruído de pés apressados. Os tiros de revólver haviam despertado a criadagem. Com perfeita frieza, Holmes foi até o cofre, encheu os braços com maços de cartas e jogou todas no fogo. Mais e mais vezes fez isso, até esvaziar o cofre. Alguém virou a maçaneta e bateu do outro lado da porta. Holmes olhou rapidamente ao seu redor. A carta que fora a mensageira da morte para Milverton jazia, toda manchada de sangue, sobre a mesa. Holmes a jogou em meio aos papéis em chamas. Então tirou a chave da porta externa, saiu atrás de mim e a trancou por fora.

— Por aqui, Watson — ele disse —; podemos escalar o muro do jardim, indo nesta direção.

Eu não teria acreditado que um alarme pudesse se espalhar tão rapidamente. Olhando para trás, vi a mansão toda iluminada. A porta principal estava aberta, e pessoas desciam pelo caminho. Todo o jardim estava cheio de gente, e um camarada deu um grito de alerta quando saímos da varanda e correu no nosso encalço. Holmes parecia conhecer muito bem o terreno, e enveredou velozmente por um pomar de árvores baixas, eu seguindo-o de perto, com nosso principal perseguidor ofegando atrás de nós. Um muro de dois metros barrava

## CHARLES AUGUSTUS MILVERTON

nosso caminho, mas ele o superou com um salto. Quando fiz o mesmo, senti a mão do homem atrás de mim agarrar meu tornozelo; mas esperneei e me livrei, passando pelos cacos de vidro no alto do muro. Caí de bruços sobre alguns arbustos; mas Holmes me levantou num instante, e juntos desabalamos pelo vasto matagal de Hampstead. Corremos por três quilômetros, imagino, antes que Holmes finalmente parasse e se pusesse atentamente à escuta. Tudo era silêncio absoluto atrás de nós. Havíamos despistado nossos perseguidores e estávamos a salvo.

Havíamos terminado o desjejum e estávamos fumando nosso cachimbo matinal, no dia seguinte à memorável experiência que relatei, quando o Sr. Lestrade, da Scotland Yard, mui solene e impressionante, foi introduzido em nossa modesta sala de estar.

— Bom dia, Sr. Holmes — ele disse —, bom dia. Posso perguntar se está muito ocupado agora?

— Não ocupado demais para lhe ouvir.

— Pensei que talvez, se não estiver cuidando de nada em particular, pudesse querer nos assistir num caso notável, que aconteceu noite passada em Hampstead.

— Céus! — disse Holmes. — O que aconteceu?

— Um assassinato; um assassinato assaz dramático e notável. Sei quanto o senhor aprecia essas coisas, e consideraria um grande favor se fosse até Appledore Towers e nos agraciasse com seus conselhos. Não é um crime comum.

Estávamos de olho nesse Sr. Milverton havia algum tempo, e cá entre nós, ele era um tanto patife. Sabe-se que possuía documentos que usava para fazer chantagem. Tais documentos foram todos queimados pelos assassinos. Nenhum objeto de valor foi levado, pois é provável que os criminosos fossem homens de boa estirpe, cuja única meta era evitar a exposição.

— Criminosos! — exclamou Holmes. — Plural!

— Sim, eram dois. Por muito pouco não foram capturados no ato. Temos as pegadas e a descrição deles; é muito provável que consigamos localizá-los. O primeiro sujeito era um tanto ativo demais, mas o segundo foi agarrado pelo auxiliar de jardineiro, e só conseguiu escapar depois de uma luta. Era um homem robusto, de estatura mediana, queixo anguloso, pescoço grosso, bigode, uma máscara cobrindo os olhos.

— Isso é um tanto vago — disse Sherlock Holmes. — Ora, poderia ser a descrição de Watson!

— É verdade — concordou o inspetor, em tom divertido. — Poderia ser a descrição de Watson.

— Bem, temo não poder ajudá-lo, Lestrade — concluiu Holmes. — O fato é que eu conhecia esse tal de Milverton, considerava-o um dos homens mais perigosos de Londres, e acho que há certos crimes que a lei não tem como punir, e que portanto, até certo ponto, justificam a vingança pessoal. Não, nem adianta discutir, já decidi. Simpatizo mais com os criminosos do que com a vítima, e não vou trabalhar nesse caso.

# CHARLES AUGUSTUS MILVERTON

Holmes não me dissera uma palavra sobre a tragédia que ele testemunhara, mas observei a manhã toda que ele estava muito pensativo, e me dava a impressão, pelo olhar vazio e a atitude distraída, de que estava se esforçando para lembrar algo. Estávamos no meio do almoço quando ele saltou de pé de repente.

— Por Jove, Watson! Já sei! — ele exclamou. — Pegue seu chapéu! Venha comigo! — Ele saiu a toda velocidade pela Baker Street e pela Oxford Street, até quase chegarmos a Regent Circus. Ali, à esquerda, há uma vitrine cheia de fotografias de celebridades e beldades atuais. Os olhos de Holmes se fixaram numa delas, e seguindo seu olhar, vi o retrato de uma dama aristocrática e altiva em trajes da corte, com uma alta tiara de diamantes em sua nobre cabeça. Olhei para aquele nariz delicadamente adunco, para as sobrancelhas pronunciadas, para a boca reta e o queixo pequeno e forte abaixo dela. Então prendi a respiração ao ler o título honrado do grande nobre e estadista de quem ela fora esposa. Meus olhos encontraram os de Holmes, e ele pôs um dedo sobre os lábios enquanto nos afastávamos da vitrine.

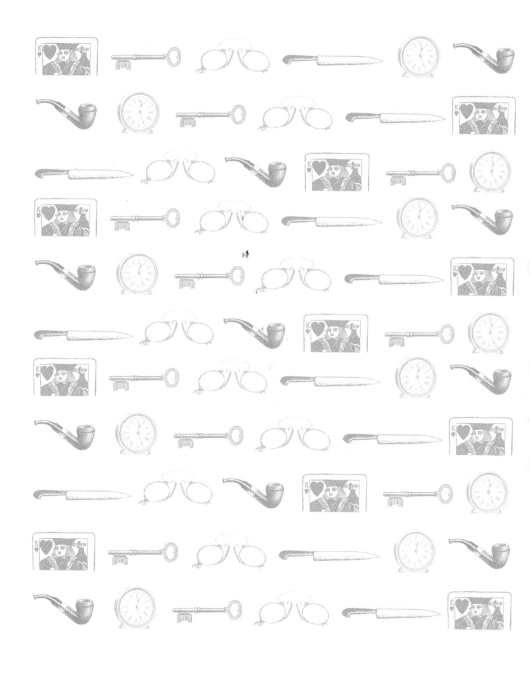

*oito*

# OS SEIS NAPOLEÕES

Não era muito incomum o Sr. Lestrade, da Scotland Yard, vir nos ver à noite, e suas visitas eram bem-vindas para Sherlock Holmes, pois permitiam que ele se mantivesse em contato com tudo o que acontecia no quartel-general da polícia. Em troca das notícias que Lestrade trazia, Holmes estava sempre pronto a ouvir com atenção os detalhes de qualquer caso em que o detetive estivesse envolvido, e ocasionalmente conseguia, sem nenhuma interferência ativa, dar alguma ideia ou sugestão colhidas em seu vasto conhecimento e experiência.

Naquela noite em particular, Lestrade falara sobre o tempo e os jornais. Depois ficara em silêncio, baforando pensativamente seu charuto. Holmes olhava atentamente para ele.

— Algo notável no momento? — ele perguntou.

— Oh, não, Sr. Holmes, nada muito particular.

— Então conte-me tudo a respeito.

Lestrade riu.

— Bem, Sr. Holmes, é inútil negar que algo me preocupa. No entanto, é um negócio tão absurdo que hesitei em incomodar o senhor, trazendo-o à baila. Por outro lado, ainda que seja trivial, indubitavelmente é esquisito, e sei que o senhor aprecia tudo que é fora do comum. Mas em minha opinião, é mais da área do Dr. Watson do que da sua.

— Doença? — eu perguntei.

— Loucura, na verdade. E uma loucura bem esquisita! Não parece plausível que alguém, na época atual, tenha tanto ódio por Napoleão I a ponto de quebrar qualquer imagem dele que encontre.

Holmes voltou a afundar na poltrona.

— Isso não é assunto meu — ele declarou.

— Exatamente. Foi o que eu disse. Por outro lado, quando o homem comete arrombamentos para quebrar imagens que não lhe pertencem, isso o transfere da esfera médica para a policial.

Holmes empertigou-se de novo.

— Arrombamentos! Isso é mais interessante. Conte-me os detalhes.

Lestrade sacou seu caderno oficial e refrescou a memória consultando suas páginas.

## OS SEIS NAPOLEÕES

— O primeiro caso relatado foi há quatro dias — ele disse. — Foi na loja de Morse Hudson, que vende quadros e estátuas na Kennington Road. O assistente saíra da frente da loja por um instante, quando ouviu um estrondo, e voltando às pressas, encontrou um busto de gesso de Napoleão, que estava com outras obras de arte sobre o balcão, despedaçado no chão. Ele correu para a rua, mas embora vários transeuntes afirmassem ter notado um homem sair correndo da loja, não pôde avistar ninguém, tampouco encontrar qualquer meio de identificar o bandido. Parecia ser um desses atos de vandalismo sem sentido que acontecem de vez em quando, e foi denunciado ao policial que fazia a ronda como tal. A figura de gesso não valia mais do que alguns xelins, e o caso todo parecia infantil demais para justificar qualquer investigação.

"O segundo caso, todavia, foi mais grave e também mais peculiar. Aconteceu noite passada.

"Na Kennington Road, a algumas centenas de metros da loja de Morse Hudson, mora um médico bastante conhecido, chamado Dr. Barnicot, que tem uma das maiores práticas ao sul do Tâmisa. Sua residência e seu consultório principal ficam na Kennington Road, mas ele tem uma filial que serve de clínica e ambulatório na Lower Brixton Road, a três quilômetros dali. Esse Dr. Barnicot é um entusiasmado admirador de Napoleão, e sua casa está cheia de livros, retratos e relíquias do imperador francês. Algum tempo atrás, ele comprou de Morse Hudson duas cópias em gesso da famosa cabeça de Napoleão esculpida pelo francês Devine. Uma dessas ele colocou no corredor da sua casa da Kennington Road, e a outra, sobre a lareira da clínica da Lower Brixton. Pois bem, quando o Dr. Barnicot se levantou, hoje de manhã, ficou estarrecido ao descobrir que sua casa fora arrombada durante a noite, mas que nada havia sido levado, a não ser a cabeça de gesso que ficava no corredor. Ela fora carregada para fora e espatifada com selvageria contra o muro do jardim, onde seus fragmentos foram encontrados."

Holmes esfregou as mãos.

— Isso certamente é assaz insólito — ele disse.

— Imaginei que iria lhe agradar. Mas ainda não contei tudo. O Dr. Barnicot era esperado na clínica ao meio-dia, e pode imaginar seu assombro quando, ao chegar lá, descobriu que a janela fora aberta durante a noite e que os pedaços do seu segundo busto estavam espalhados por toda a sala. Ele havia sido estilhaçado em átomos no lugar onde estava. Em nenhum dos dois casos havia qualquer sinal que pudesse nos dar uma pista do criminoso ou lunático responsável pelos ataques. Agora, Sr. Holmes, já tem todos os fatos.

— São singulares, para não dizer grotescos — disse Holmes. — Posso perguntar se os dois bustos despedaçados nas dependências do Dr. Barnicot eram duplicatas exatas daquele que foi destruído na loja de Morse Hudson?

— Foram feitos a partir do mesmo molde.

— Tal fato contraria a teoria de que o homem que os quebra seja influenciado por qualquer ódio generalizado

## OS SEIS NAPOLEÕES

contra Napoleão. Considerando as centenas de estátuas do grande imperador que devem existir em Londres, é exagerado imaginar que puramente por coincidência um iconoclasta indiscriminado resolvesse começar por três exemplares do mesmo busto.

— Bem, também pensei nisso — disse Lestrade. — Por outro lado, esse Morse Hudson é o vendedor de bustos naquela área de Londres, e aqueles três eram os únicos que ele tivera em sua loja durante anos. Portanto, embora, como o senhor diz, haja muitas centenas de estátuas em Londres, é bastante provável que aquelas três fossem as únicas naquele bairro. Dessa forma, um fanático local começaria por elas. O que acha, Dr. Watson?

— Não existem limites para as possibilidades da monomania — respondi. — Existe a condição que os modernos psicólogos franceses batizaram de *idée fixe*, que pode ser de caráter corriqueiro e acompanhada de completa sanidade em todos os outros aspectos. Um homem que estudou Napoleão a fundo, ou possivelmente recebeu algum dano familiar hereditário da grande guerra, poderia plausivelmente formar tal *idée fixe*, e sob sua influência ser capaz do ultraje mais fantástico.

— Isso não serve, meu caro Watson — disse Holmes, balançando a cabeça —; pois nenhuma *idée fixe*, por mais grave que fosse, ajudaria seu interessante monomaníaco a descobrir onde esses bustos se encontravam.

— Bem, como *você* explica o caso?

# O RETORNO DE SHERLOCK HOLMES

— Eu não tento explicar. Apenas observaria que existe um certo método nos atos excêntricos desse cavalheiro. Por exemplo, no corredor do Dr. Barnicot, onde o ruído poderia despertar a família, o busto foi levado para fora antes de ser quebrado, enquanto na clínica, onde havia menos perigo de alarme, foi despedaçado onde estava. O caso parece absurdamente sem importância; no entanto, não ouso considerar nada trivial quando lembro que alguns dos meus casos mais clássicos tiveram os inícios menos promissores. Você vai lembrar, Watson, como o pavoroso assunto da família Abernetty começou chamando minha atenção devido ao tanto que a salsinha havia afundado na manteiga num dia quente. Não posso me permitir, destarte, sorrir dos seus três bustos quebrados, Lestrade, e ficarei muito agradecido se me informar de quaisquer novos desdobramentos nessa sequência de fatos tão singular.

O desdobramento que meu amigo pedira chegou de forma mais rápida, e infinitamente mais trágica, do que ele poderia imaginar. Eu ainda estava me vestindo no meu quarto na manhã seguinte quando ouvi batidas na porta, e Holmes entrou com um telegrama na mão. Ele o leu em voz alta:

Venha imediatamente para a Pitt Street,
131, em Kensington. — LESTRADE

— O que é, então? — perguntei.

## OS SEIS NAPOLEÕES

— Não sei; pode ser qualquer coisa. Mas desconfio que seja a continuação da história das estátuas. Nesse caso, significaria que nosso amigo quebrador de imagens começou a operar em outro bairro de Londres. O café está na mesa, Watson, e o táxi está à espera.

Em meia hora, havíamos chegado à Pitt Street, um afluente tranquilo bem ao lado de um dos rios mais agitados da vida londrina. O número 131 fazia parte de uma fileira de moradias sem atrativos, respeitáveis e bem pouco românticas. Quando nos aproximamos, encontramos a cerca diante da casa tomada por uma multidão de curiosos. Holmes assobiou.

— Pelos céus! É no mínimo uma tentativa de homicídio. Nada menos que isso conseguiria distrair o garoto de recados londrino. Os ombros encolhidos e o pescoço esticado daquele camarada indicam um ato violento. O que é isso, Watson? O último degrau encharcado e os demais secos. Há pegadas abundantes de todo modo! Bem, bem, lá está Lestrade na janela da frente, e logo saberemos tudo sobre o caso.

O oficial nos recebeu com um rosto muito sério e nos levou para uma sala de estar, onde um idoso muito desgrenhado e agitado, usando um robe de flanela, andava de um lado para o outro. Ele nos foi apresentado como o proprietário da casa — o Sr. Horace Harker, da União Central de Imprensa.

— É o caso dos bustos de Napoleão outra vez — disse Lestrade. — Parecia interessado ontem à noite, Sr. Holmes, por isso pensei que talvez quisesse estar presente, agora que o caso se transformou em algo muito mais grave.

— No que se transformou, então?

— Em assassinato. Sr. Harker, pode contar a estes cavalheiros exatamente o que aconteceu?

O homem de robe virou-se para nós com melancolia no rosto.

— É um fato extraordinário — ele disse — que a vida toda eu tenha colecionado as notícias dos outros e que agora, quando uma notícia de verdade envolve a mim, eu esteja tão confuso e perturbado que não consiga alinhavar duas palavras. Se eu tivesse vindo aqui como jornalista, teria entrevistado a mim mesmo e preenchido duas colunas em todos os jornais vespertinos. Em vez disso, estou abrindo mão de um texto valioso, repetindo minha história para várias pessoas, e eu mesmo não consigo usá-la. Em todo caso, ouvi seu nome, Sr. Sherlock Holmes, e se puder apenas explicar esse negócio absurdo, considerar-me-ei recompensado pelo trabalho de lhe contar os fatos.

Holmes sentou-se e escutou.

— Tudo parece girar em torno daquele busto de Napoleão que comprei para esta sala há uns quatro meses. Paguei barato por ele aos Irmãos Harding, a duas portas da Estação de High Street. Grande parte do meu trabalho jornalístico é feita à noite, e muitas vezes escrevo até a madrugada. Foi assim hoje. Eu estava sentado no meu

## OS SEIS NAPOLEÕES

estúdio, que fica no andar de cima, nos fundos, por volta das 3 horas, quando me convenci de que ouvira algum barulho lá embaixo. Agucei os ouvidos, mas o som não se repetiu, e concluí que devia ter vindo de fora. Então, de repente, uns cinco minutos depois, veio um grito horrível — o som mais horripilante, Sr. Holmes, que já ouvi. Vai ressoar nos meus ouvidos pelo resto da vida. Fiquei imobilizado pelo horror por um minuto ou dois. Então peguei o atiçador e desci a escada. Quando entrei nesta sala, encontrei a janela escancarada, e imediatamente observei que o busto desaparecera de cima da lareira. Por que um ladrão levaria algo assim, não consigo entender, pois era só uma réplica de gesso e não tinha nenhum valor real.

"Pode ver por si mesmo que qualquer um, saindo por essa janela, conseguiria alcançar a soleira da entrada com um passo largo. Foi claramente o que o arrombador fez, por isso dei a volta e abri a porta. Ao sair na escuridão, quase tropecei num morto que jazia ali. Voltei para pegar um lume, e lá estava o pobre sujeito, com um grande corte na garganta e o lugar todo alagado de sangue. Estava deitado de costas, com os joelhos dobrados e a boca horrivelmente aberta. Vou vê-lo nos meus sonhos. Só tive tempo de soprar meu apito da polícia, e em seguida devo ter desmaiado, pois não soube de mais nada até ver o policial curvado sobre mim no corredor."

— Bem, quem era o homem assassinado? — perguntou Holmes.

— Não há nada que indique quem ele é — disse Lestrade. — O senhor verá o corpo no necrotério, mas não descobrimos nada sobre ele até agora. É um homem alto, bronzeado, muito forte, de não mais que 30 anos. Usa roupas simples; no entanto, não parece ser um operário. Um canivete com cabo de chifre estava numa poça de sangue ao lado dele. Se foi essa arma que cometeu o ato ou se pertencia ao morto, eu não sei. Não havia nome em suas roupas, e nada em seus bolsos além de uma maçã, um pouco de barbante, um mapa de um xelim de Londres e uma fotografia. Aqui está ela.

Tratava-se evidentemente de um instantâneo, tirado com uma pequena câmera. Representava um homem alerta e de traços duros, simiesco, com grossas sobrancelhas e uma projeção muito peculiar da parte inferior do rosto, como o focinho de um babuíno.

— E o que aconteceu com o busto? — perguntou Holmes, depois de estudar cuidadosamente o retrato.

— Soubemos dele pouco antes que o senhor chegasse. Foi encontrado no jardim em frente a uma casa vazia na Campden House Road. Estava despedaçado. Estou indo lá vê-lo. O senhor vem também?

— Certamente. Só preciso dar uma olhada aqui. — Ele examinou o tapete e a janela. — O sujeito tinha pernas bem longas, ou então era um homem muito ágil — Holmes disse. — Com uma área lá embaixo, não foi pouca coisa

## OS SEIS NAPOLEÕES

alcançar a sacada e abrir essa janela. Voltar foi comparativamente simples. O senhor vem conosco ver o que resta do seu busto, Sr. Harker?

O desconsolado jornalista havia se sentado à sua escrivaninha.

— Preciso tentar aproveitar isso — ele disse —, embora não tenha dúvidas de que as primeiras edições dos jornais vespertinos já foram publicadas, com todos os detalhes. É sempre assim comigo! Lembra quando o palanque caiu em Doncaster? Bem, eu era o único jornalista no palanque, e meu jornal foi o único que não deu a notícia, porque eu estava abalado demais para escrevê-la. E agora vou chegar tarde demais para relatar um assassinato na porta da minha casa.

Enquanto saíamos da sala, ouvimos sua pena correndo velozmente sobre o papel almaço.

O lugar onde os fragmentos do busto foram encontrados ficava a poucas centenas de metros dali. Pela primeira vez, nossos olhos pousaram naquela representação do grande imperador que parecia suscitar um ódio tão frenético e destrutivo na mente do desconhecido. As lascas do busto estavam espalhadas sobre a grama. Holmes pegou várias delas e as examinou cuidadosamente. Eu estava convencido, pelo seu rosto atento e sua atitude objetiva, de que ele finalmente encontrara uma pista.

— E então? — perguntou Lestrade.

Holmes deu de ombros.

# O RETORNO DE SHERLOCK HOLMES

— Ainda temos muito caminho a percorrer — ele disse. — No entanto... no entanto... bem, temos alguns fatos sugestivos sobre os quais agir. A posse deste busto sem importância valia mais, aos olhos deste estranho criminoso, do que uma vida humana. Esse é um detalhe. Depois, há o fato singular de que ele não o quebrou na casa, nem na porta da casa, se quebrá-lo era o seu único objetivo.

— Estava abalado e sobressaltado por ter encontrado o outro sujeito. Mal sabia o que estava fazendo.

— Bem, isso é bastante provável. Mas gostaria de chamar sua atenção muito particularmente para a posição desta casa, em cujo jardim o busto foi destruído.

Lestrade olhou ao seu redor.

— A casa estava vazia, por isso ele sabia que não seria incomodado no jardim.

— Sim, mas há outra casa vazia rua acima, pela qual ele deve ter passado ao vir para cá. Por que não invadiu aquela, já que era evidente que cada metro carregando o busto aumentava o risco de alguém vê-lo?

— Desisto — disse Lestrade.

Holmes apontou para o lampião acima de nossas cabeças.

— Ele podia ver o que estava fazendo aqui, e lá não. Esse foi o motivo.

— Por Jove! É verdade — disse o detetive. — Pensando bem agora, o busto do Dr. Barnicot foi quebrado perto de sua lanterna vermelha. Bem, Sr. Holmes, o que vamos fazer com esse fato?

## OS SEIS NAPOLEÕES

— Lembrá-lo; arquivá-lo. Podemos encontrar algo, mais tarde, que irá conferir-lhe importância. Que passos propõe dar agora, Lestrade?

— A maneira mais prática de abordar isso, na minha opinião, é identificar o morto. Isso não deve representar uma grande dificuldade. Quando descobrirmos quem ele é e quem são seus comparsas, estaremos bem encaminhados em descobrir o que ele estava fazendo na Pitt Street noite passada, e quem o encontrou e o matou na porta da casa do Sr. Horace Harker. Não acha?

— Sem dúvida; no entanto, não é bem a maneira como eu abordaria o caso.

— O que o senhor faria, então?

— Oh, não deve permitir de forma alguma que eu o influencie. Sugiro que você siga a sua linha e eu a minha. Podemos comparar anotações depois, e cada um suplementará o outro.

— Muito bem — disse Lestrade.

— Se vai voltar para a Pitt Street, visite o Sr. Horace Harker. Diga que mandei informar que já me decidi, e que com certeza um perigoso lunático homicida com delírios napoleônicos esteve em sua casa noite passada. Isso será útil para o seu artigo.

Lestrade olhou fixamente para Holmes.

— Não acredita seriamente nisso?

Holmes sorriu.

— Não? Bem, talvez eu não acredite. Mas tenho certeza de que isso interessará o Sr. Horace Harker e os clientes da União Central de Imprensa. Watson, acho que descobriremos que um dia longo e bastante complexo de trabalho nos espera. Eu ficaria feliz, Lestrade, se você achasse conveniente nos encontrar na Baker Street às 18 horas. Até lá, gostaria de conservar a fotografia encontrada no bolso do morto. É possível que eu precise requisitar sua companhia e assistência numa pequena expedição que terá de ser feita esta noite, se minha cadeia de raciocínio provar-se correta. Até lá, adeus e boa sorte.

Sherlock Holmes e eu caminhamos juntos até a High Street, onde ele parou na loja dos Irmãos Harding, o lugar da compra do busto. Um jovem assistente nos informou que o Sr. Harding só voltaria à tarde, e que ele era um novato que não podia nos dar nenhuma informação. O rosto de Holmes revelou sua decepção e aborrecimento.

— Bem, bem, não podemos esperar que tudo saia como desejamos, Watson — ele disse finalmente. — Teremos que voltar à tarde, considerando que o Sr. Harding não regressará até lá. Eu estou, como sem dúvida você percebeu, tentando rastrear esses bustos até sua origem, para descobrir se não há algo singular que possa explicar o peculiar destino que tiveram. Vamos visitar o Sr. Morse Hudson, da Kennington Road, e ver se conseguimos lançar alguma luz sobre o problema.

## OS SEIS NAPOLEÕES

Uma viagem de uma hora nos levou até o estabelecimento do vendedor de quadros. Ele era um homenzinho atarracado, de rosto vermelho e gestos nervosos.

— Sim, senhor. Bem aqui no meu balcão, senhor — ele disse. — Para que pagamos impostos e taxas, eu não sei, quando qualquer rufião pode entrar e quebrar nossas coisas. Sim, senhor, fui eu que vendi as duas estátuas para o Dr. Barnicot. Uma desgraça, senhor! Um complô niilista, na minha opinião. Ninguém, a não ser um anarquista, sairia por aí quebrando estátuas. Republicanos vermelhos, é assim que os chamo. De quem comprei as estátuas? Não sei qual a importância disso. Bem, se quer saber mesmo, comprei da Gelder & Co., na Church Street, em Stepney. É uma casa bem conhecida no ramo já há uns vinte anos. Quantas eu tinha? Três — duas mais uma dão três —, as duas do Dr. Barnicot e a que foi espatifada em plena luz do dia sobre o meu balcão. Se eu conheço essa fotografia? Não, não conheço. Aliás, conheço, sim. Ora, é Beppo! Ele era uma espécie de artesão italiano que fazia trabalhos na loja. Sabia entalhar um pouco, folhear uma moldura e outros servicinhos. O sujeito foi embora semana passada, e eu nunca mais soube dele. Não, não sei de onde ele veio, nem para onde foi. Não tive nada contra ele enquanto esteve aqui. Foi embora dois dias antes de o busto ter sido quebrado.

— Bem, isso é tudo que podíamos realisticamente esperar obter de Morse Hudson — disse Holmes, quando saímos da loja. — Temos esse Beppo como um fator comum tanto em Kennington quanto em Kensington, então isso vale a viagem de 16 quilômetros. Agora, Watson, vamos para a Gelder & Co., de Stepney, a fonte e origem dos bustos. Ficarei surpreso se não conseguirmos alguma ajuda lá.

Em rápida sucessão, passamos pelos confins da Londres elegante, da Londres hoteleira, da Londres teatral, da Londres literária, da Londres comercial, e finalmente, da Londres marítima, até chegarmos a uma cidade de cem mil almas à beira do rio, onde os cortiços transbordantes fedem aos párias da Europa. Ali, numa larga via, antigamente a morada de ricos comerciantes da cidade, encontramos a fábrica de esculturas que procurávamos. Fora dela havia um pátio considerável, cheio de obras monumentais. O interior era uma grande sala onde cinquenta operários estavam ocupados entalhando ou moldando. O gerente, um alemão louro e alto, nos recebeu educadamente e respondeu com clareza a todas as perguntas de Holmes. Uma consulta aos seus livros revelou que centenas de cópias foram feitas de uma réplica em mármore da cabeça de Napoleão esculpida por Devine, mas que as três que haviam sido enviadas para Morse Hudson havia cerca de um ano eram metade de um lote de seis, cujas outras três foram enviadas aos Irmãos Harding, de Kensington. Não havia nenhum motivo para essas seis serem diferentes de todas as outras cópias. Ele não pôde sugerir nenhuma possível causa para alguém querer destruí-las — aliás, riu da ideia.

## OS SEIS NAPOLEÕES

Seu preço no atacado era de seis xelins, mas o revendedor poderia pedir doze ou mais. A cópia era fabricada a partir de dois moldes de cada lado do rosto, e então esses dois perfis de gesso eram unidos para formar o busto completo. O trabalho era feito em geral por italianos, na sala onde estávamos. Depois de prontos, os bustos eram deixados numa mesa no corredor para secar, e em seguida armazenados. Isso foi tudo que ele pôde nos contar.

Mas a apresentação da fotografia produziu um efeito notável no gerente. Seu rosto ficou vermelho de raiva, e suas sobrancelhas se franziram sobre os teutônicos olhos azuis.

— Ah, o patife! — ele exclamou. — Sim, eu o conheço muito bem. Este sempre foi um estabelecimento respeitável, e a única vez que a polícia esteve aqui foi por causa desse sujeito. Já faz mais de um ano. Ele esfaqueou outro italiano na rua, depois veio para a fábrica com a polícia em seu encalço e foi preso aqui. Beppo era o nome dele, seu sobrenome eu nunca soube. Bem feito para mim, por ter contratado um homem com uma cara dessas. Mas ele era um bom artesão, um dos melhores.

— Que pena ele pegou?

— A vítima sobreviveu, e ele se safou com um ano. Não tenho dúvida de que já está solto; mas não ousou dar as caras por aqui. Um primo dele trabalha aqui e acho que poderia dizer aos senhores onde encontrá-lo.

— Não, não — exclamou Holmes —, não diga nada ao primo; nem uma palavra, por favor. O assunto é muito importante, e quanto mais investigo, mais importante parece ficar. Quando o senhor consultou no seu livro-caixa a venda daquelas cópias, observei que a data era 3 de junho do ano passado. Poderia me dizer em que dia Beppo foi preso?

— Posso dizer mais ou menos pela folha de pagamentos — o gerente respondeu. — Sim — ele continuou, depois de virar algumas páginas —, ele foi pago pela última vez em 20 de maio.

— Obrigado — disse Holmes. — Acho que não vou precisar mais abusar do seu tempo e da sua paciência. — Com uma última recomendação para que ele não falasse nada sobre nossas investigações, rumamos para o oeste mais uma vez.

A tarde já ia bem avançada quando conseguimos deglutir um almoço apressado num restaurante. Um cartaz noticioso na entrada anunciava: "Ultraje em Kensington. Assassinado por um Louco", e o conteúdo do jornal correspondente indicava que o Sr. Horace Harker conseguira dar seu relato ao prelo, no fim das contas. Duas colunas estavam preenchidas com uma exposição altamente sensacionalista e floreada de todo o incidente. Holmes apoiou o jornal no galheteiro e leu enquanto comia. Uma ou duas vezes, ele riu.

— Isto está ótimo, Watson — ele disse. — Escute só: "É satisfatório saber que não há divergências de opinião quanto a este caso, já que o Sr. Lestrade, um dos membros mais experientes da polícia oficial, e o Sr. Sherlock Holmes, o renomado consultor, chegaram independentemente à mesma

## OS SEIS NAPOLEÕES

conclusão de que a grotesca série de incidentes que terminou de forma tão trágica deriva de loucura, e não de um crime deliberado. Nenhuma explicação além da aberração mental pode adequar-se aos fatos". A imprensa, Watson, é uma instituição muito valiosa, basta saber usá-la. E agora, se você já terminou, vamos voltar para Kensington e ver o que o gerente dos Irmãos Harding tem a dizer sobre o assunto.

O fundador daquele grande empório provou ser uma pessoinha lépida e despachada, bastante ativa e sagaz, com mente clara e língua solta.

— Sim, senhor, li o relato no jornal vespertino. O Sr. Horace Harker é nosso cliente. Fornecemos-lhe o busto há alguns meses. Encomendamos três bustos daquele tipo da Gelder & Co., de Stepney. Todos já foram vendidos. Para quem? Oh, eu diria que consultando nosso livro de vendas poderemos facilmente lhe informar. Sim, temos as anotações aqui. Um para o Sr. Harker, veja bem, outro para o Sr. Josiah Brown, de Laburnum Lodge, Laburnum Vale, Chiswick, e o terceiro para o Sr. Sandeford, da Lower Grove Road, em Reading. Não, nunca vi esse rosto que está me mostrando na fotografia. Seria difícil esquecê-lo, não seria, senhor? Pois raramente vi alguém mais feio. Se temos italianos trabalhando aqui? Sim, senhor, temos vários entre os operários e o pessoal da limpeza. Eu diria que eles poderiam ter dado uma espiada nesse livro de vendas, caso quisessem. Não há nenhum motivo especial para vigiar esse livro. Bem, bem, é um caso muito estranho, e espero que me informe, se conseguir alguma coisa com sua investigação.

Holmes fizera várias anotações durante o depoimento do Sr. Harding, e pude ver que ele estava totalmente satisfeito com o viés que as coisas vinham assumindo. Não fez nenhum comentário, no entanto, a não ser que, a menos que nos apressássemos, nos atrasaríamos para o encontro com Lestrade. De fato, quando chegamos a Baker Street, o detetive já estava lá, e o encontramos andando de um lado para o outro, febril de impaciência. Seu ar de importância demonstrava que seu dia de trabalho não havia sido em vão.

— E então? — ele perguntou. — Teve sorte, Sr. Holmes?

— Tivemos um dia deveras atarefado, e não totalmente desperdiçado — meu amigo explicou. — Visitamos os dois revendedores e também os atacadistas fabricantes. Posso rastrear cada um dos bustos, agora, desde a origem.

— Os bustos! — exclamou Lestrade. — Ora, ora, o senhor tem seus próprios métodos, Sr. Sherlock Holmes, e não serei eu a dizer uma palavra contra eles, mas acho que meu dia de trabalho foi melhor do que o seu. Eu identifiquei o morto.

— Não diga!

— E encontrei um motivo para o crime.

— Esplêndido!

— Temos um inspetor que é especializado na Saffron Hill e no bairro italiano. Bem, esse morto tinha algum emblema católico no pescoço, e isso, com sua cor, me fez pensar que

# OS SEIS NAPOLEÕES

ele era do sul. O inspetor Hill o reconheceu assim que o viu. Seu nome é Pietro Venucci, de Nápoles, e ele é um dos maiores assassinos de Londres. Tem ligações com a Máfia, que, como o senhor sabe, é uma sociedade política secreta que faz cumprir seus decretos com homicídios. Agora pode perceber como o caso começa a se aclarar. O outro sujeito provavelmente também é italiano e membro da Máfia. Ele infringiu as regras de alguma forma. Pietro é posto no seu encalço. Provavelmente a fotografia que encontramos em seu bolso é do próprio homem, para que ele não esfaqueasse a pessoa errada. Ele segue o sujeito, vê que ele entra numa casa, espera-o na porta, e na refrega, sofre um ferimento mortal. Que tal, Sr. Sherlock Holmes?

Holmes bateu palmas em aprovação.

— Excelente, Lestrade, excelente! — ele exclamou. — Mas não prestei muita atenção na parte em que você explica a destruição dos bustos.

— Os bustos! O senhor não consegue tirar esses bustos da cabeça. Afinal, isso não é nada; um furto insignificante, seis meses no máximo. É o assassinato que estamos investigando realmente, e digo que já estou com todos os fios da trama nas mãos.

— E o próximo passo?

— É muito simples. Irei com Hill para o bairro italiano, encontrarei o homem cuja fotografia temos, e o prenderei pela acusação de assassinato. O senhor vem conosco?

— Acho que não. Imagino que possamos alcançar nosso objetivo de maneira mais simples. Não posso dizer ao certo, porque tudo depende... bem, tudo depende de um fator que está totalmente fora do nosso controle. Mas tenho grandes esperanças — de fato, as chances são de dois contra um — de que se nos acompanhar esta noite, conseguirei ajudar você a prendê-lo.

— No bairro italiano?

— Não; imagino que Chiswick seja o endereço onde é mais provável encontrá-lo. Se for comigo para Chiswick esta noite, Lestrade, prometo que irei para o bairro italiano com você amanhã, e o atraso não causará mal nenhum. E agora, acho que algumas horas de sono nos farão bem, pois não pretendo sair antes das 23 horas, e é improvável que voltemos antes do amanhecer. Você jantará conosco, Lestrade, e depois pode se acomodar no sofá, até que seja hora de partir. Enquanto isso, Watson, gostaria que você mandasse chamar um mensageiro expresso, pois preciso enviar uma carta, e é importante que ela seja entregue imediatamente.

Holmes passou a noite remexendo os arquivos de velhos cotidianos que lotavam um dos nossos depósitos de lenha. Quando finalmente desceu, foi com triunfo no olhar, mas ele não disse nada a nenhum de nós quanto ao resultado de suas pesquisas. De minha parte, eu seguira passo a passo os métodos pelos quais ele traçara os vários meandros desse caso tão complexo, e embora ainda não conseguisse visualizar a meta que iríamos alcançar, entendia claramente que

## OS SEIS NAPOLEÕES

Holmes esperava que o grotesco criminoso tentasse atacar os dois bustos que restavam, um dos quais, eu lembrava, estava em Chiswick. Sem dúvida, o objetivo de nossa jornada era capturá-lo no próprio ato, e eu não conseguia deixar de admirar a astúcia com que meu amigo plantara uma pista falsa no jornal vespertino, para dar ao sujeito a ideia de que ele poderia continuar seu plano impunemente. Não fiquei surpreso quando Holmes sugeriu que eu levasse meu revólver. Ele mesmo pegara o pesado chicote de caça que era sua arma favorita.

Uma carruagem estava na porta às 23 horas, e nela seguimos para um lugar do outro lado da Ponte Hammersmith. Ali, o cocheiro recebeu ordens para esperar. Uma curta caminhada nos levou a uma estrada isolada, com casas agradáveis, cada uma com seu terreno ao redor. À luz de um lampião, lemos "Vila Laburnum" no portão de uma delas. Os moradores haviam evidentemente ido deitar-se, pois tudo estava às escuras, exceto a bandeira sobre a porta do corredor, que projetava um círculo indefinido no caminho do jardim. A cerca de madeira que separava o terreno da estrada lançava uma densa sombra negra do lado de dentro, e foi ali que nos agachamos.

— Temo que vocês terão que esperar por muito tempo — Holmes murmurou. — Agradeçamos à nossa sorte por não estar chovendo. Acho que não podemos nem nos arriscar a fumar para passar o tempo. De qualquer forma, a probabilidade de que alguma coisa recompensará nosso trabalho é de um terço.

Resultou, porém, que nossa vigília não seria tão longa quanto Holmes nos fez temer, e acabou de maneira deveras repentina e singular. Num instante, sem o menor som para nos avisar de sua chegada, o portão do jardim foi escancarado, e uma figura ágil e escura, célere e ativa como um macaco, correu pelo caminho do jardim. Nós a vimos passar pela luz que vinha de cima da porta e desaparecer na sombra negra da casa. Houve uma longa pausa, durante a qual prendemos a respiração, e então um rangido muito suave chegou aos nossos ouvidos. A janela estava sendo aberta. O barulho cessou, e mais uma vez houve um longo silêncio. O sujeito estava entrando na casa. Vimos o clarão repentino de uma lanterna escura dentro do quarto. O que ele procurava evidentemente não estava ali, pois vimos novamente o clarão através de outra cortina, e depois de outra.

— Vamos nos aproximar da janela aberta. Vamos pegá-lo quando ele sair — Lestrade sussurrou.

Mas antes que pudéssemos nos mover, o homem saiu novamente. Quando ele apareceu no círculo de luz bruxuleante, vimos que carregava um objeto branco debaixo do braço. Ele olhou furtivamente ao seu redor. O silêncio da rua deserta o reconfortou. Dando-nos as costas, ele pôs seu fardo no chão, e no instante seguinte houve o som de uma batida seca, seguida de vários estalos. O homem

## OS SEIS NAPOLEÕES

estava tão concentrado em sua tarefa que não ouviu nossos passos quando nos esgueiramos pelo gramado. Saltando como um tigre, Holmes subiu-lhe nas costas, e um instante depois, Lestrade e eu o segurávamos pelos pulsos, e as algemas foram colocadas. Quando o viramos, vi um rosto pavoroso e amarelo, com traços agitados e furiosos, nos encarando, e percebi que era de fato o homem da fotografia que encontráramos.

Mas não era ao nosso prisioneiro que Holmes estava dando atenção. Agachado na soleira, ele estava ocupado em examinar com o máximo cuidado o que o homem trouxera da casa. Era um busto de Napoleão como o que víramos pela manhã, e havia sido quebrado em pedaços parecidos. Atentamente, Holmes punha cada estilhaço sob a luz, mas não havia neles nada de diferente de qualquer outro fragmento de gesso. Ele havia acabado de completar seu exame quando as luzes do corredor se acenderam, a porta se abriu, e o dono da casa, uma figura jovial e rotunda usando calça e em mangas de camisa, se apresentou.

— Sr. Josiah Brown, suponho? — disse Holmes.

— Sim, senhor; sem dúvida é o Sr. Sherlock Holmes? Recebi o bilhete que me enviou pelo mensageiro expresso, e fiz exatamente o que mandou. Trancamos todas as portas por dentro e aguardamos os desdobramentos. Bem, fico feliz em ver que o senhor pegou o bandido. Espero, cavalheiros, que aceitem entrar e tomar alguma coisa.

## O RETORNO DE SHERLOCK HOLMES

No entanto, Lestrade estava ansioso para levar seu homem a um ambiente seguro, por isso em poucos minutos nosso táxi foi chamado e estávamos os quatro a caminho de Londres. Nosso prisioneiro não disse uma palavra; mas nos olhava das sombras de seu cabelo empastado, e uma vez, quando minha mão parecia ao seu alcance, tentou mordê-la como um lobo faminto. Permanecemos na chefatura de polícia tempo suficiente para saber que a revista de suas roupas nada revelou além de alguns xelins e um longo punhal com bainha, cujo cabo tinha marcas abundantes de sangue fresco.

— Está tudo bem — disse Lestrade, quando nos despedíamos. — Hill conhece toda essa gente, e vai me dar o nome do sujeito. Vocês verão que minha teoria da Máfia funcionará à perfeição. Mas certamente estou muito grato ao senhor pela maneira habilidosa com que deitou as mãos nele, Sr. Holmes. Ainda não compreendi tudo.

— Temo que seja muito tarde para dar explicações — disse Holmes. — Ademais, ainda faltam um ou dois detalhes, e este é o tipo de caso que vale a pena investigar até o final. Se vier mais uma vez aos meus aposentos amanhã às 18 horas, acho que poderei demonstrar que, mesmo agora, você não entendeu o total significado desse caso, que apresenta algumas características que o tornam absolutamente original na história do crime. Se um dia eu permitir que você relate mais algum dos meus probleminhas, Watson, prevejo que enriquecerá suas páginas com a narrativa da singular aventura dos bustos napoleônicos.

## OS SEIS NAPOLEÕES

Quando nos encontramos novamente na noite seguinte, Lestrade estava munido de muito mais informações referentes ao nosso prisioneiro. Seu nome, aparentemente, era Beppo, sobrenome desconhecido. Era um imprestável bem conhecido na colônia italiana. Tinha sido um escultor habilidoso que ganhava a vida honestamente, mas enveredara pelo caminho do mal, e por duas vezes estivera na prisão — uma vez por um pequeno furto e outra, como já sabíamos, por esfaquear um conterrâneo. Ele falava inglês perfeitamente. Seus motivos para destruir os bustos ainda eram desconhecidos, e ele se recusava a responder qualquer pergunta sobre o assunto; mas a polícia descobrira que aqueles mesmos bustos poderiam muito bem ter sido feitos por ele próprio, visto que ele realizava esse tipo de trabalho no estabelecimento de Gelder & Co. Todas essas informações, boa parte das quais já conhecíamos, Holmes ouviu com atenção educada; mas eu, que o conhecia tão bem, percebia claramente que seus pensamentos estavam longe, e detectei um misto de desconforto e expectativa sob a máscara que ele costumava usar. Finalmente, ele saltou da poltrona e seus olhos brilharam. A campainha havia tocado. Um minuto depois, ouvimos passos na escada, e um homem idoso, de rosto rubro e costeletas grisalhas, foi admitido. Na mão direita, levava uma velha mala de lona, que pôs sobre a mesa.

# O RETORNO DE SHERLOCK HOLMES

— O Sr. Sherlock Holmes está aqui?

Meu amigo inclinou a cabeça e sorriu.

— Sr. Sandeford, de Reading, suponho? — ele disse.

— Sim, senhor. Temo estar um pouco atrasado; mas é que os trens estavam lentos. O senhor me escreveu sobre um busto que possuo.

— Exatamente.

— Tenho sua carta aqui. Ela diz: "Desejo ter uma cópia do Napoleão de Devine, e estou disposto a pagar dez libras por aquela que o senhor possui". Correto?

— Certamente.

— Fiquei muito surpreso com sua carta, pois não consigo imaginar como o senhor sabia que eu tinha esse busto.

— Naturalmente deve ter ficado surpreso, mas a explicação é muito simples. O Sr. Harding, dos Irmãos Harding, disse que haviam lhe vendido sua última cópia e me deu seu endereço.

— Ah, foi isso, então? Ele disse quanto paguei pela peça?

— Não, não disse.

— Bem, sou um homem honesto, embora não seja muito rico. Paguei somente quinze xelins pelo busto, e acho que deveria saber disso antes que eu aceite suas dez libras.

— Com certeza esses escrúpulos muito o honram, Sr. Sandeford. Mas já mencionei esse preço, por isso pretendo mantê-lo.

— Bem, isso é muito bonito de sua parte, Sr. Holmes. Eu trouxe o busto comigo, como me pediu. Aqui está!

## OS SEIS NAPOLEÕES

Ele abriu a mala, e finalmente vimos, sobre nossa mesa, um espécime intacto daquele busto que mais de uma vez já víramos em pedaços.

Holmes tirou um papel do bolso e pôs uma nota de dez libras sobre a mesa.

— Por gentileza, assine esse papel, Sr. Sandeford, na presença destas testemunhas. É apenas para garantir que transfere para mim todo direito possível que já teve sobre o busto. Sou um homem metódico, veja bem, e nunca se sabe que viés os acontecimentos podem tomar depois. Obrigado, Sr. Sandeford; aqui está o seu dinheiro, e lhe desejo uma ótima noite.

Quando nosso visitante se foi, os movimentos de Sherlock Holmes cativaram toda a nossa atenção. Ele começou tirando uma toalha branca de uma gaveta e abrindo-a sobre a mesa. Em seguida, pôs seu recém-adquirido busto no meio da toalha. Finalmente, pegou seu chicote de caça e desferiu um violento golpe na cabeça de Napoleão. A imagem partiu-se em fragmentos, e Holmes curvou-se ansiosamente sobre os restos estilhaçados. No instante seguinte, com um grito ruidoso e triunfante, ele mostrou um fragmento, no qual um objeto redondo e escuro estava engastado como uma uva passa num pudim.

— Cavalheiros — ele exclamou —, permitam-me apresentar a famosa pérola negra dos Bórgia!

Lestrade e eu ficamos em silêncio por um momento, e então, num impulso espontâneo, ambos começamos a aplaudir, como no clímax bem engendrado de uma peça. Uma onda de cor subiu às bochechas pálidas de Holmes, e ele se curvou para nós, como um dramaturgo talentoso que recebe a homenagem de sua plateia. Era nesses momentos que por um instante ele deixava de ser uma máquina de raciocinar e traía seu tão humano amor pela admiração e pelo aplauso. A mesma natureza singularmente altiva e reservada, que desdenhava a notoriedade popular, era capaz de quedar-se profundamente comovida com a maravilha e o orgulho espontâneos de um amigo.

— Sim, cavalheiros — ele disse —, é a pérola mais famosa em existência no mundo, e tive a grande sorte, graças a uma sequência relacionada de raciocínios indutivos, de rastreá-la da suíte do príncipe de Calonna, no Hotel Dacre, onde foi perdida, para o interior deste, o último dos seis bustos de Napoleão fabricados pela Gelder & Co., de Stepney. Você deve lembrar, Lestrade, a sensação causada pelo desaparecimento desta valiosa joia, e os esforços inúteis da polícia londrina para recuperá-la. Eu mesmo fui consultado acerca do caso; mas não pude lançar nenhuma luz sobre ele. As suspeitas recaíram sobre a criada da princesa, que era italiana, e provou-se que ela tinha um irmão em Londres, mas não conseguimos estabelecer nenhuma conexão entre os dois. O nome da criada era Lucretia Venucci, e não restam dúvidas na minha mente de que aquele Pietro, assassinado duas noites atrás, era seu irmão. Consultei as datas nos arquivos do jornal, e descobri que o desaparecimento da pérola

## OS SEIS NAPOLEÕES

aconteceu exatamente dois dias antes da prisão de Beppo por algum crime violento — um acontecimento que se dera na fábrica da Gelder & Co., no exato momento em que estes bustos estavam sendo feitos. Agora vocês enxergam claramente a sequência dos fatos, embora os vejam, é claro, na ordem inversa daquela em que se apresentaram a mim. Beppo estava de posse da pérola. Pode tê-la roubada de Pietro, pode ter sido cúmplice deste, pode ter sido o leva-e-traz entre Pietro e a irmã. Não faz diferença para nós qual seja a solução correta.

"O fato mais importante é que ele *tinha* a pérola, e naquele momento, quando a trazia consigo, estava sendo perseguido pela polícia. Foi até a fábrica onde trabalhava, e sabia que tinha só alguns minutos para esconder aquele tesouro enormemente valioso, ou este seria encontrado quando ele fosse revistado. Seis bustos de gesso de Napoleão estavam secando no corredor. Um deles ainda estava mole. Num instante, Beppo, trabalhador habilidoso, fez um pequeno buraco no gesso úmido, enfiou a pérola, e com alguns toques cobriu o orifício. Era um esconderijo admirável. Ninguém jamais a encontraria. Mas Beppo foi condenado a um ano de reclusão, e nesse tempo, seus seis bustos foram espalhados por Londres. Ele não sabia qual deles continha seu tesouro. Somente quebrando-os poderia verificar. Até agitá-los não revelaria nada, pois como o gesso estava úmido, era provável que a pérola tivesse aderido a ele — o que de fato aconteceu. Beppo não se desesperou, e conduziu sua busca com considerável engenhosidade e perseverança. Mediante um primo que trabalha na Gelder, ele descobriu quais varejistas haviam comprado os bustos. Conseguiu arranjar emprego com Morse Hudson, e dessa maneira localizou três das peças. A pérola não estava nelas. Então, com a ajuda de algum funcionário italiano, logrou encontrar onde foram parar os outros três bustos. O primeiro estava na casa de Harker. Ali, ele foi seguido por seu comparsa, que responsabilizava Beppo pela perda da pérola, e que foi esfaqueado por este na escaramuça que se seguiu."

— Se era comparsa de Beppo, por que carregava sua fotografia? — eu perguntei.

— Como uma forma de localizá-lo, caso quisesse perguntar a alguém sobre ele. Esse era o motivo óbvio. Bem, depois do assassinato, calculei que Beppo provavelmente apressaria seus movimentos, em vez de retardá-los. Ele temeria que a polícia descobrisse seu segredo, por isso tratou de correr, antes que ela assumisse a dianteira. Naturalmente, eu não tinha como saber se ele havia ou não encontrado a pérola no busto de Harker. Eu nem concluíra ao certo se era mesmo a pérola; mas era evidente, para mim, que ele estava procurando algo, já que passou carregando o busto pelas outras casas para invadir o jardim daquela que tinha um lampião iluminando-a. Como o busto de Harker era um dos três, a probabilidade era exatamente a que eu disse, um terço, de a pérola estar dentro dele. Restavam dois bustos, e era

## OS SEIS NAPOLEÕES

óbvio que ele tentaria o de Londres primeiro. Avisei os ocupantes da casa, para evitar uma segunda tragédia, e nós fomos para lá, com os melhores resultados. Àquela altura, é claro, eu já tinha certeza de que era a pérola dos Bórgia que procurávamos. O sobrenome do homem assassinado ligava um acontecimento ao outro. Restava um busto — o de Reading — e a pérola só podia estar nele. Eu o comprei do proprietário na presença de vocês, e aí está ela.

Ficamos todos em silêncio por um momento.

— Bem — disse Lestrade —, já vi o senhor resolver vários casos, Sr. Holmes, mas não me lembro de ter presenciado uma solução mais habilidosa. Não temos inveja do senhor na Scotland Yard. Não, temos muito orgulho do senhor, e se for lá amanhã, não haverá ninguém, do mais velho inspetor ao policial mais jovem, que não ficará feliz em apertar sua mão.

— Obrigado! — disse Holmes. — Obrigado! — E quando ele se virou, me pareceu que estava mais afetado pelas emoções humanas mais suaves do que eu jamais o vira. Um momento depois, voltou a ser o pensador frio e prático. — Guarde a pérola no cofre, Watson — ele disse —, e pegue os documentos do caso da falsificação de Conk-Singleton. Adeus, Lestrade. Se encontrar mais algum probleminha, ficarei feliz, se puder, em dar algumas sugestões para a sua solução.

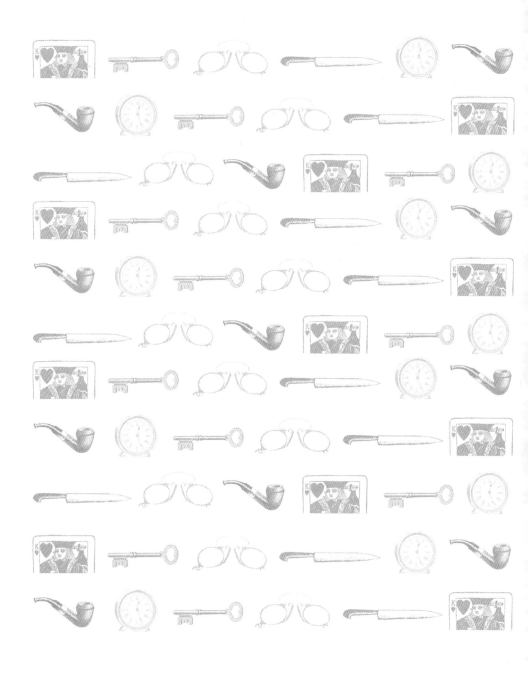

*nove*

# OS TRÊS ESTUDANTES

Foi no ano de 1895 que uma combinação de eventos, a qual não preciso detalhar, fez com que o Sr. Sherlock Holmes e eu passássemos algumas semanas numa das nossas grandes cidades universitárias, e foi durante esse tempo que a pequena, porém instrutiva aventura que estou para relatar nos aconteceu. Ficará óbvio que quaisquer detalhes que pudessem ajudar o leitor a identificar com exatidão a universidade ou o criminoso seriam desajuizados e ofensivos. Faz-se bem em permitir que um escândalo tão doloroso se dissipe. Com a devida discrição, no entanto, o incidente em si pode ser descrito, já que serve para ilustrar algumas daquelas qualidades que tornavam notável o meu amigo. Tentarei, em meu depoimento, evitar termos que sirvam para limitar os acontecimentos a um lugar em particular, ou dar pistas das pessoas envolvidas.

Estávamos residindo, na época, em aposentos mobiliados próximos a uma biblioteca, onde Sherlock Holmes realizava laboriosas pesquisas sobre cartas inglesas antigas — pesquisas que levaram a resultados tão marcantes que podem vir a ser o assunto de uma de minhas futuras narrativas. Foi ali que uma noite recebemos a visita de um conhecido, o Sr. Hilton Soames, orientador e lente na Escola St. Luke's. O Sr. Soames era um homem alto e magro, de temperamento nervoso e irritadiço. Eu sempre soube que ele era um tipo inquieto, mas naquela ocasião em particular, exibia tal estado de incontrolável agitação que era claro que algo muito incomum havia acontecido.

— Espero, Sr. Holmes, que possa me dedicar algumas horas do seu concorrido tempo. Tivemos um incidente assaz doloroso na St. Luke's, e realmente, se não fosse o acaso feliz da sua presença na cidade, eu não saberia o que fazer.

— Estou muito ocupado no momento, e não desejo nenhuma distração — meu amigo respondeu. — Preferiria que o senhor solicitasse a ajuda da polícia.

— Não, não, caro senhor; tal atitude é totalmente impossível. Quando a lei é invocada, não pode mais ser contida, e este é um daqueles casos em que, pela reputação da escola, é absolutamente essencial evitar o escândalo. Sua discrição é tão conhecida quanto seus poderes, e o senhor é o único homem no mundo que pode me ajudar. Eu imploro, Sr. Holmes, que faça o que puder.

O temperamento do meu amigo não melhorava com o afastamento do ambiente aconchegante da Baker Street. Sem seus cadernos de recortes, seus produtos químicos e sua confortável desordem, ele era um homem pouco à vontade. Deu de ombros em antipática aquiescência, enquanto nosso visitante, com palavras apressadas e gesticulando animadamente, despejava sua história.

— Preciso explicar, Sr. Holmes, que amanhã é o primeiro dia dos exames para a Bolsa Fortescue. Eu sou um dos examinadores. Minha disciplina é a Língua Grega, e a primeira das provas consiste num longo trecho de tradução do grego que o candidato ainda não viu. Esse trecho está impresso na folha de prova, e naturalmente seria uma vantagem imensa se o candidato pudesse prepará-lo com antecedência. Por esse motivo, toma-se muito cuidado para manter a folha em segredo.

"Hoje, por volta das 15 horas, as provas tipográficas dessa folha chegaram da gráfica. O exercício consiste em meio capítulo de Tucídides. Eu precisava lê-lo com atenção, pois o texto deve estar absolutamente correto. Às 16h30, minha tarefa ainda não estava concluída. Porém, eu havia prometido tomar chá no aposento de um amigo, por isso deixei a prova sobre a minha escrivaninha. Ausentei-me por mais de uma hora. Como sabe, Sr. Holmes, as portas da nossa escola são duplas — uma de feltro verde por dentro e uma de carvalho maciço por fora. Quando me aproximei da minha porta externa, fiquei intrigado ao ver uma chave na fechadura. Por um instante, imaginei ter deixado a minha ali, mas apalpando meu bolso, percebi que estava lá. A única duplicata que existia, até onde eu sabia, pertencia ao meu criado, Bannister, um homem que cuida dos meus aposentos há dez anos e cuja honestidade está acima de qualquer suspeita. Descobri que a chave era de fato a dele, que ele havia entrado no meu quarto para saber se eu queria o chá, e que muito descuidadamente deixara a chave na fechadura ao sair. Sua visita ao meu quarto deve ter acontecido poucos minutos depois que saí. Sua negligência com a chave pouco teria importado em qualquer outra ocasião, mas nesse dia produziu os resultados mais deploráveis.

"Assim que olhei para a minha mesa, percebi que alguém mexera nos meus papéis. A prova estava impressa em três folhas longas. Eu as deixara juntas. Descobri que uma folha estava no chão, outra na mesa lateral perto da janela, e a terceira, onde eu a deixei."

Holmes se moveu pela primeira vez.

— A primeira página no chão, a segunda na janela e a terceira onde a deixou — ele disse.

— Exatamente, Sr. Holmes. O senhor me assombra. Como podia saber disso?

— Por favor, continue seu depoimento tão interessante.

— Por um instante, imaginei que Bannister tivesse

## OS TRÊS ESTUDANTES

tomado a imperdoável liberdade de examinar meus papéis. Ele negou, no entanto, com a maior veemência, e estou convencido de que disse a verdade. A alternativa era que alguém, ao passar, tivesse observado a chave na porta, percebido que eu não estava, e entrado para olhar os papéis. Uma grande quantia está em jogo, pois a bolsa é deveras vultosa, e um homem inescrupuloso poderia muito bem correr riscos para levar vantagem sobre seus colegas.

"Bannister ficou muito nervoso com o incidente. Quase desmaiou quando descobrimos que os papéis sem dúvida haviam sido manipulados. Eu lhe dei um pouco de *brandy* e o deixei prostrado numa poltrona, enquanto realizava um exame completo do quarto. Logo vi que o intruso havia deixado outros sinais de sua presença, além dos papéis amassados. Sobre a mesa perto da janela havia vários fragmentos de um lápis que fora apontado. Uma ponta quebrada do grafite também estava lá. Evidentemente, o patife copiara o papel muito às pressas, quebrara a ponta do lápis, e tivera que apontá-lo."

— Excelente! — disse Holmes, que estava recuperando o bom humor, à medida que sua atenção se envolvia mais no caso. — A sorte ajudou o senhor.

— Isso não é tudo. Tenho uma escrivaninha nova, revestida com fino couro vermelho. Estou disposto a jurar, e Bannister também, que ela estava lisa e sem marcas. Agora encontrei nela um corte reto de uns sete centímetros; não um mero arranhão, mas um corte mesmo. Não apenas isso, mas sobre a mesa encontrei uma bolinha de massa ou argila preta, com fragmentos de alguma coisa que parece serragem. Estou convencido de que essas marcas foram deixadas pelo homem que mexeu nos papéis. Não havia pegadas ou qualquer outro sinal de sua identidade. Eu estava quase ensandecendo quando de repente ocorreu-me a feliz lembrança de que o senhor estava na cidade, e vim imediatamente pôr o assunto em suas mãos. Ajude-me, Sr. Holmes! Percebe o meu dilema. Preciso encontrar o homem, ou o exame deverá ser adiado até uma nova prova ser preparada, e como isso não pode ser feito sem uma explicação, haverá um escândalo tremendo, que deixará uma nuvem não apenas sobre a escola, mas sobre a universidade. Acima de tudo, desejo resolver o assunto quieta e discretamente.

— Ficarei feliz em examiná-lo e dar-lhe os conselhos que puder — disse Holmes, levantando-se e vestindo o sobretudo. — Esse caso não é totalmente desprovido de interesse. Alguém o visitou em seu quarto depois que as provas chegaram?

— Sim; o jovem Daulat Ras, um estudante indiano que mora no mesmo andar, entrou para me perguntar alguns detalhes acerca do exame.

— No qual ele está inscrito?

— Sim.

— E os papéis estavam na sua mesa?

— Até onde lembro, deixei-os enrolados.

— Mas podiam ser reconhecidos como provas?

## OS TRÊS ESTUDANTES

— Possivelmente.

— Ninguém mais no seu quarto?

— Não.

— Alguém sabia que aquelas provas estariam ali?

— Ninguém além do tipógrafo.

— O tal de Bannister sabia?

— Não, com certeza não. Ninguém sabia.

— Onde está Bannister agora?

— Estava se sentindo muito mal, pobrezinho! Deixei-o prostrado na poltrona. Eu tinha muita pressa de vir ver o senhor.

— Sua porta ficou aberta?

— Tranquei os papéis primeiro.

— Então o caso se resume a isto, Sr. Soames: a menos que o estudante indiano tenha reconhecido o rolo como as provas, o homem que as manipulou encontrou-as acidentalmente, sem saber que elas estavam lá.

— É o que me parece.

Holmes abriu um sorriso enigmático.

— Bem — ele disse —, vamos para lá. Não é um dos seus casos, Watson, é mental, não físico. Tudo bem; se quiser, venha. Agora, Sr. Soames, ao seu dispor!

A sala de estar do nosso cliente se abria, por uma longa janela baixa com treliças, para o antigo pátio manchado de líquens da velha escola. Uma porta gótica em arco levava a uma escadaria gasta de pedra. No térreo ficava o quarto do orientador. Acima dele residiam três estudantes, um em cada andar. Já escurecia quando chegamos ao local do nosso problema. Holmes parou e olhou intensamente para a janela. Então se aproximou dela e, na ponta dos pés, com o pescoço esticado, olhou para dentro do quarto.

— Ele deve ter entrado pela porta. Não há nenhuma abertura, salvo aquela vidraça — disse nosso douto anfitrião.

— Céus! — exclamou Holmes, e sorriu de maneira singular, olhando nosso acompanhante. — Bem, se não há o que descobrir aqui, é melhor entrarmos.

O lente destrancou a porta externa e nos levou para dentro do seu quarto. Ficamos parados na entrada enquanto Holmes examinava o tapete.

— Temo que não haja sinais aqui — ele disse. — Seria difícil esperar que houvesse, num dia tão seco. Seu criado parece ter se recuperado. O senhor disse que o deixou numa poltrona; qual poltrona?

— Aquela perto da janela.

— Entendo. Perto desta mesinha. Podem entrar agora. Terminei com o tapete. Vamos examinar a mesinha primeiro. Naturalmente, o que aconteceu está muito claro. O homem entrou e pegou os papéis, folha por folha, da mesa central. Ele os levou para a mesa da janela, pois dali podia ver o senhor se aproximando através do pátio, e assim efetuar a fuga.

— Na verdade, ele não pôde me ver — disse Soames —, porque entrei pela porta lateral.

## OS TRÊS ESTUDANTES

— Ah, sim! Bem, de qualquer forma, era isso que ele tinha em mente. Deixe-me ver as três tiras de papel. Nenhuma impressão digital; não! Bem, ele levou esta primeiro e a copiou. Quanto tempo demoraria para fazê-lo, usando todas as abreviações possíveis? Um quarto de hora, não menos que isso. Então ele jogou a folha no chão e pegou a próxima. Estava no meio dessa quando sua chegada o obrigou a bater em retirada muito precipitadamente; *muito* precipitadamente, já que não teve tempo de devolver as folhas que denunciariam que ele estivera aqui. Não notou nenhum ruído de pés apressados na escada ao entrar?

— Não, não posso dizer que notei.

— Bem, ele escreveu tão furiosamente que quebrou o lápis, e teve, como o senhor observa, que apontá-lo. Isso é interessante, Watson. O lápis não era comum. Era maior do que o normal, com grafite macio; por fora era azul-escuro, o nome do fabricante estava impresso em letras prateadas, e o pedaço que resta tem apenas uns quatro centímetros de comprimento. Procure um lápis assim, Sr. Soames, e encontrará seu homem. Quando acrescento que ele possui um canivete grande e pouco afiado, sua tarefa fica mais fácil.

O Sr. Soames estava um tanto oprimido por aquela avalanche de informações.

— Posso entender os outros detalhes — ele disse —, mas, realmente, essa questão do comprimento...

# O RETORNO DE SHERLOCK HOLMES

Holmes mostrou uma pequena lasca com as letras NN e um espaço de madeira clara depois delas.

— Está vendo?

— Não, temo que mesmo agora...

— Watson, sempre fui injusto com você. Há outros. O que pode ser esse NN? É o final de uma palavra. O senhor sabe que Johann Faber é o nome do fabricante mais comum. Não está claro? O que resta do lápis é o que normalmente vem depois do nome Johann. — Ele segurou a mesinha de lado, perto da lâmpada elétrica. — Eu esperava que, se o papel no qual ele escreveu fosse fino, algum sinal da escrita pudesse ser visível nesta superfície polida. Não, não vejo nada. Acho que não há mais nada a descobrir aqui. Agora, à mesa central. Esta bolinha é, presumo, a massa preta de que falou. De formato rusticamente piramidal e oca, percebo. Como o senhor disse, parece haver fragmentos de serragem nela. Céus, isso é muito interessante. E o corte na mesa, vejo que é um rasgo de verdade. Começou com um arranhão fino e terminou num buraco irregular. Sou-lhe muito grato por dirigir minha atenção para este caso, Sr. Soames. Para onde leva esta porta?

— Para o meu dormitório.

— Entrou ali desde a sua aventura?

— Não, fui imediatamente procurar o senhor.

— Eu gostaria de dar uma olhada. Que quarto antiquado e encantador! Talvez pudesse ter a bondade de esperar um

## OS TRÊS ESTUDANTES

minuto enquanto examino o assoalho. Não, não vejo nada. E esta cortina? O senhor pendura sua roupa atrás dela. Se alguém se visse obrigado a esconder-se neste quarto, teria que fazê-lo aqui, já que a cama é baixa demais, e o armário, raso demais. Ninguém ali, suponho?

Enquanto Holmes puxava a cortina, notei, por alguma pequena rigidez e atenção em sua atitude, que ele estava preparado para uma emergência. Porém a cortina, ao ser puxada, não revelou nada além de três ou quatro ternos pendurados numa fileira de cabides. Holmes se virou e de repente agachou-se no chão.

— Olá! O que é isso? — ele disse.

Era uma pequena pirâmide de material preto, parecido com massa, exatamente como a que estava sobre a mesa do escritório. Holmes segurou-a na palma da mão sob o brilho da luz elétrica.

— Seu visitante parece ter deixado sinais em seu dormitório, além do seu escritório, Sr. Soames.

— O que ele poderia querer aqui?

— Acho que está bastante claro. O senhor voltou por um caminho inesperado, então ele não teve nenhum aviso até que o senhor estivesse na porta. O que ele podia fazer? Pegou tudo o que poderia denunciá-lo e correu para o seu dormitório para se esconder.

— Bom Deus, Sr. Holmes, está me dizendo que o tempo todo que fiquei falando com Bannister aqui, o homem poderia ter sido feito nosso prisioneiro, se apenas soubéssemos disso?

# O RETORNO DE SHERLOCK HOLMES

— É assim que interpreto.

— Certamente existe outra alternativa, Sr. Holmes? Não sei se o senhor observou a janela do meu dormitório.

— Com treliças, caixilho de chumbo, três janelas separadas, uma com dobradiças e grande o suficiente para dar passagem a um homem.

— Exatamente. E dá para um canto do pátio, de modo que é parcialmente invisível. O homem poderia ter entrado por ali, deixado os sinais ao passar pelo dormitório, e finalmente, encontrando a porta aberta, ter fugido por aqui.

Holmes balançou a cabeça, impaciente.

— Vamos ser práticos — ele disse. — Pelo que falou, três estudantes usam essa escada e costumam passar pela sua porta.

— Sim, três.

— E todos farão esse exame?

— Sim.

— Tem algum motivo para desconfiar de um deles mais do que dos outros?

Soames hesitou.

— É uma pergunta muito delicada — ele respondeu. — Ninguém gosta de lançar suspeitas quando não há provas.

— Vamos ouvir as suspeitas. Eu procurarei as provas.

— Vou descrever, então, em poucas palavras, a personalidade dos três homens que ocupam esses quartos. No primeiro andar mora Gilchrist, excelente acadêmico e atleta; joga nas

## OS TRÊS ESTUDANTES

equipes de rúgbi e críquete da escola e foi campeão na corrida com obstáculos e no salto em distância. É um excelente sujeito, muito viril. Seu pai foi o notório Sir Jabez Gilchrist, que perdeu tudo no turfe. Meu aluno ficou muito pobre, mas é esforçado e industrioso. Terá um bom futuro.

"O segundo andar é ocupado por Daulat Ras, o indiano. Ele é um sujeito quieto e inescrutável, como a maioria dos indianos. Vai muito bem em seus trabalhos, embora Língua Grega seja a sua pior disciplina. Ele é determinado e metódico.

"O último andar pertence a Miles McLaren. Ele é brilhante quando decide trabalhar — um dos intelectos mais luminosos da universidade; mas é caprichoso, dissoluto e sem princípios. Quase foi expulso por causa de um escândalo de jogatina no seu primeiro ano. Esteve ocioso por todo o semestre, e provavelmente deve temer o exame."

— Então é dele que o senhor suspeita?

— Eu não ousaria ir tão longe. Mas dos três, ele talvez seja o menos improvável.

— Exatamente. Bem, Sr. Soames, vamos falar com o seu criado, Bannister.

Ele era um homenzinho de rosto pálido, bem barbeado e grisalho, de 50 anos. Ainda sofria com aquela perturbação repentina na rotina tranquila da sua vida. Seu rosto gorducho tremia de nervosismo, e seus dedos não conseguiam ficar parados.

— Estamos investigando esse triste caso, Bannister — disse seu patrão.

— Sim, senhor.

— Pelo que entendi — começou Holmes —, deixou sua chave na porta?

— Sim, senhor.

— Não é extraordinário que tenha feito isso exatamente no dia em que essas folhas estavam lá dentro?

— Foi muito lamentável, senhor. Mas já fiz isso ocasionalmente.

— Quando entrou no quarto?

— Foi por volta das 16h30. É nessa hora que o Sr. Soames toma o chá.

— Quanto tempo ficou?

— Quando vi que ele não estava, retirei-me imediatamente.

— Olhou para essas folhas sobre a mesa?

— Não, senhor; certamente que não.

— Como foi que deixou a chave na porta?

— Eu estava carregando a bandeja do chá. Resolvi voltar depois para pegar a chave. Mas esqueci.

— A porta externa tem uma fechadura de mola?

— Não, senhor.

— Então ficou aberta o tempo todo?

— Sim, senhor.

— Qualquer um que estivesse no quarto poderia sair?

— Sim, senhor.

— Quando o Sr. Soames regressou e mandou chamá-lo, você ficou muito nervoso?

— Sim, senhor. Algo assim nunca aconteceu nos muitos anos em que estive aqui. Quase desmaiei, senhor.

— Fiquei sabendo. Onde estava quando começou a se sentir mal?

— Onde eu estava, senhor? Ora, aqui, perto da porta.

— Isso é peculiar, pois você se sentou naquela poltrona, ali, perto do canto. Por que não se sentou nas outras poltronas mais próximas?

— Não sei, senhor. Não me importava onde me sentaria.

— Acho mesmo que ele não sabia de muita coisa, Sr. Holmes. Parecia bastante mal, bastante pálido.

— Você ficou aqui quando seu patrão saiu?

— Só por cerca de um minuto. Então tranquei a porta e fui para o meu quarto.

— De quem você suspeita?

— Oh, eu não ousaria dizer, senhor. Não acredito que haja algum cavalheiro nesta universidade capaz de se aproveitar de um ato assim. Não, senhor, não acredito nisso.

— Obrigado; isso basta — disse Holmes. — Oh, mais uma coisa. Não comentou com algum dos três cavalheiros que o empregam que algo desapareceu?

— Não, senhor; nem uma palavra.

— Não viu nenhum deles?

— Não, senhor.

— Muito bem. Agora, Sr. Soames, vamos caminhar pelo pátio, se me permite.

Três quadrados amarelos iluminados brilhavam acima de nós na penumbra crescente.

— Seus três passarinhos estão todos nos ninhos — disse Holmes, olhando para cima. — Olá! O que é isso? Um deles parece bastante agitado.

Era o indiano, cuja silhueta escura apareceu de repente na cortina. Ele andava de um lado para o outro no quarto.

— Gostaria de dar uma olhadinha em cada um deles — declarou Holmes. — É possível?

— Não há dificuldade alguma — Soames respondeu. — Essa ala de quartos é a mais antiga da escola, e não é incomum que eles recebam visitas. Venha, vou levá-lo pessoalmente.

— Nada de nomes, por favor! — disse Holmes, quando batemos na porta de Gilchrist. Um jovem alto e magro de cabelo louro a abriu e nos recebeu bem ao entender o motivo da nossa visita. Havia algumas peças bastante curiosas de arquitetura doméstica medieval lá dentro. Holmes ficou tão encantado com uma delas que insistiu em desenhá-la no seu caderno, quebrou a ponta do lápis, pediu outro emprestado ao nosso anfitrião, e por fim pediu uma faca para apontar o seu. O mesmo curioso acidente aconteceu nos quartos do indiano — um sujeitinho silencioso de nariz adunco, que nos olhava de soslaio e ficou obviamente feliz quando os estudos arquitetônicos de Holmes chegaram ao fim. Não achei, em nenhum dos casos, que Holmes tivesse encontrado a pista pela qual procurava. Somente no terceiro a

## OS TRÊS ESTUDANTES

nossa visita revelou-se abortiva. A porta exterior não se abriu quando batemos, e nada mais substancial do que um rio de pragas veio de trás dela.

— Não quero saber quem são. Podem ir para o inferno! — rugiu a voz furiosa. — O exame é amanhã, e não quero ser distraído por ninguém.

— Um sujeito grosseiro — disse o nosso guia, vermelho de raiva, enquanto descíamos a escada. — Claro que ele não sabia que era eu que estava batendo, mas mesmo assim, sua conduta foi muito descortês, e até, nestas circunstâncias, um tanto suspeita.

A reação de Holmes foi curiosa.

— Pode me dizer a altura exata dele? — Holmes perguntou.

— Realmente, Sr. Holmes, não saberia dizer. É mais alto do que o indiano, mas não tão alto quanto Gilchrist. Acho que teria aproximadamente 1,67 metro.

— Isso é muito importante — disse Holmes. — E agora, Sr. Soames, eu lhe desejo uma boa noite.

Nosso guia proferiu uma ruidosa exclamação de assombro e desânimo.

— Pelos céus, Sr. Holmes, certamente não vai me abandonar de forma tão abrupta! Parece que não entendeu a minha situação. O exame é amanhã. Preciso tomar alguma atitude concreta esta noite. Não posso permitir que se faça o exame se uma das folhas foi descoberta. Esse problema precisa ser enfrentado.

— Precisa deixar tudo como está. Eu chegarei cedo amanhã de manhã e discutirei o assunto. É possível que então eu esteja em condições de indicar algum plano de ação. Enquanto isso, não mude nada, absolutamente nada.

— Muito bem, Sr. Holmes.

— Pode ficar totalmente sossegado. Certamente descobriremos alguma saída para as suas dificuldades. Vou levar a argila preta comigo e as lascas do lápis. Adeus.

Quando saímos para a escuridão do pátio, novamente olhamos para as janelas. O indiano continuava andando de um lado para o outro em seu quarto. As outras estavam invisíveis.

— Bem, Watson, o que acha disso? — Holmes perguntou, quando saímos na rua principal. — Um joguinho interessante de salão; parece o truque das três cartas, não? Temos três homens. Deve ser um deles. Escolha um. Qual é o seu?

— O sujeito boca-suja do último andar. Ele é o que tem a pior ficha corrida. No entanto, aquele indiano também me pareceu bem matreiro. Por que fica o tempo todo andando de um lado para o outro no quarto?

— Isso não quer dizer nada. Muitos homens o fazem quando estão tentando decorar alguma coisa.

— Ele nos olhava de um jeito estranho.

— Você também olharia, se um bando de desconhecidos entrasse no seu quarto quando você estivesse se preparando para uma prova no dia seguinte, e cada momento fosse

## OS TRÊS ESTUDANTES

precioso. Não, não vejo nada de mais nisso. Lápis, também, e facas, tudo era satisfatório. Mas *aquele* camarada me intriga.

— Quem?

— Ora, Bannister, o criado. Qual a participação dele no caso?

— Ele me pareceu completamente honesto.

— Também achei. Essa é a parte intrigante. Por que um homem completamente honesto... Ora, ora, aqui está uma papelaria das grandes. Vamos começar nossas pesquisas aqui.

Havia apenas quatro papelarias importantes na cidade, e em cada uma Holmes apresentou suas lascas de lápis e ofereceu uma grande quantia por um igual. Todas concordavam que poderiam encomendá-lo, mas que não era um lápis de tamanho comum, e raramente o tinham em estoque. Meu amigo não pareceu deprimido pelo fracasso, mas deu de ombros, numa resignação um tanto jocosa.

— Nada de bom, meu caro Watson. Esta, a melhor pista e a única definitiva, não deu em nada. Mas, de fato, pouco duvido de que possamos acumular provas suficientes sem ela. Por Jove! Caro colega, são quase 21 horas, e a senhoria tagarelava sobre ervilhas às 19h30. Com seu eterno vício pelo tabaco, Watson, e sua irregularidade no horário das refeições, imagino que você receberá um aviso de despejo, e eu compartilharei da sua desgraça; não, todavia, antes que resolvamos o problema do orientador nervoso, do criado distraído e dos três estudantes empreendedores.

Holmes não fez mais nenhuma alusão ao assunto naquele dia, embora tenha ficado perdido em pensamentos por muito tempo depois do nosso jantar tardio. Às oito da manhã, ele entrou no meu quarto quando eu terminava minha toalete.

— Bem, Watson — ele disse —, está na hora de irmos para St. Luke's. Você suportaria ir em jejum?

— Claro.

— Soames terá faniquitos pavorosos até que possamos lhe contar algo positivo.

— Você tem algo positivo para lhe contar?

— Acho que sim.

— Chegou a uma conclusão?

— Sim, meu caro Watson; resolvi o mistério.

— Mas que novas provas você poderia ter?

— Aha! Não foi à toa que caí da cama num horário desumano como seis da manhã. Já trabalhei duro por duas horas, percorri no mínimo oito quilômetros e trago resultados. Veja isto!

Ele abriu a mão. Em sua palma estavam três pequenas pirâmides de argila preta.

— Ora, Holmes, você só tinha duas ontem!

— E mais uma esta manhã. É um bom argumento que o lugar de onde veio a pirâmide número 3 deve também ser a fonte das números 1 e 2. Hein, Watson? Bem, venha, vamos acabar com a agonia do nosso amigo Soames.

## OS TRÊS ESTUDANTES

O desventurado orientador estava realmente num estado de agitação deplorável quando o encontramos em seus aposentos. Dali a algumas horas o exame começaria, e ele continuava dividido entre levar os fatos a público ou permitir que o culpado competisse pela valiosa bolsa. Mal conseguia ficar parado, tão grande era a sua agitação mental, e correu para Holmes com ambas as mãos sôfregas estendidas.

— Graças a Deus o senhor chegou! Temia que tivesse desistido, acometido pelo desespero. O que devo fazer? O exame deve acontecer?

— Sim, absolutamente; deixe que aconteça.

— Mas o patife...?

— Ele não participará.

— O senhor o conhece?

— Acho que sim. Para que este caso não venha a público, precisamos nos imbuir de certos poderes e formarmos uma pequena corte marcial particular. Você ali, por favor, Soames! Watson, você aqui! Eu me sentarei na poltrona do meio. Acho que agora parecemos suficientemente imponentes para infundir terror num peito culpado. Por favor, toque a sineta!

Bannister entrou e se encolheu todo, evidentemente surpreso e apavorado pela nossa aparência judicial.

— Por gentileza, feche a porta — disse Holmes. — Bem, Bannister, pode, por favor, dizer-nos a verdade sobre o incidente de ontem?

O homem ficou branco até a raiz dos cabelos.

— Eu já lhe contei tudo, senhor.

— Nada a acrescentar?

— Nada mesmo, senhor.

— Bem, então, preciso fazer-lhe algumas sugestões. Quando se sentou naquela poltrona ontem, fez isso de modo a esconder algum objeto que teria revelado quem estivera no quarto?

O rosto de Bannister era cadavérico.

— Não, senhor; certamente que não.

— É apenas uma sugestão — disse Holmes de maneira suave. — Francamente, admito que não tenho como prová-la. Mas me parece bastante plausível, já que assim que o Sr. Soames lhe deu as costas, você libertou o homem que estava escondido naquele dormitório.

Bannister passou a língua pelos lábios secos.

— Não havia homem nenhum, senhor.

— Ah, que pena, Bannister. Até este ponto você poderia ter dito a verdade, mas agora sei que mente.

O rosto do homem assumiu um ar de moroso desafio.

— Não havia homem nenhum, senhor.

— Vamos, vamos, Bannister.

— Não, senhor; não havia ninguém.

— Nesse caso, você não pode nos dar mais nenhuma informação. Por favor, se importa de permanecer conosco? Ali, perto da entrada do dormitório. Bem, Soames, vou pedir que faça a grande gentileza de subir ao quarto do jovem Gilchrist e pedir que ele desça para o seu.

Um instante depois, o orientador voltou, trazendo consigo o estudante. Ele era um belo homem, alto, esguio e ágil, com passos velozes e um rosto franco e agradável. Seus nervosos olhos azuis pousaram em cada um de nós, e finalmente avistaram, com uma expressão de mudo desânimo, Bannister no canto oposto.

— Feche a porta — disse Holmes. — Bem, Sr. Gilchrist, estamos todos sozinhos aqui, e ninguém mais precisa saber uma palavra do que for dito entre nós. Podemos ser completamente francos uns com os outros. Queremos saber, Sr. Gilchrist, como o senhor, um homem honrado, pôde cometer um ato como o de ontem?

O desafortunado jovem cambaleou para trás e lançou um olhar cheio de horror e reprovação para Bannister.

— Não, não, Sr. Gilchrist, senhor; eu não disse nem uma palavra; nem uma palavra! — exclamou o criado.

— Não, mas disse agora — sentenciou Holmes. — Bem, senhor, deve entender que depois das palavras de Bannister, sua situação é desesperadora, e sua única chance está numa confissão franca.

Por um momento, Gilchrist, com a mão levantada, tentou controlar seu contorcido semblante. Em seguida, jogou-se de joelhos ao lado da mesa, e afundando o rosto nas mãos, rompeu numa tormenta de pungentes soluços.

— Ora, ora — disse delicadamente Holmes —; errar é humano, e ao menos ninguém pode acusá-lo de ser um criminoso empedernido. Talvez seja melhor para o senhor que eu conte ao Sr. Soames o que aconteceu, e pode me interromper se eu estiver errado. Quer que eu faça isso? Bem, bem, não precisa responder. Ouça e cuide para que eu não lhe faça nenhuma injustiça.

"Desde o momento, Sr. Soames, em que me disse que ninguém, nem mesmo Bannister, poderia saber que as folhas estavam no seu quarto, o caso começou a tomar uma forma definida em minha mente. O tipógrafo podia, é claro, ser descartado. Se quisesse, ele teria examinado as folhas na própria gráfica. Do indiano eu também não pensava nada. Se as folhas estavam enroladas, ele não poderia saber o que eram. Por outro lado, parecia uma coincidência impensável que alguém tivesse ousado entrar no quarto, e por acaso naquele mesmo dia as folhas estivessem sobre a mesa. Descartei isso. O homem que entrou sabia que as folhas estavam lá. Como sabia?

"Quando cheguei ao seu quarto, eu examinei a janela. O senhor me divertiu quando supôs que eu contemplava a possibilidade de alguém, em plena luz do dia, sob o olhar de todos os outros quartos em frente, ter entrado por ali. Tal ideia era absurda. Eu estava medindo que altura um homem precisaria ter para conseguir ver, ao passar, que havia folhas sobre a mesa central. Eu meço 1,83 m, e pude fazê-lo sem esforço. Ninguém menor do que isso conseguiria.

## OS TRÊS ESTUDANTES

Como vê, eu já tinha motivos para crer que se um dos seus três estudantes fosse de estatura incomum, seria dos três o que mais valeria a pena ser vigiado.

"Eu entrei e lhe confidenciei o que a mesinha lateral me sugeria. Na mesa central, não pude descobrir nada, até que, na sua descrição de Gilchrist, o senhor mencionou que ele praticava salto a distância. Então tudo aclarou-se para mim num instante, e eu só precisava de certas provas corroborantes, que rapidamente obtive.

"O que aconteceu foi o seguinte: esse jovem passara a tarde na pista de atletismo, onde estava praticando seus saltos. Voltou trazendo seus sapatos esportivos, que têm, como o senhor sabe, várias travas na sola. Ao passar pela sua janela, ele viu, graças à sua grande estatura, as provas sobre a mesa, e conjecturou o que poderiam ser. Nenhum mal teria sido feito se não fosse pelo fato de que, ao passar por sua porta, ele notou a chave, que fora deixada pelo descuido do seu criado. Um ímpeto repentino surgiu nele de entrar e verificar se eram mesmo as provas. Não era uma empreitada perigosa, pois ele poderia sempre fingir que entrara simplesmente para perguntar algo.

"Bem, quando ele viu que eram de fato as provas, foi então que cedeu à tentação. Deixou seus sapatos sobre a mesa. O que deixou naquela poltrona perto da janela?"

— Luvas — respondeu o jovem.

Holmes olhou triunfante para Bannister.

— Ele deixou as luvas na poltrona e pegou as provas, folha por folha, para copiá-las. Achava que o orientador voltaria pelo portão principal, e que poderia vê-lo. Como sabemos, ele entrou pela porta lateral. De repente, Gilchrist ouviu-o assomar à porta. Não havia fuga possível. Ele esqueceu as luvas, mas pegou os sapatos e correu para o dormitório. Observem que o arranhão na mesa é leve de um lado, mas se aprofunda na direção da porta do dormitório. Só isso já basta para mostrar que os sapatos foram arrastados naquela direção, e que o culpado se refugiara ali. A terra ao redor da trava ficou sobre a mesa, e uma segunda amostra soltou-se e caiu no dormitório. Posso acrescentar que fui até a pista de atletismo hoje de manhã, vi que uma argila preta e pegajosa é usada na caixa dos saltos, e peguei uma amostra dela, junto com um pouco da fina casca ou serragem que é espalhada sobre ela para evitar que os atletas escorreguem. Eu disse a verdade até aqui, Sr. Gilchrist?

O estudante ficara mais ereto.

— Sim, senhor, é verdade — ele disse.

— Pelos céus, não tem nada a acrescentar? — exclamou Soames.

— Sim, senhor, tenho, mas o choque desta aviltante denúncia me atordoou. Tenho uma carta aqui, Sr. Soames, que lhe escrevi esta madrugada, durante uma noite insone. Foi antes que eu soubesse que meu pecado havia sido descoberto. Aqui está, senhor. Verá que digo nela: "Resolvi não

## OS TRÊS ESTUDANTES

participar do exame. Ofereceram-me um cargo na polícia da Rodésia, e partirei para a África do Sul imediatamente".

— Fico realmente feliz em saber que o senhor não pretendia se aproveitar de sua vantagem desleal — disse Soames. — Mas por que mudou suas intenções?

Gilchrist apontou para Bannister.

— Aí está o homem que me pôs no caminho certo — ele respondeu.

— Vamos, Bannister — começou Holmes. — Deve estar claro, pelo que eu disse, que somente você poderia ter deixado esse jovem sair, já que ficou no quarto e deve ter trancado a porta ao sair. Quanto a ele fugir pela janela, seria inacreditável. Não pode esclarecer o último detalhe desse mistério e nos contar o motivo do seu ato?

— Seria tudo muito simples, se apenas o senhor soubesse; mas mesmo com toda a sua esperteza, era impossível que soubesse. Houve um tempo, senhor, em que fui mordomo do velho Sir Jabez Gilchrist, pai desse jovem cavalheiro. Com a ruína do patrão, vim trabalhar na escola como criado, mas jamais esqueci meu antigo empregador, por ele ter sofrido tal queda. Cuidava de seu filho como podia, em nome dos velhos tempos. Bem, senhor, quando entrei neste quarto ontem, depois que o alarme foi dado, a primeira coisa que vi foram as luvas do Sr. Gilchrist naquela poltrona. Eu conhecia bem essas luvas, e entendi sua mensagem. Se o Sr. Soames as visse, tudo estaria perdido. Joguei-me na poltrona, e nada me tiraria de

# O RETORNO DE SHERLOCK HOLMES

lá antes que o Sr. Soames fosse procurar o senhor. Então meu pobre jovem patrão, que já coloquei no colo, saiu e me confessou tudo. Não era natural, senhor, que eu o salvasse, e não era natural também que eu tentasse conversar com ele, como seu falecido pai teria feito, e fazê-lo entender que ele não deveria se aproveitar de tal ato? Pode me culpar, senhor?

— De fato, não! — exclamou Holmes com franqueza, saltando de pé. — Bem, Soames, acho que resolvemos nosso probleminha, e o desjejum nos aguarda em casa. Venha, Watson! Quanto ao senhor, acredito que um futuro brilhante o aguarda na Rodésia. Desta vez sofreu uma queda. Veremos, no futuro, até onde conseguirá subir.

*dez*

# O PINCE-NEZ DOURADO

Quando olho para os três massivos volumes manuscritos que contêm nosso trabalho do ano de 1894, confesso que me é muito difícil, de um material tão rico, selecionar os casos mais interessantes por eles mesmos, e ao mesmo tempo mais adequados para demonstrar aqueles peculiares poderes pelos quais meu amigo era famoso. Ao virar as páginas, vejo minhas anotações sobre a repulsiva história da sanguessuga vermelha e da morte terrível de Crosby, o banqueiro. Ali também acho um relato da tragédia de Addleton e o singular conteúdo do antigo túmulo inglês. O famoso caso da sucessão de Smith-Mortimer também faz parte desse período, bem como a busca e apreensão de Huret, o assassino do Boulevard — uma façanha que rendeu a Holmes uma carta autografada de agradecimento do presidente francês, e a Ordem da Legião de Honra. Cada um desses renderia uma narrativa, mas de maneira geral, sou da opinião de que nenhum deles une tantos pontos singulares de interesse quanto o episódio de Yoxley Old Place, que inclui não só a morte lamentável do jovem Willoughby Smith, mas também os desdobramentos subsequentes, que lançaram uma luz tão curiosa sobre as causas do crime.

Era uma noite de tempestade feroz no fim de novembro. Holmes e eu ficamos em silêncio a noite toda, ele ocupado com uma potente lupa, decifrando os restos da inscrição original de um palimpsesto, eu mergulhado num tratado recente sobre cirurgia. Lá fora, o vento uivava pela Baker Street, enquanto a chuva batia ferozmente nas janelas. Era estranho, ali, nas profundezas da cidade, com 15 quilômetros de obras do homem em cada direção ao nosso redor, sentir a mão de ferro da natureza, e ter consciência de que, para a imensa força dos elementos, toda a Londres não era mais do que as tocas de toupeiras que pontilhavam os campos. Fui até a janela e olhei para a rua deserta. As lâmpadas ocasionais brilhavam sobre a vastidão da estrada enlameada e do calçamento encharcado. Um único táxi chafurdava nas poças, vindo do lado da Oxford Street.

— Bem, Watson, ainda bem que não precisamos sair esta noite — disse Holmes, deixando de lado sua lupa e

## O PINCE-NEZ DOURADO

enrolando o palimpsesto. — Já fiz o suficiente por uma sessão. É um trabalho que exige muito dos olhos. Até onde consigo decifrar, não é nada mais empolgante do que as contas de um abade da segunda metade do século XV. Olá! Olá! Olá! O que é isso?

Em meio ao rugir do vento, chegara o ruído dos cascos de um cavalo e o longo ranger estridente de uma roda raspando no meio-fio. O táxi que eu vira havia parado na nossa porta.

— O que ele pode querer? — exclamei, quando um homem saiu dele.

— Querer! Ele quer a nós. E nós, meu pobre Watson, queremos sobretudos, xales e galochas, e tudo o que o homem já inventou para combater as intempéries. Mas espere um pouco! O táxi está partindo! Ainda há esperança. Ele teria mandado a carruagem esperar, se quisesse que o acompanhássemos. Corra lá para baixo, caro colega, e abra a porta, pois todas as pessoas virtuosas já estão dormindo faz tempo.

Quando a luz da lâmpada do corredor iluminou nosso visitante da meia-noite, não tive dificuldade em reconhecê-lo. Era o jovem Stanley Hopkins, um detetive promissor, em cuja carreira várias vezes Holmes mostrara um interesse muito prático.

— Ele está? — o detetive perguntou, ansioso.

— Suba, caro senhor — a voz de Holmes disse do alto. — Espero que não tenha nenhum plano que nos inclua, numa noite como esta.

O detetive subiu a escada e nossa lâmpada brilhou sobre seu impermeável molhado. Eu o ajudei a tirá-lo, enquanto Holmes avivava as chamas dos troncos na lareira.

— Bem, meu caro Hopkins, aproxime-se e aqueça seus pés — ele disse. — Aqui está um charuto, e o doutor tem uma receita de água quente com limão que é um bom remédio numa noite como esta. Deve ser algo importante, para tê-lo trazido aqui em meio a tamanha tormenta.

— De fato é, Sr. Holmes. Tive uma tarde agitada, garanto. Viu algo sobre o caso Yoxley nos últimos jornais?

— Não vi nada mais recente do que o século XV hoje.

— Bem, era só um parágrafo, e cheio de erros, aliás, portanto, o senhor não perdeu nada. Eu não fiquei marcando passo. Foi em Kent, a 11 quilômetros de Chatham e a cinco da ferrovia. Mandaram me chamar por cabograma às 15h15, cheguei a Yoxley Old Place às 17 horas, fiz minha investigação, voltei para Charing Cross com o último trem, e vim direto para cá de táxi.

— O que significa, suponho, que seu caso não está muito claro?

— Significa que não estou entendendo patavina. Até onde pude verificar, é o negócio mais confuso que já investiguei; no entanto, de início, parecia tão simples que teria sido impossível errar. Não existe um motivo, Sr. Holmes. É isso que me incomoda, não consigo definir um motivo. Um homem está morto, isso não há como negar, mas, até

# O PINCE-NEZ DOURADO

onde pude ver, não há um motivo no mundo para alguém querer lhe fazer mal.

Holmes acendeu seu charuto e refestelou-se em sua poltrona.

— Vamos ouvir — ele falou.

— Os fatos estão bastante claros — disse Stanley Hopkins.

— Tudo o que quero, agora, é saber o que significam. A história, até onde pude discernir, foi assim. Alguns anos atrás, uma casa no campo, Yoxley Old Place, foi ocupada por um velho senhor, que se apresentou como o Professor Coram. Ele é inválido, passa metade do tempo na cama, e a outra metade claudicando pela casa com uma bengala, ou sendo empurrado no pátio pelo jardineiro, numa cadeira de rodas. Os poucos vizinhos que o visitavam gostavam dele, e ele tem a reputação por lá de ser um homem muito culto. Em sua casa, mantinha uma governanta idosa, a Sra. Marker, e uma criada, Susan Tarlton. As duas estavam com ele desde sua chegada, e parecem ser mulheres de excelente caráter. O professor está escrevendo um texto acadêmico, e achou necessário, há cerca de um ano, contratar um secretário. Os primeiros dois que tentaram não foram bem-sucedidos; mas o terceiro, o Sr. Willoughby Smith, um jovem muito novo, recém-formado na universidade, parecia ser tudo o que seu empregador queria. Seu trabalho consistia em escrever todas as manhãs o que o professor ditava, e em geral passar a tarde pesquisando referências e citações relevantes para o trabalho do dia seguinte. Esse Willoughby Smith não tem nada que o comprometa, nem em sua infância em Uppingham, nem em sua juventude em Cambridge. Ouvi depoimentos sobre ele, e desde o início ele foi um sujeito decente, discreto, esforçado, sem absolutamente nenhum ponto fraco. No entanto, foi esse rapaz que morreu esta manhã no escritório do professor, em circunstâncias que só podem indicar um assassinato.

O vento uivava e gritava nas janelas. Holmes e eu nos aproximamos do fogo, enquanto o jovem inspetor, lenta e metodicamente, continuava sua singular narrativa.

— Se buscassem por toda a Inglaterra — ele disse —, imagino que os senhores não poderiam encontrar uma casa mais isolada ou livre de influências externas. Semanas inteiras se passavam, e nenhum dos ocupantes atravessava o portão do jardim. O professor estava mergulhado no seu trabalho, e não vivia para mais nada. O jovem Smith não conhecia ninguém na vizinhança e vivia de forma bem similar ao seu patrão. As duas mulheres não tinham nada que as afastasse da casa. Mortimer, o jardineiro, que empurra a cadeira de rodas, é militar reformado — um velho soldado da campanha da Crimeia, de excelente caráter. Não mora na casa, mas num chalé de três cômodos na outra extremidade do jardim. Essas são as únicas pessoas que se encontram dentro de Yoxley Old Place. Ao mesmo tempo, o portão do jardim fica a menos de cem metros da estrada principal entre Londres e Chatham. É fechado por um ferrolho, e não há nada que impeça qualquer um de entrar lá.

# O PINCE-NEZ DOURADO

"Agora vou mencionar o depoimento de Susan Tarlton, que é a única pessoa capaz de dizer algo concreto sobre o caso. Foi de manhã, entre onze e meio-dia. Ela estava ocupada, no momento, pendurando umas cortinas no dormitório da frente, no primeiro andar. O Professor Coram ainda estava na cama, pois com tempo ruim, raramente se levanta antes do meio-dia. A governanta estava ocupada com algum trabalho nos fundos da casa. Willoughby Smith estava em seu quarto, que usava como escritório; mas a criada o ouviu, naquele momento, passar pelo corredor e descer para o estúdio imediatamente abaixo dela. Ela não o viu, mas disse que não teria como confundir seu passo rápido e firme. Ela não escutou a porta do estúdio se fechando, mas cerca de um minuto depois ouviu um grito medonho no cômodo abaixo. Era um berro tresloucado e rouco, tão estranho e antinatural que poderia ser tanto de um homem quanto de uma mulher. No mesmo instante, houve uma pancada forte, que abalou a casa inteira, e em seguida, só silêncio. A criada ficou petrificada por um momento, e então, recobrando a coragem, correu para baixo. A porta do estúdio estava fechada e ela a abriu. Lá dentro, o jovem Sr. Willoughby Smith estava estirado no chão. De início ela não notou nenhum ferimento, mas quando tentou erguê-lo, viu que o sangue escorria da parte de baixo do pescoço. Ele fora perfurado, um ferimento muito pequeno, mas muito fundo, que seccionara a artéria carótida. O instrumento com o qual o ferimento fora infligido jazia no tapete, ao lado dele. Era uma daquelas pequenas facas usadas para cortar cera de lacre, encontradas em escrivaninhas antigas, com cabo de marfim e uma lâmina rija. Ela fazia parte dos itens da escrivaninha do professor.

"De início, a criada achou que o jovem Smith já estivesse morto, mas quando derramou um pouco d'água da jarra em sua testa, ele abriu os olhos por um instante. 'O professor', ele murmurou — 'era ela'. A criada está disposta a jurar que aquelas foram suas palavras exatas. Ele tentou desesperadamente dizer mais alguma coisa, e ergueu a mão direita no ar. Então caiu morto.

"Enquanto isso, a governanta também havia chegado ao local, mas tarde demais para ouvir as palavras do jovem moribundo. Deixando Susan com o corpo, ela correu para o quarto do professor. Ele estava sentado na cama, horrivelmente agitado, pois ouvira o suficiente para se convencer de que algo terrível acontecera. A Sra. Marker podia jurar que o professor ainda estava em sua roupa de dormir, e de fato, era impossível que se vestisse sem a ajuda de Mortimer, cujas ordens eram para vir ao meio--dia. O professor declara que ouviu o grito distante, mas não sabe de mais nada. Não consegue dar uma explicação para as últimas palavras do jovem: 'O professor — era ela', mas imagina que tenham sido o resultado de um delírio. Ele acredita que Willoughby Smith não tinha nenhum inimigo no mundo, e não consegue pensar num motivo para o crime. Sua primeira ação foi mandar Mortimer, o jardineiro, chamar a polícia local. Pouco depois, o chefe local mandou me chamar. Ninguém mexeu em nada até eu chegar, e foram dadas ordens expressas para que ninguém andasse pelos acessos que levam até a casa. Era uma chance esplêndida de pôr suas teorias em prática, Sr. Sherlock Holmes. Realmente não faltava nada."

— Exceto o Sr. Sherlock Holmes! — disse o meu colega, com um sorriso um tanto amargo. — Bem, vamos ouvir. Que espécie de crime você acha que é?

— Antes preciso pedir, Sr. Holmes, que dê uma olhada nesta planta rudimentar, que lhe dará uma ideia geral da posição do estúdio do professor e dos vários detalhes do caso. Vai ajudá-lo a acompanhar as minhas investigações.

Ele desdobrou o mapa rudimentar, que aqui reproduzo e o abriu sobre os joelhos de Holmes. Eu me levantei, e, atrás de Holmes, o estudei por cima do seu ombro.

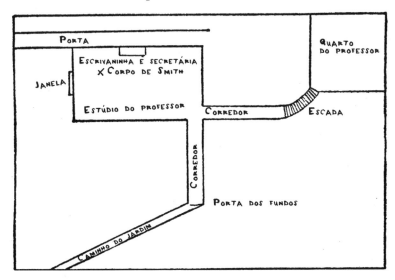

— É bem rudimentar, claro, e só reproduz os pontos que me parecem essenciais. Todo o resto, o senhor verá por si mesmo depois. Agora, antes de tudo, presumindo que o assassino tenha entrado na casa, como ele ou ela entraram? Sem dúvida pelo caminho do jardim e pela porta dos fundos, de onde há um acesso direto ao estúdio. Qualquer outro itinerário seria demasiadamente complicado. A fuga também deve ter sido feita por essa rota, pois, das duas outras saídas do quarto, uma estava bloqueada por Susan, que corria escada abaixo, e a outra leva diretamente ao dormitório do professor. Portanto, voltei minha atenção de imediato para o caminho do jardim, que estava saturado pela recente chuva e certamente revelaria qualquer pegada.

"Meu exame revelou que eu estava lidando com um criminoso cauteloso e experiente. Nenhuma pegada foi encontrada no caminho. Não restava dúvida, no entanto, de que alguém passara pela borda de grama que ladeia o caminho, e que o fizera para evitar deixar rastros. Não consegui encontrar nada da natureza de uma marca distinta, mas a grama estava pisoteada, e alguém sem dúvida passara ali. Só poderia ter sido o assassino, pois nem o jardineiro, nem ninguém estivera ali naquela manhã, e a chuva só começara durante a noite.

— Um momento — disse Holmes. — Aonde leva esse caminho?

— Para a estrada.

— Qual o comprimento?

— Uns cem metros.

— No ponto em que o caminho atravessa o portão, certamente você conseguiu ver as pegadas?

— Infelizmente, o caminho tem ladrilhos naquele ponto.

— E na estrada mesmo?

— Não, estava cheia de marcas, uma lama só.

— Há-há! Bem, então, esses rastros na grama, estavam indo ou vindo?

— Impossível saber. Não havia nenhum contorno.

— Um pé pequeno ou grande?

— Não havia como distinguir.

Holmes soltou uma interjeição de impaciência.

— Já choveram cântaros e passou um furacão desde então — ele disse. — Agora vai ser mais difícil de ler do que o palimpsesto. Bem, bem, não há o que fazer. Qual seu passo seguinte, Hopkins, depois de certificar-se de que não se certificou de absolutamente nada?

— Acho que me certifiquei de muita coisa, Sr. Holmes. Sei que alguém entrou na casa cautelosamente de fora. Em seguida, examinei o corredor. Ele é atapetado com fibra de coco, e não conservou pegadas de espécie alguma. Isso me levou para o estúdio em si. É um cômodo pouco mobiliado. A peça principal é uma grande escrivaninha com uma secretária fixa. Essa secretária consiste em um gaveteiro duplo com um pequeno gabinete central entre as gavetas. As gavetas estavam abertas; o gabinete, trancado. As gavetas, ao que parece, ficavam sempre abertas, e nada de valor era conservado nelas. Havia alguns papéis importantes no gabinete, mas nenhum sinal de que tivessem sido manipulados, e o professor me garante que nada estava faltando. É certo que nenhum furto foi cometido.

"Agora chego ao cadáver do jovem. Ele foi encontrado perto da secretária, e bem à esquerda dela, como está marcado no mapa. A perfuração era no lado direito do pescoço e de trás para diante, de modo que é quase impossível que ele mesmo a tenha causado."

— A menos que tenha caído sobre a faca — disse Holmes.

— Exatamente. Cheguei a pensar nisso. Mas encontramos a faca a alguns metros do corpo, então isso parece impossível. E, claro, há as palavras do moribundo. Finalmente, havia esta pista assaz importante, que encontrei na mão direita do morto.

Stanley Hopkins tirou do bolso um pequeno embrulho de papel. Ele o abriu e revelou um *pince-nez* dourado, com duas pontas rompidas de cordão de seda preta numa extremidade.

— Willoughby Smith tinha visão excelente — ele acrescentou. — Não resta dúvida de que isto foi arrancado do rosto ou da roupa do assassino.

Sherlock Holmes pegou os óculos e os examinou com a maior atenção e interesse. Ele os pôs no nariz, tentou ler através deles, foi até a janela e olhou para a rua com eles, observou-os meticulosamente à luz da lâmpada e, finalmente, com uma risadinha, sentou-se à mesa e escreveu algumas linhas numa folha de papel, que jogou para Stanley Hopkins.

— Isso é o melhor que posso fazer por você — ele disse. — Pode ser de alguma utilidade.

O assombrado detetive leu o bilhete em voz alta. Ele dizia o seguinte:

*Procura-se uma mulher de boa estirpe, vestida como dama. Ela tem um nariz peculiarmente grosso, com olhos próximos um do outro. Tem testa enrugada, olhar penetrante, e provavelmente ombros redondos. Há indicações de que ela recorreu a um oculista ao menos duas vezes nos últimos meses. Como seus óculos são notavelmente fortes, e os oculistas não são muito numerosos, não deve ser difícil localizá-la.*

Holmes sorriu do assombro de Hopkins, que devia estar espelhado no meu semblante.

— Certamente, minhas deduções são a própria simplicidade — ele disse. — Seria difícil mencionar qualquer artigo que proporcione um campo melhor para inferências do que um par de óculos, especialmente um par notável como esse. Que eles pertençam a uma mulher, inferi de sua delicadeza e também, claro, das últimas palavras do moribundo. Quanto a ela ser uma pessoa refinada e elegante, eles têm, como percebem, uma fina armação de ouro maciço, e é inconcebível que alguém que use óculos assim seja desleixado em outros aspectos. Você observará que as presilhas são largas demais para o seu nariz, mostrando que o nariz da dama era bem largo na base. Esse tipo de nariz em geral é curto e áspero, mas há um número suficiente de exceções para evitar que eu seja dogmático ou insista nesse detalhe na minha descrição. Meu rosto é estreito, no entanto, não consigo olhar pelo meio, nem perto do meio, dessas lentes. Portanto, os olhos da dama estão muito próximos do nariz. Vai perceber, Watson, que as lentes são côncavas e incomumente fortes. Uma senhora cuja visão foi tão extremamente limitada a vida toda com certeza deve ter as características físicas de quem tem tal deficiência, que são observáveis na testa, nas pálpebras e nos ombros.

— Sim — eu disse —, consigo entender cada um dos seus argumentos. Confesso, no entanto, que não consigo entender como chegou à dupla consulta com o oculista.

Holmes pegou os óculos.

— Você vai perceber — ele disse — que as presilhas estão forradas com tirinhas de cortiça, para aliviar a pressão sobre o nariz. Uma delas está um pouco desbotada e gasta, mas a outra é nova. Evidentemente, uma caiu e foi substituída. Julgo que a mais velha delas não deve ter mais do que alguns meses. Elas são exatamente iguais, então suponho que a madame voltou ao mesmo estabelecimento para repor a outra.

# O PINCE-NEZ DOURADO

— Pelos céus, é maravilhoso! — exclamou Hopkins, num êxtase de admiração. — E pensar que eu tinha todas essas evidências na mão e nem sabia! Eu pretendia, de qualquer forma, passar por todos os oculistas de Londres.

— Claro que sim. Enquanto isso, tem algo mais para nos contar sobre o caso?

— Nada, Sr. Holmes. Acho que o senhor sabe tanto quanto eu agora; provavelmente mais. Inquirimos sobre qualquer desconhecido visto nas estradas rurais ou na estação de trem. Não soubemos de nada. O que me desanima é a total falta de qualquer objetivo no crime. Nem a sombra de um motivo ninguém é capaz de sugerir.

— Ah! Nisso não estou em condições de ajudá-lo. Mas suponho que quer que o acompanhemos amanhã?

— Se não for pedir demais, Sr. Holmes. Há um trem de Charing Cross para Chatham às 6 horas, e chegaríamos em Yoxley Old Place entre 8 e 9 horas.

— Então vamos tomá-lo. Seu caso certamente tem algumas características de grande interesse, e ficarei encantado em dar uma olhada. Bem, é quase uma da manhã, e é melhor que durmamos algumas horas. Ouso dizer que você ficará bem ajeitado no sofá, diante do fogo. Vou acender a espiriteira e lhe dar uma xícara de café antes de partirmos.

A tormenta se esgotara no dia seguinte, mas foi numa manhã gelada que começamos nossa jornada. Vimos o frio sol de

# O RETORNO DE SHERLOCK HOLMES

inverno nascer sobre os melancólicos mangues do Tâmisa e as longas curvas pasmacentas do rio, que sempre associarei com nossa perseguição ao ilhéu de Andamã no início da nossa carreira. Depois de uma viagem longa e cansativa, desembarcamos numa pequena estação a alguns quilômetros de Chatham. Enquanto um cavalo estava sendo atrelado a uma carroça na hospedaria local, fizemos um desjejum apressado, e assim, estávamos prontos para o trabalho quando finalmente chegamos a Yoxley Old Place. Um policial nos encontrou no portão do jardim.

— Bem, Wilson, alguma novidade?

— Não, senhor, nada.

— Nenhum relato de algum desconhecido ter sido visto?

— Não, senhor. Lá na estação, todos têm certeza de que ninguém desconhecido chegou ou foi embora ontem.

— Mandou perguntar nas hospedarias e pousadas?

— Sim, senhor; não houve ninguém que não pudéssemos identificar.

— Bem, é só uma pequena caminhada até Chatham. Qualquer um poderia hospedar-se ali, ou tomar um trem sem ser observado. Este é o caminho do jardim do qual falei, Sr. Holmes. Dou minha palavra de que não havia nenhuma marca nele ontem.

— De que lado estavam as marcas na grama?

— Deste lado, senhor. Nesta margem estreita de grama entre o caminho e o canteiro de flores. Não estou vendo os rastros agora, mas eram claros para mim ontem.

— Sim, sim; alguém passou por aqui — disse Holmes, curvando-se sobre a grama. — Nossa dama deve ter pisado cuidadosamente, não é mesmo, já que de um lado ficaria um rastro no caminho, e do outro, um rastro ainda mais claro neste canteiro fofo.

— Sim, senhor; ela deve ter muito sangue-frio.

Vi uma expressão concentrada passar pelo rosto de Holmes.

— Você diz que ela deve ter voltado por este caminho?

— Sim, senhor; não existe outro.

— Por esta faixa de grama?

— Com certeza, Sr. Holmes.

— Hum! Foi um desempenho digno de nota; digno de nota. Bem, acho que já esgotamos o caminho. Vamos seguir adiante. Esta porta do jardim normalmente fica aberta, suponho? Então a visitante não precisou fazer nada além de entrar. A ideia de assassinato não estava em sua mente, ou ela teria se munido com alguma espécie de arma, em vez de pegar a faca da escrivaninha. Ela avançou por este corredor, sem deixar rastros na fibra de coco. Então viu-se no estúdio. Quanto tempo ficou lá? Não temos como calcular.

— Não mais do que alguns minutos, senhor. Esqueci de contar que a Sra. Marker, a governanta, estivera ali limpando pouco antes; um quarto de hora antes, ela diz.

— Bem, isso nos dá um limite de tempo. Nossa dama entra nesse cômodo, e o que ela faz? Vai até a escrivaninha. Para quê? Não para procurar algo nas gavetas. Se houvesse qualquer coisa que valesse a pena ser levada, certamente estariam trancadas. Não; foi para procurar algo naquele gabinete de madeira. Olá! Que arranhão é esse na porta? Risque um fósforo, Watson. Por que não me falou disso, Hopkins?

A marca que ele estava examinando começava no latão do lado direito do buraco da chave e se estendia por uns dez centímetros, arranhando o verniz da madeira.

— Eu notei isso, Sr. Holmes. Mas sempre há arranhões ao redor de um buraco de fechadura.

— Este é recente, muito recente. Veja como o latão brilha no risco. Um arranhão antigo teria a mesma cor da superfície. Olhe-o com a minha lupa. Aí está o verniz, também; parece terra revirada dos dois lados de um sulco. A Sra. Marker está?

Uma senhora triste e idosa entrou no recinto.

— Tirou o pó desta secretária ontem de manhã?

— Sim, senhor.

— Notou este arranhão?

— Não, senhor, não notei.

— Certamente que não, pois um espanador teria removido estes fragmentos de verniz. Quem tem a chave desta secretária?

— O professor, está na corrente do seu relógio.

— É uma chave simples?

— Não, senhor; é uma Chubb's.

— Muito bem. Sra. Marker, pode ir. Agora estamos fazendo um pouco de progresso. Nossa dama entra no estúdio, vai até a secretária e a abre, ou tenta abri-la. Enquanto está ocupada nisso,

## O PINCE-NEZ DOURADO

o jovem Willoughby Smith entra. Em sua pressa para tirar a chave, ela faz este arranhão na porta. Ele a agarra, e ela, pegando o objeto mais próximo, que por acaso é esta faca, golpeia-o para que ele a solte. O golpe é fatal. Ele cai e ela foge, com ou sem o objeto que procurava. Susan, a criada, está? Alguém poderia ter fugido por aquela porta depois que você ouviu o grito, Susan?

— Não, senhor, é impossível. Antes de descer a escada, eu teria visto a pessoa no corredor. Além disso, a porta não se abriu, pois eu teria ouvido.

— Isso descarta esta saída. Então sem dúvida a dama saiu por onde entrou. Pelo que sei, este outro corredor leva somente para o quarto do professor. Não há nenhuma saída por ali?

— Não, senhor.

— Vamos descer e conhecer o professor. Espere aí, Hopkins! Isto é muito importante, muito importante mesmo. O corredor do professor também é atapetado com fibra de coco.

— Bem, senhor, e o que tem isso?

— Não vê nenhuma relevância disso para o caso? Bem, bem, não vou insistir. Sem dúvida estou enganado. No entanto, me parece sugestivo. Venha comigo e me apresente.

Seguimos pelo corredor, que tinha o mesmo comprimento daquele que levava para o jardim. No final dele, um curto lance de escada dava numa porta. Nosso guia bateu, e em seguida nos introduziu no dormitório do professor.

Era um aposento muito grande, forrado com inumeráveis volumes, que transbordavam das estantes e se amontoavam em pilhas pelos cantos, ou estavam empilhados no chão, ao redor dos móveis. A cama ficava no meio do quarto, e nela, apoiado em travesseiros, estava o dono da casa. Raramente vi uma pessoa de aspecto mais notável. Era um rosto magro e aquilino que estava diante de nós, com olhos escuros penetrantes, perdidos em fundas órbitas por baixo de sobrancelhas volumosas e desgrenhadas. Seu cabelo e sua barba eram brancos, mas esta última era curiosamente amarelada ao redor da boca. Um cigarro ardia em meio ao emaranhado de pelos brancos, e o ar do quarto fedia a fumaça velha de tabaco. Quando ele estendeu a mão para Holmes, percebi que ela também era manchada de amarelo pela nicotina.

— Fuma, Sr. Holmes? — ele perguntou, falando um inglês rebuscado, com um curioso sotaquezinho em *staccato*.

— Por favor, aceite um destes cigarros. E o senhor, quer? Posso recomendá-los, pois mando Ionides, de Alexandria, prepará-los especialmente para mim. Ele me manda um milheiro por vez, e dói-me dizer que preciso encomendar um novo suprimento a cada duas semanas. Péssimo, senhor, péssimo; mas um velho tem poucos prazeres. O tabaco e o meu trabalho, isso é tudo que me restou.

Holmes acendera um cigarro, e estava lançando olhadelas rápidas por todo o quarto.

— O tabaco e o meu trabalho; mas agora, só o tabaco — o velho exclamou. — Ai de mim, que interrupção fatal! Quem poderia prever uma catástrofe tão terrível? Um jovem tão

# O PINCE-NEZ DOURADO

adorável! Garanto que, com alguns meses de treinamento, ele se tornara um assistente admirável. O que acha do caso, Sr. Holmes?

— Ainda não me decidi.

— Ficarei mesmo em dívida com o senhor se puder esclarecer tudo que está tão às escuras para nós. Para um pobre rato de biblioteca inválido como eu, um golpe desses é paralisante. Pareço ter perdido o dom do pensamento. Mas o senhor é um homem de ação, é um homem de negócios. Isso faz parte da rotina da sua vida. O senhor pode conservar seu equilíbrio em toda emergência. É muita sorte tê-lo do nosso lado.

Holmes estava andando de um lado para o outro numa extremidade da sala enquanto o velho professor falava. Observei que meu amigo fumava com extraordinária rapidez. Era evidente que ele partilhava do gosto do nosso anfitrião pelos cigarros frescos de Alexandria.

— Sim, senhor, é um golpe esmagador — disse o velho. — Essa é a minha *magnum opus*, minha obra-prima, essa pilha de papéis na mesinha lateral. É minha análise dos documentos encontrados nos mosteiros coptas da Síria e do Egito, um trabalho que influenciará profundamente os alicerces da religião revelada. Com minha saúde enfraquecida, não sei se conseguirei completá-lo, agora que meu assistente foi tirado de mim. Meu Deus, Sr. Holmes; ora, o senhor fuma ainda mais rápido do que eu.

Holmes sorriu.

— Sou um conhecedor — ele afirmou, tirando mais um cigarro da caixa, o quarto, e acendendo-o na brasa daquele que terminara. — Não vou incomodá-lo com nenhum longo interrogatório, Professor Coram, já que estava na cama na hora do crime e nada poderia saber a respeito. Só quero perguntar isto: o que acha que esse pobre rapaz quis dizer com suas últimas palavras: "O professor — era ela"?

O professor balançou a cabeça.

— Susan é uma garota do campo — ele disse — e o senhor conhece a incrível estupidez dessa laia. Imagino que o pobre sujeito tenha murmurado algumas palavras incoerentes e delirantes, e que ela as tenha transformado nessa mensagem sem sentido.

— Entendo. O senhor não tem nenhuma explicação para a tragédia?

— Talvez um acidente; talvez, só ouso murmurar isto entre nós, um suicídio. Jovens têm seus problemas secretos, algum assunto do coração, quiçá, do qual nada sabíamos. É uma suposição mais provável do que um assassinato.

— Mas e os óculos?

— Ah! Sou apenas um pesquisador, um homem de sonhos. Não sei explicar as coisas práticas da vida. Mesmo assim, temos consciência, meu amigo, de que talismãs do amor podem assumir formas estranhas. Por favor, pegue mais um cigarro. É um prazer ver alguém que os aprecia tanto. Um leque, uma luva, óculos, quem sabe que objeto pode

# O PINCE-NEZ DOURADO

ser carregado como um símbolo, ou acalentado no momento em que um homem resolve dar cabo da própria vida? Esse cavalheiro fala de pegadas na grama; mas, afinal de contas, é fácil enganar-se sobre algo assim. Quanto à faca, o infeliz pode muito bem tê-la jogado longe ao cair. É possível que eu esteja falando como uma criança, mas acho que Willoughby Smith chegou a esse fim pelas próprias mãos.

Holmes pareceu impressionado pela teoria assim exposta, e continuou andando para lá e para cá por algum tempo, perdido em pensamentos e fumando um cigarro após o outro.

— Diga, Professor Coram — ele perguntou finalmente —, o que havia naquele gabinete da secretária?

— Nada que pudesse ajudar um ladrão. Documentos de família, cartas da minha pobre esposa, diplomas de universidades que me homenagearam. Aqui está a chave. Pode verificar o senhor mesmo.

Holmes pegou a chave e olhou para ela por um instante; então a devolveu.

— Não, acho que isso não me ajudaria — ele disse. — Prefiro descer em silêncio para o seu jardim e ruminar a questão toda mentalmente. A teoria do suicídio que o senhor apresentou tem seus méritos. Devemos desculpas por termos invadido seus aposentos, Professor Coram, e prometo que não vamos mais perturbá-lo até depois do almoço. Às 14 horas voltaremos e lhe relataremos qualquer coisa que tenha acontecido nesse ínterim.

O RETORNO DE SHERLOCK HOLMES

Holmes estava curiosamente distraído, e andamos de um lado para o outro no caminho do jardim durante algum tempo, em silêncio.

— Você tem uma pista? — perguntei finalmente.

— Depende daqueles cigarros que fumei — ele disse. — É possível que eu esteja completamente enganado. Os cigarros vão me mostrar.

— Meu caro Holmes — exclamei —, como é que...

— Bem, bem, você verá por si mesmo. Se não vir, não faz mal. Naturalmente, sempre podemos voltar à pista dos oculistas, mas prefiro tomar atalhos quando posso. Ah, aí está a boa Sra. Marker! Vamos apreciar cinco minutos de conversa instrutiva com ela.

Talvez eu já tenha comentado que Holmes possuía, quando queria, um charme peculiar com as mulheres, e que muito rapidamente conseguia tornar-se confidente delas. Em metade do tempo que mencionou, ele se apossara da boa vontade da governanta e tagarelava com ela como se a conhecesse havia anos.

— Sim, Sr. Holmes, é como o senhor diz. Ele fuma muito, é terrível. O dia todo e às vezes a noite toda, senhor. Já vi aquele quarto de manhã... bem, o senhor ia achar que era um nevoeiro em Londres. O Sr. Smith, pobre jovem, também era fumante, mas não tanto quanto o professor. Sua saúde... bem, acho que o fumo não faz tanta diferença.

— Ah — disse Holmes —, mas estraga o apetite.

350

# O PINCE-NEZ DOURADO

— Bem, isso eu não sei, senhor.

— Suponho que o professor não coma quase nada?

— Bem, ele é variável, isso eu posso dizer.

— Aposto que ele não fez o desjejum hoje, e não vai querer nem almoçar, depois de todos os cigarros que o vi fumar.

— Bem, está enganado, senhor, porque acontece que ele fez um desjejum dos grandes hoje de manhã. Não sei se já o vi comer tanto, e ele pediu um belo prato de picadinho para o almoço. Eu mesma estou surpresa, porque desde que entrei naquele quarto, ontem, e vi o Sr. Smith estendido no chão, não aguento nem olhar para a comida. Bem, tem todo tipo de gente no mundo, e o professor não deixou que isso lhe tirasse o apetite.

Passamos o resto da manhã matando o tempo no jardim. Stanley Hopkins fora para a aldeia, verificar alguns rumores de uma estranha que havia sido vista por umas crianças na estrada para Chatham na manhã anterior. Quanto ao meu amigo, toda a sua costumeira energia parecia tê-lo abandonado. Nunca o vi lidar com um caso de forma tão desanimada. Nem a notícia trazida por Hopkins de que ele encontrara as crianças e que elas indubitavelmente haviam visto uma mulher correspondendo exatamente à descrição de Holmes, e usando óculos, conseguiu despertar qualquer sinal de interesse pronunciado. Ele ficou mais atento quando Susan, que nos servia no almoço, informou-nos espontaneamente que acreditava que o Sr. Smith saíra para uma caminhada na manhã do dia anterior, e que só retornara meia hora antes de a tragédia acontecer. Eu mesmo não conseguia entender a importância desse incidente, mas percebi claramente que Holmes o estava entrelaçando no esquema geral que havia formado em sua mente. De súbito, ele saltou da cadeira e olhou para o relógio.

— Catorze horas, cavalheiros — ele disse. — Precisamos subir e confrontar nosso amigo, o professor.

O velho havia acabado seu almoço, e certamente seu prato vazio evidenciava o bom apetite que a governanta lhe creditara. Ele era, de fato, uma figura estranha, ao virar sua cabeleira branca e seus olhos brilhantes em nossa direção. O eterno cigarro ardia em sua boca. Ele fora vestido e estava sentado numa poltrona perto do fogo.

— Bem, Sr. Holmes, já resolveu este mistério? — Ele empurrou a grande lata de cigarros sobre uma mesa ao seu lado na direção do meu colega. Holmes estendeu a mão ao mesmo tempo, e, juntos, os dois derrubaram a caixa. Por um minuto ou dois, ficamos todos de joelhos, recuperando cigarros perdidos nos lugares mais impossíveis. Quando nos levantamos de novo, observei que os olhos de Holmes brilhavam e suas bochechas estavam coradas. Somente em momentos de crise eu já vira aqueles sinais de batalha iminente.

— Sim — ele disse —, resolvi.

Stanley Hopkins e eu ficamos olhando, assombrados. Algo como um riso de escárnio tremulava nos traços secos do velho professor.

# O PINCE-NEZ DOURADO

— Deveras! No jardim?

— Não, aqui.

— Aqui! Quando?

— Neste instante.

— Certamente está brincando, Sr. Sherlock Holmes. Obriga-me a dizer que este é um assunto sério demais para ser tratado dessa forma.

— Eu forjei e testei cada elo da minha corrente, Professor Coram, e tenho certeza de que ela é sólida. Quais são seus motivos, ou qual o papel exato que o senhor desempenha neste estranho caso, ainda não estou em condições de dizer. Daqui a alguns minutos, provavelmente ouvirei tudo isso de seus próprios lábios. Até lá, vou reconstituir o que se passou, em seu benefício, para que saiba quais informações ainda me faltam.

"Uma dama entrou ontem no seu estúdio. Ela veio com a intenção de se apossar de certos documentos que estavam na sua secretária. Ela tinha uma chave. Tive a oportunidade de examinar a do senhor e não encontrei a leve descoloração que o arranhão feito no verniz teria produzido. O senhor não foi cúmplice, portanto, e ela veio, até onde consigo interpretar as evidências, sem seu conhecimento, para roubá-lo."

O professor soprou uma baforada de fumaça.

— Isso é assaz interessante e instrutivo — ele disse. — Não tem mais nada a acrescentar? Certamente, já que seguiu essa dama até esse ponto, também saberá dizer o que foi feito dela.

# O RETORNO DE SHERLOCK HOLMES

— Tentarei fazê-lo. Em primeiro lugar, ela foi capturada pelo seu secretário, e o esfaqueou para escapar. Essa catástrofe eu estou inclinado a considerar um acidente infeliz, pois estou convencido de que a dama não tinha intenção de infligir um ferimento tão fatal. Uma assassina não viria desarmada. Horrorizada com o que fizera, ela fugiu loucamente do local da tragédia. Infelizmente para ela, seus óculos haviam se perdido no confronto, e por ser extremamente míope, estava realmente indefesa sem eles. Desabalou por um corredor que imaginava ser o mesmo por onde viera, ambos eram forrados com fibra de coco, e só quando já era tarde demais deu-se conta de que enveredara pelo caminho errado, e que sua rota de fuga estava interditada atrás dela. O que ela podia fazer? Não podia voltar. Não podia ficar onde estava. Precisava seguir em frente. Seguiu em frente. Subiu uma escada, abriu uma porta e se viu neste quarto.

O velho estava boquiaberto, com os olhos arregalados pregados em Holmes. O assombro e o medo estavam estampados em seus traços expressivos. Então, com esforço, ele deu de ombros e emitiu uma risada pouco sincera.

— Tudo muito bom, Sr. Holmes — ele disse. Mas há uma pequena falha nessa teoria esplêndida. Eu mesmo estava no meu quarto, e não saí dele durante o dia.

— Estou ciente disso, Professor Coram.

— Quer dizer que, deitado naquela cama, não fui capaz de perceber que uma mulher entrou no meu quarto?

# O PINCE-NEZ DOURADO

— Eu nunca disse isso. O senhor *percebeu*. Falou com ela. Reconheceu-a. Ajudou-a em sua fuga.

Novamente, o professor emitiu uma risada estridente. Ele ficara de pé, e seus olhos brilhavam como brasas.

— O senhor é louco! — ele gritou. — Está dizendo insanidades. Eu a ajudei escapar? Onde ela está agora?

— Está ali — disse Holmes, e apontou para uma estante alta no canto do quarto.

Eu vi o velho erguer os braços, uma convulsão terrível crispou seu rosto exasperado, e ele voltou a desabar na poltrona. No mesmo momento, a estante que Holmes apontara girou sobre um eixo e uma mulher apareceu no quarto.

— Tem razão — ela exclamou, com um peculiar sotaque estrangeiro. — Tem razão! Estou aqui.

Ela estava marrom de poeira, e coberta pelas teias de aranha que se desprendiam das paredes de seu esconderijo. Seu rosto também estava empoeirado, e na melhor das hipóteses, jamais teria sido atraente, pois tinha as características físicas exatas que Holmes adivinhara, somadas a um queixo longo e obstinado. Com sua cegueira natural, e com a mudança das trevas para a luz, ela parecia atordoada, piscando para tentar enxergar onde estávamos e quem éramos. Ainda assim, apesar de todas essas desvantagens, havia uma certa nobreza no porte da mulher, uma altivez no seu queixo desafiador e na cabeça levantada que demandavam algum respeito e admiração. Stanley Hopkins pôs a mão em seu braço e deu-lhe voz de prisão, mas ela o repeliu delicadamente com um gesto, porém com uma dignidade superior, que exigia obediência. O velho afundou na poltrona com o rosto contorcido e fitou-a com um olhar sombrio.

— Sim, senhor, sei que sou sua prisioneira — ela disse. — De onde eu estava, pude ouvir tudo e reconheço que os senhores descobriram a verdade. Confesso tudo. Fui eu que matei o jovem. Mas o senhor tem razão, o senhor que disse que foi um acidente. Eu nem sabia ser uma faca o que eu tinha na mão, pois em meu desespero, peguei qualquer coisa de cima da mesa e o golpeei para fazer com que me soltasse. É verdade o que eu digo.

— Madame — disse Holmes —, tenho certeza de que é verdade. Temo que a senhora não esteja nada bem.

Ela assumira uma cor horrível, mais pavorosa ainda com a sujeira que cobria seu rosto. Sentou-se na beira da cama; então continuou.

— Tenho pouco tempo aqui — ela disse —, mas gostaria que soubessem de toda a verdade. Sou a esposa deste homem. Ele não é inglês. É russo. Seu sobrenome eu não direi.

Pela primeira vez, o velho reagiu.

— Deus a abençoe, Anna! — ele exclamou. — Deus a abençoe!

Ela lançou um olhar do mais profundo desdém em sua direção.

— Por que se agarra com tal tenacidade a essa sua vida patética, Sergius? — ela disse. — Fez mal a muitos e bem a ninguém, nem mesmo a você. De qualquer forma, não é meu papel romper esse tênue fio de vida antes que seja da vontade de Deus. Já tenho culpa suficiente na alma, desde que cruzei o limiar desta casa amaldiçoada. Mas preciso falar, ou será tarde demais.

"Eu disse, cavalheiros, que sou a esposa deste homem. Ele tinha 50 anos e eu era uma tola garota de 20 quando nos casamos. Foi numa cidade da Rússia, uma cidade universitária — não revelarei o nome."

— Deus a abençoe, Anna! — murmurou o velho de novo.

— Éramos reformistas, revolucionários, niilistas, entendem? Ele, eu e muitos mais. Então veio uma época atribulada, um policial foi morto, muitos foram presos, procuravam-se provas, e para salvar a própria vida e ganhar uma grande recompensa, meu marido traiu a esposa e os companheiros. Sim, fomos todos presos graças à confissão dele. Alguns de nós acabaram enforcados, outros na Sibéria. Eu estava entre estes últimos, mas minha sentença não era vitalícia. Meu marido veio para a Inglaterra com sua fortuna suja de sangue, e viveu discretamente desde então, sabendo muito bem que se a Irmandade descobrisse onde ele estava, não passaria uma semana sem que a justiça fosse feita.

O velho estendeu uma mão trêmula e pegou um cigarro.

— Estou em suas mãos, Anna — ele disse. — Você sempre foi boa para mim.

— Ainda não cheguei ao ápice de sua vilania! — ela exclamou. — Entre nossos camaradas da Ordem, havia um que era meu querido amigo. Era nobre, altruísta, amoroso, tudo o que meu marido não era. Detestava a violência. Éramos todos culpados, se alguma culpa havia, mas ele não. Ele me escreveu e me convenceu a afastar-me definitivamente desse caminho. Essas cartas tê-lo-iam salvado. Meu diário também, pois nele eu registrara dia após dia meus sentimentos por ele e a conduta que ambos adotáramos. Meu marido encontrou e guardou o diário e as cartas. Escondeu-os e fez de tudo para, com seu testemunho, causar a execução do jovem. Nisso ele fracassou, mas Alexis foi enviado para a Sibéria como condenado, onde agora, neste momento, trabalha numa mina de sal. Pense nisso, seu vilão, seu vilão; agora, agora, neste exato momento. Alexis, um homem cujo nome você não é digno de pronunciar, trabalha e vive como um escravo, e mesmo assim eu tenho sua vida em minhas mãos e poupo você!

— Você sempre foi uma nobre mulher, Anna — disse o velho, tragando seu cigarro.

Ela se levantara, mas voltou a sentar-se com um gemido de dor.

— Preciso terminar — ela disse. — Quando minha pena expirou, resolvi obter o diário e as cartas, pois se eles fossem enviados ao governo russo, possibilitariam a libertação do meu amigo. Eu sabia que meu marido viera para a Inglaterra. Depois de meses de buscas, descobri onde ele estava. Eu sabia que ele ainda tinha o diário, pois quando eu estava na Sibéria,

# O PINCE-NEZ DOURADO

recebi uma carta sua me condenando e citando alguns trechos de suas páginas. No entanto, eu tinha certeza de que, com sua índole vingativa, ele jamais o devolveria de livre e espontânea vontade. Eu precisaria pegá-lo sozinha. Com esse objetivo, contratei um detetive particular, que se infiltrou na casa do meu marido como secretário, era seu segundo secretário, Sergius, aquele que pediu demissão em tão pouco tempo. Ele descobriu que os documentos estavam guardados no gabinete e conseguiu produzir uma cópia da chave. Não quis fazer nada além disso. Ele me forneceu a planta da casa e disse que de manhã o estúdio ficava sempre vazio, pois o secretário trabalhava aqui em cima. Assim, finalmente, tomei minha coragem com ambas as mãos e vim pessoalmente recuperar os documentos. Consegui, mas a que preço!

"Eu havia acabado de pegar os documentos e estava trancando o gabinete quando o jovem me agarrou. Eu já o vira naquela manhã. Encontrei-o na estrada e, sem saber que ele trabalhava aqui, pedi que me indicasse onde morava o Professor Coram."

— Exatamente! Exatamente! — exclamou Holmes. — O secretário voltou e falou com seu patrão sobre a mulher que encontrara. Então, com seu último suspiro, tentou revelar que era ela, que ela era a mulher de quem falara ao professor.

— O senhor precisa me deixar falar — disse a mulher, com voz imperiosa, e seu rosto se contraiu dolorosamente. — Depois que ele caiu, fugi do estúdio, escolhi a porta errada e me

# O RETORNO DE SHERLOCK HOLMES

vi no quarto do meu marido. Ele falou em me denunciar. Mostrei a ele que se o fizesse, sua vida estaria em minhas mãos. Se me entregasse à justiça, eu poderia entregá-lo à Irmandade. Não porque eu quisesse que ele mentisse para me salvar, mas porque queria alcançar meu objetivo. Ele sabia que eu faria o que prometi, que seu destino dependia do meu. Por esse motivo, e nenhum outro, ele me protegeu. Jogou-me nesse esconderijo escuro, uma relíquia dos tempos antigos que só ele conhecia. Como fazia as refeições no quarto, pôde me dar parte de sua comida. Ficou acertado que quando a polícia saísse da casa, eu iria embora discretamente à noite e não voltaria mais. Mas de alguma forma o senhor descobriu nossos planos. — Ela tirou do decote do vestido um pequeno embrulho. — Estas são minhas últimas palavras — ela disse —; aqui estão os documentos que salvarão Alexis. Confio-os à sua honra e ao seu amor pela justiça. Pegue-os! Entregue-os à embaixada russa. Agora já fiz meu dever e...

— Segurem-na! — gritou Holmes. Ele correu pelo quarto e arrancou da mão da mulher uma pequena ampola.

— Tarde demais! — ela disse, caindo novamente na cama. — Tarde demais! Tomei o veneno antes de sair do esconderijo. Minha cabeça gira! Estou indo! Encarrego o senhor de lembrar-se dos documentos.

— Um caso simples; no entanto, sob certos aspectos, instrutivo — Holmes comentou, enquanto viajávamos de

# O PINCE-NEZ DOURADO

volta para a cidade. — Seu fulcro, desde o início, era o *pince-nez*. Se não fosse o feliz acaso do moribundo tê-lo arrancado, não sei se teríamos chegado à nossa solução. Ficou claro para mim, pela potência das lentes, que a dona dos óculos deveria estar muito cega e indefesa sem eles. Quando você pediu que eu acreditasse que ela andara por uma faixa estreita de grama sem nenhuma vez dar um passo em falso, eu comentei, como você há de se lembrar, que era uma façanha digna de nota. Na minha mente, eu a considerei uma façanha impossível, a não ser na improvável possibilidade de que ela tivesse outro par de óculos. Vi-me obrigado, portanto, a considerar seriamente a hipótese de que ela ficara dentro da casa. Ao perceber a semelhança dos dois corredores, ficou claro que ela poderia facilmente ter cometido um engano, e nesse caso era evidente que deveria ter entrado no quarto do professor. Dessa forma, agucei minha atenção para qualquer indício que confirmasse essa suposição e examinei minuciosamente o quarto à procura de qualquer lugar que pudesse ser um esconderijo. O tapete parecia inteiriço e firmemente pregado, portanto descartei a ideia de um alçapão. Poderia muito bem haver um recesso atrás dos livros. Como você sabe, tais dispositivos são comuns em bibliotecas antigas. Observei que havia livros empilhados por todo o quarto, mas que uma estante estava desimpedida. Essa, portanto, deveria ser a porta secreta. Eu não via nenhuma marca que me guiasse, mas o tapete era de cor bege, que se presta muito bem a exames. Assim, fumei um grande número daqueles excelentes cigarros e bati todas as cinzas no espaço à frente da estante suspeita. Um truque simples, mas de grande eficácia. Então desci e me certifiquei em sua presença, Watson, sem que você percebesse a insinuação nos meus comentários, de que o consumo de comida do Professor Coram havia aumentado — como seria de se esperar, por ele estar alimentando outra pessoa. Em seguida, voltamos para o quarto, quando, derrubando a cigarreira, obtive uma visão excelente do chão, e pude ver muito claramente, pelos rastros sobre as cinzas de cigarro, que durante nossa ausência a prisioneira saíra de seu esconderijo. Bem, Hopkins, chegamos a Charing Cross, e congratulo você por ter concluído seu caso com sucesso. Seguirá para a chefatura, sem dúvida. Eu acho, Watson, que você e eu iremos juntos à embaixada russa.

*onze*

# O TRÊS-QUARTOS DESAPARECIDO

Estávamos bastante acostumados a receber telegramas esquisitos na Baker Street, mas tenho a lembrança particular de um que nos chegou numa triste manhã de fevereiro, há uns sete ou oito anos, e intrigou o Sr. Sherlock Holmes por um bom quarto de hora. Estava endereçado a ele e dizia o seguinte:

> Por favor, me aguarde. Terrível infortúnio. Três-quartos desaparecido; indispensável amanhã. — Overton

— Carimbo da Strand, e enviado às 10h36 — disse Holmes, lendo-o e relendo-o. — É óbvio que o Sr. Overton estava consideravelmente agitado ao enviá-lo, e um tanto

## O RETORNO DE SHERLOCK HOLMES

incoerente, por consequência. Bem, bem, ele já terá chegado aqui, ouso dizer, quando eu tiver terminado de folhear o *Times*, e vamos saber tudo a respeito. Até o problema mais insignificante seria bem-vindo nestes dias de estagnação.

As coisas de fato andavam muito devagar para nós, e eu aprendera a temer tais períodos de inatividade, pois sabia por experiência própria que o cérebro do meu colega era tão anormalmente ativo que era perigoso deixá-lo sem material de trabalho. Por anos eu o dissuadira gradualmente da loucura da droga que já ameaçara interromper sua memorável carreira. Agora eu sabia que, em condições normais, ele não ansiava mais por esse estímulo artificial; mas tinha plena consciência de que o demônio não estava morto, apenas dormindo; e eu podia notar que esse sono era leve e o despertar iminente quando, em períodos de ociosidade, via o aspecto tenso do rosto ascético de Holmes, e a sombra que turvava seus olhos fundos e inescrutáveis. Portanto, abençoei esse Sr. Overton, fosse ele quem fosse, já que interrompera com sua mensagem enigmática aquela perigosa calmaria que representava mais risco para o meu amigo do que todas as procelas de sua vida tempestuosa.

Como esperávamos, ao telegrama logo seguiu-se o seu remetente, e o cartão de visitas do Sr. Cyril Overton, da Escola Trinity, de Cambridge, anunciou a chegada de um enorme jovem, sete arrobas de ossos e músculos maciços que obstruíam a entrada com seus ombros largos, correndo os olhos entre nós com um rosto atraente e vincado pela ansiedade.

# O TRÊS-QUARTOS DESAPARECIDO

— Sr. Sherlock Holmes?

Meu colega inclinou a cabeça.

— Já estive na Scotland Yard, Sr. Holmes. Falei com o inspetor Stanley Hopkins. Ele me aconselhou a procurar o senhor. Disse que o caso, na visão dele, era mais da sua alçada do que da da polícia oficial.

— Por favor, sente-se e explique qual é o problema.

— É terrível, Sr. Holmes, simplesmente terrível! Não sei como meu cabelo não ficou grisalho. Godfrey Staunton; já ouviu falar dele, naturalmente? É simplesmente o eixo de toda a equipe. Preferiria perder dois outros e ter Godfrey na linha de três-quartos. Nos passes, bloqueios e fintas, ninguém consegue pegá-lo; e ele tem cabeça, consegue motivar a todos. O que vou fazer? É o que lhe pergunto, Sr. Holmes. Tenho Moorhouse, o primeiro reserva, mas ele treina como médio, e sempre desvia para o lado da formação ordenada, em vez de avançar para a linha do gol. É ótimo nos tiros de meta, é verdade, porém, não tem estratégia, e não consegue correr daqui até ali. Ora, Morton ou Johnson, os mais velozes de Oxford, podem correr em círculos em volta dele. Stevenson até que é rápido, mas não consegue marcar um *drop goal* da linha de 25 jardas, e um atacante que não é bom com os pés nem com as mãos não vale a pena, mesmo que corra bem. Não, Sr. Holmes, estamos acabados, a menos que possa me ajudar a encontrar Godfrey Staunton.

Meu amigo ouvira com divertida surpresa esse longo discurso, perorado com extraordinário vigor e sinceridade, cada argumento martelado pelos tapas de uma mão robusta no joelho do orador. Quando nosso visitante ficou em silêncio, Holmes estendeu a mão e puxou a letra "S" dos seus diários. Mas dessa vez procurou em vão naquela mina de informações variadas.

— Há Arthur H. Staunton, jovem falsário em ascensão — ele disse —, e Henry Staunton, que ajudei a enforcar, mas Godfrey Staunton é um nome novo para mim.

Foi a vez do nosso visitante parecer surpreso.

— Ora, Sr. Holmes, pensei que o senhor soubesse coisas — ele disse. — Suponho, então, que se nunca ouviu falar de Godfrey Staunton, tampouco conhece Cyril Overton?

Holmes balançou alegremente a cabeça.

— Pela Escócia! — exclamou o atleta. — Ora, fui primeiro reserva da Inglaterra contra o País de Gales, e sou técnico da equipe da universidade desde o início do ano. Mas isso não é nada. Eu imaginava que não existisse vivalma na Inglaterra que não conhecesse Godfrey Staunton, exímio três-quartos em Cambridge, Blackheath e cinco torneios internacionais. Bom Deus! Sr. Holmes, *onde* o senhor vive?

Holmes riu do assombro ingênuo do jovem gigante.

— O seu mundo é diferente do meu, Sr. Overton, muito mais doce e saudável. Minhas ramificações se estendem por vários setores da sociedade, mas nunca, fico feliz em dizer, alcançaram o desporto amador, que é o que de melhor e mais sadio temos na Inglaterra. No entanto, sua visita inesperada

# O TRÊS-QUARTOS DESAPARECIDO

desta manhã me revela que até no mundo do ar fresco e do jogo limpo pode haver trabalho para mim; portanto, agora, meu bom senhor, rogo que se sente e me conte lenta e calmamente o que se passou e como deseja que eu o ajude.

O rosto do jovem Overton assumiu o ar enfarado do homem que está mais acostumado a usar seus músculos do que seus miolos; mas aos poucos, com muitas repetições e trechos obscuros que posso omitir da narrativa, ele expôs sua estranha história diante de nós.

— Foi assim, Sr. Holmes. Como eu disse, sou o técnico da equipe de rúgbi da Universidade de Cambridge, e Godfrey Staunton é meu melhor jogador. Amanhã vamos jogar contra Oxford. Ontem chegamos todos e nos hospedamos no hotel particular Bentley. Às 22 horas, fiz uma ronda para verificar se todos os rapazes estavam na cama, pois acredito em muita prática e sono abundante para manter a equipe em forma. Troquei algumas palavras com Godfrey antes que se recolhesse. Ele me pareceu pálido e agitado. Perguntei qual era o problema. Ele disse que estava bem — só com um pouco de dor de cabeça. Eu lhe dei boa-noite e o deixei. Meia hora depois, o mensageiro me contou que um sujeito mal-encarado e barbudo trouxera um bilhete para Godfrey. Ele ainda não havia se deitado, e o bilhete foi levado ao seu quarto. Godfrey o leu e desabou numa cadeira como se tivesse levado uma machadada. O mensageiro ficou tão assustado que ia me chamar, mas Godfrey o impediu,

367

tomou um copo d'água e se controlou. Depois ele desceu, disse algumas palavras para o homem, que estava esperando no saguão, e os dois saíram juntos. Quando o mensageiro os viu pela última vez, os dois estavam quase correndo pela rua na direção da Strand. Hoje de manhã, o quarto de Godfrey estava vazio, sua cama estava intacta, e suas coisas, do mesmo jeito que as vi na noite anterior. Ele foi embora assim que esse desconhecido o chamou, e não temos nenhuma notícia dele desde então. Não acredito que ele vá voltar. Godfrey era um esportista até o tutano, e não teria interrompido seu treinamento e abandonado seu técnico, a não ser por algum motivo que fosse forte demais para ele. Não; acho que ele se foi para sempre e nunca mais o veremos.

Sherlock Holmes ouviu com a mais profunda atenção essa singular narrativa.

— O que o senhor fez? — ele perguntou.

— Telegrafei para Cambridge para descobrir se alguém sabia dele lá. Recebi uma resposta. Ninguém o viu.

— Ele poderia ter voltado para Cambridge?

— Sim, há um trem que sai tarde, às 23h15.

— Mas, até onde o senhor sabe, ele não o tomou.

— Não, ele não foi visto.

— O que o senhor fez a seguir?

— Telegrafei para o Lorde Mount-James.

— Por que o Lorde Mount-James?

— Godfrey é órfão, e Lorde Mount-James é seu parente mais próximo, tio dele, acredito.

— Deveras. Isso lança uma nova luz sobre a questão. O Lorde Mount-James é um dos homens mais ricos da Inglaterra.

— Já ouvi Godfrey dizer isso.

— E seu amigo era parente próximo dele?

— Sim, era seu herdeiro, e o velhote já tem quase 80 anos, sofre muito com a gota também. Dizem que dá para engessar um taco de bilhar com os nós dos dedos dele. Ele nunca deu um xelim a Godfrey em vida, pois é um avarento dos infernos, mas ele vai herdar tudo mesmo.

— Recebeu alguma resposta do Lorde Mount-James?

— Não.

— Por que motivo seu amigo procuraria o Lorde Mount-James?

— Bem, algo o estava preocupando na noite anterior, e se envolvia dinheiro, seria possível que ele procurasse seu parente mais próximo, que tem de sobra, ainda que, por tudo que ouvi, não acho muito provável que recebesse ajuda. Godfrey não gostava do velho. Não o procuraria, se pudesse evitar.

— Bem, logo poderemos determinar isso. Se seu amigo foi procurar esse parente, o Lorde Mount-James, o senhor precisa explicar a visita desse sujeito mal-encarado numa hora tão avançada e a agitação causada por isso.

Cyril Overton apertou a cabeça com as mãos.

— Não consigo pensar em nada! — ele exclamou.

— Bem, bem, eu tenho um dia livre, e ficarei feliz em examinar a questão — disse Holmes. — Recomendo veementemente que faça os preparativos para o jogo sem contar com esse jovem. Como o senhor diz, deve ter sido uma necessidade avassaladora que o afastou destarte, e provavelmente a mesma necessidade o manterá afastado. Vamos juntos para esse hotel ver se o mensageiro consegue lançar alguma nova luz sobre o caso.

Sherlock Holmes era mais do que mestre na arte de deixar uma testemunha humilde à vontade, e muito em breve, na privacidade da suíte abandonada por Godfrey Staunton, ele extraiu tudo que o mensageiro tinha para contar. O visitante da noite anterior não era um nobre, tampouco um trabalhador. Era simplesmente o que o mensageiro descreveu como um "sujeito mediano"; um homem de uns 50 anos, barba grisalha, rosto pálido, roupas discretas. Ele próprio parecia agitado. O mensageiro observara que sua mão tremia quando lhe passara o bilhete. Godfrey Staunton enfiara o bilhete no bolso. Staunton não apertara a mão do homem no saguão. Os dois trocaram algumas frases, nas quais o mensageiro só distinguira uma palavra: "tempo". Então partiram da forma que ele descrevera. Eram só 22h30, pelo relógio do saguão.

— Deixe-me ver — disse Holmes, sentando-se na cama de Staunton. — Você é o mensageiro diurno, certo?

— Sim, senhor; meu turno acaba às 23 horas.

— O mensageiro noturno não viu nada, suponho?

— Não, senhor; um grupo chegou tarde do teatro. Mais ninguém.

— Você ficou no posto o dia todo, ontem?

— Sim, senhor.

— Levou alguma mensagem para o Sr. Staunton?

— Sim, senhor; um telegrama.

— Ah! Isso é interessante. Que horas eram?

— Umas 18 horas.

— Onde o Sr. Staunton estava quando o recebeu?

— Aqui, em seu quarto.

— Você estava presente quando ele o abriu?

— Sim, senhor; esperei, caso houvesse uma resposta.

— Bem, havia?

— Sim, senhor. Ele escreveu uma resposta.

— Você a levou?

— Não, ele mesmo a levou.

— Mas a escreveu na sua presença?

— Sim, senhor. Eu estava perto da porta, e ele de costas, sentado àquela mesa. Depois de escrevê-la, ele disse: "Pode deixar, mensageiro, eu mesmo vou levar".

— Com o que ele a escreveu?

— Com uma pena, senhor.

— O formulário telegráfico era um desses que estão aqui na mesa?

— Sim, senhor; era a primeira folha.

Holmes se levantou. Pegando os formulários, ele os levou para a janela e examinou cuidadosamente a folha de cima.

— É uma pena que ele não tenha escrito a lápis — ele disse, largando-os de novo e dando de ombros, decepcionado. — Como você sem dúvida já observou frequentemente, Watson, a impressão costuma atravessar o papel, um fato que já desfez muitos casamentos felizes. No entanto, não encontro nenhum sinal aqui. Regozijo-me, porém, em perceber que ele escreveu com uma pena de bico largo, e não duvido que encontraremos alguma impressão no mata-borrão. Ah, sim, certamente, aí está ela!

Ele arrancou uma tira do mata-borrão e virou na nossa direção o seguinte hieróglifo:

Cyril Overton ficou muito empolgado.

— Ponha-a diante do espelho — ele exclamou.

— Desnecessário — disse Holmes. — O papel do mata-borrão é fino e o verso revelará a mensagem. Aqui está. — Ele virou o papel, e nós lemos:

*Ajude-nos, pelo amor de Deus*

— Portanto, esse é o final do telegrama que Godfrey Staunton enviou algumas horas antes do seu desaparecimento. Pelo menos seis palavras da mensagem nos escaparam,

# O TRÊS-QUARTOS DESAPARECIDO

mas o que resta, "Ajude-nos, pelo amor de Deus!", prova que esse jovem via um perigo formidável se aproximando, e do qual outra pessoa poderia protegê-lo. *"Ajude-nos"*, reparem! Outra pessoa estava envolvida. Quem poderia ser, senão o homem pálido e barbudo que também parecia tão nervoso? Qual, então, a ligação entre Godfrey Staunton e o homem barbudo? E quem é o terceiro elemento ao qual ambos pediam ajuda contra o perigo iminente? Nossa investigação já se reduziu a isso.

— Só precisamos descobrir a quem o telegrama foi endereçado — sugeri.

— Exatamente, meu caro Watson. Sua reflexão, embora profunda, já me passou pela cabeça. Mas ouso dizer que você já deve ter notado que, se entrar numa agência telegráfica e requisitar o canhoto da mensagem de outra pessoa, os funcionários podem não estar muito inclinados a cooperar. Há tanta burocracia nesses assuntos! De qualquer forma, não tenho dúvidas de que, com um pouco de delicadeza e *finesse*, o objetivo pode ser alcançado. Enquanto isso, em sua presença, Sr. Overton, gostaria de examinar esses papéis que foram deixados sobre a mesa.

Havia várias cartas, faturas e cadernos, que Holmes vasculhou com dedos ágeis e nervosos e olhos irrequietos e penetrantes.

— Nada aqui — ele disse finalmente. — A propósito, suponho que seu amigo seja um jovem saudável, nada de errado com ele?

## O RETORNO DE SHERLOCK HOLMES

— Forte como um touro.

— Já soube de alguma doença dele?

— Nunca. Já esteve acamado com uma tosse forte, e uma vez deslocou a rótula, mas isso não foi nada.

— Talvez ele não fosse tão forte quanto o senhor supõe. Imagino que tivesse algum problema secreto. Com seu consentimento, porei algumas destas folhas no meu bolso, para o caso de que me possam ser úteis em nossa futura investigação.

— Um momento, um momento! — exclamou uma voz querelosa, e vimos um velhinho estranho, todo trêmulo e sobressaltado, na porta. Seu traje era preto fosco, com uma cartola de aba muito larga e uma gravata branca frouxa — que causavam a impressão geral de estar diante de um pároco muito rústico ou um silencioso papa-defunto. No entanto, apesar de sua aparência desenxabida e até absurda, sua voz estridente e seus gestos rápidos e intensos demandavam atenção.

— Quem é o senhor e com que direito toca nos papéis desse cavalheiro? — ele perguntou.

— Sou um detetive particular e estou tentando explicar seu desaparecimento.

— Ah, é? E quem o instruiu a fazê-lo, hein?

— Este cavalheiro, amigo do Sr. Staunton, a quem a Scotland Yard me indicou.

— Quem é o senhor?

— Eu sou Cyril Overton.

— Então foi o senhor que me mandou um telegrama. Sou o Lorde Mount-James. Vim tão rápido quanto a diligência de Bayswater pôde me trazer. Pois contratou um detetive?

— Sim, senhor.

— E está preparado para arcar com os custos?

— Não tenho dúvida, senhor, de que meu amigo Godfrey, quando o encontramos, estará preparado a fazê-lo.

— Mas e se ele jamais for encontrado, hein? Responda!

— Nesse caso, sem dúvida sua família...

— Nada disso, senhor! — gritou o homenzinho. — Não espere um centavo de mim, nem um centavo! Entendeu, Sr. Detetive! Sou o único parente que esse jovem tem, e estou dizendo que não sou responsável. Se ele tem qualquer perspectiva, isso se deve ao fato de que nunca desperdicei dinheiro, e não pretendo começar agora. Quanto a esses papéis com os quais toma tantas liberdades, devo avisar que, caso haja algo de valor aí no meio, o senhor será severamente responsabilizado pelo que fizer com ele.

— Muito bem, senhor — disse Sherlock Holmes. — Posso perguntar, aproveitando o ensejo, se o senhor tem alguma teoria que explique o desaparecimento desse jovem?

— Não, senhor, não tenho. Ele é grande e adulto o suficiente para se cuidar, e se é tolo a ponto de se perder, recuso-me totalmente a aceitar a responsabilidade de sair em busca dele.

— Entendo muito bem sua posição — disse Holmes, com um brilho maroto nos olhos. — Talvez o senhor não entenda tão bem a minha. Godfrey Staunton parece ser pobre. Se foi sequestrado, não pode ter sido por algo que ele próprio possuía. A fama de sua riqueza se espalhou, Lorde Mount-James, e é totalmente possível que um bando de ladrões tenha capturado seu sobrinho para obter dele alguma informação sobre a casa onde o senhor mora, seus hábitos e seu tesouro.

O rosto do pequeno e desagradável visitante ficou tão branco quanto seu colarinho.

— Céus, senhor, que ideia! Nunca me ocorreu tal vilania! Que canalhas desumanos existem no mundo! Mas Godfrey é um bom rapaz, um rapaz íntegro. Nada o induziria a entregar seu velho tio. Mandarei a prataria para o banco hoje à noite. Enquanto isso, não meça esforços, Sr. Detetive. Rogo que não deixe pedra sobre pedra para trazê-lo de volta em segurança. Quanto a dinheiro, bem, se umas cinco libras bastarem, ou até umas dez, pode sempre me procurar.

Mesmo com sua recalcitrância sob controle, o nobre avarento não pôde dar nenhuma informação que nos ajudasse, pois pouco sabia da vida particular do sobrinho. Nossa única pista estava no telegrama truncado, e com uma cópia dele na mão, Holmes partiu para encontrar o segundo elo de sua corrente. Havíamos nos livrado do Lorde Mount-James, e Overton fora consultar os outros membros da sua equipe quanto ao infortúnio que se abatera sobre eles. Uma agência dos telégrafos ficava a curta distância do hotel. Paramos diante dela.

## O TRÊS-QUARTOS DESAPARECIDO

— Vale a pena tentar, Watson — disse Holmes. — Claro que com um mandado poderíamos exigir que apresentassem os canhotos, mas ainda não chegamos a essa fase. Acho que não vão se lembrar de rostos num lugar tão cheio. Vamos arriscar.

— Lamento incomodar — ele disse, com seus modos mais mansos, para a jovem por trás da grade —; há um pequeno erro num telegrama que mandei ontem. Não recebi resposta, e temo ter me esquecido de incluir meu nome no final. Pode me dizer se foi isso que aconteceu?

A jovem pegou um maço de canhotos.

— A que horas foi isso? — ela perguntou.

— Pouco depois das 18 horas.

— Para quem era?

Holmes pôs um dedo sobre os lábios e olhou para mim.

— As últimas palavras da mensagem eram: "pelo amor de Deus" — ele sussurrou confidencialmente —; estou muito ansioso por não ter recebido resposta.

A jovem separou um dos formulários.

— Aqui está. Não tem nome — ela disse, alisando a folha sobre o balcão.

— Então isso, é claro, explica por que não recebi resposta — disse Holmes. — Céus, como fui tolo, na verdade. Bom dia, senhorita, e muito obrigado por ter me proporcionado esse alívio. — Ele deu uma risadinha e esfregou as mãos quando saímos novamente para a rua.

— E então? — perguntei.

— Fazemos progressos, meu caro Watson, fazemos progressos. Eu tinha sete planos diferentes para dar uma espiada naquele telegrama, mas não esperava conseguir na primeira tentativa.

— E o que você obteve?

— Um ponto de partida para a nossa investigação. — Ele parou um táxi. — Estação de King's Cross — disse.

— Vamos viajar, então?

— Sim, acho que devemos ir para Cambridge juntos. Todas as indicações parecem apontar naquela direção.

— Diga — eu perguntei, enquanto sacolejávamos pela Gray Inn Road —, você já tem alguma suspeita quanto à causa do desaparecimento? Acho que entre todos os nossos casos, nunca vi um em que os motivos fossem mais obscuros. Certamente você não imagina que ele possa ter sido sequestrado para fornecer informações sobre seu tio rico?

— Confesso, meu caro Watson, que essa não me parece uma explicação muito provável. Tive a impressão, porém, de que seria a mais passível de interessar àquele velho extremamente desagradável.

— Com certeza interessou. Mas quais são suas alternativas?

— Eu poderia citar várias. Você deve admitir que é curioso e sugestivo que esse incidente ocorra na véspera dessa partida importante, e envolva o único homem cuja presença parece essencial para o sucesso da equipe. Isso pode, é claro, ser uma coincidência, mas é interessante. Apostar no desporto amador é proibido, mas muitas apostas irregulares acontecem

# O TRÊS-QUARTOS DESAPARECIDO

entre o público, e é possível que valha a pena, para alguém, prejudicar um jogador, como os rufiões do turfe prejudicam cavalos. Essa é uma explicação. A segunda, muito óbvia, é que esse jovem sendo realmente herdeiro de uma grande propriedade, por mais modestos que sejam seus recursos no presente, não é impossível que uma trama para sequestrá-lo e pedir um resgate possa ter sido orquestrada.

— Essas teorias não levam em conta o telegrama.

— É verdade, Watson. O telegrama ainda é a única coisa concreta com que podemos lidar, e não devemos permitir que nossa atenção se afaste dele. É para aclarar o objetivo desse telegrama que estamos agora a caminho de Cambridge. A rota da nossa investigação, no momento, é obscura, mas ficarei muito surpreso se antes do anoitecer não a tivermos iluminado ou avançado consideravelmente ao longo dela.

Já estava escuro quando chegamos à velha cidade universitária. Holmes pegou um táxi na estação e pediu que o cocheiro nos levasse para a casa do Dr. Leslie Armstrong. Alguns minutos depois, parávamos numa grande mansão, na avenida mais movimentada. Fizeram-nos entrar, e depois de uma longa espera, fomos admitidos ao consultório, onde encontramos o doutor sentado à sua mesa.

Demonstra o grau em que eu perdera contato com minha profissão que o nome de Leslie Armstrong me fosse desconhecido. Agora sei que ele não só é um dos diretores da escola de medicina da universidade, mas um pensador de reputação europeia em mais de uma área científica. No entanto, mesmo sem conhecer sua ficha brilhante, era impossível não se impressionar com um mero vislumbre do homem — o rosto maciço e quadrado, os olhos soturnos encimados por sobrancelhas salientes e a forma de granito do queixo inflexível. Um homem de caráter profundo, um homem com uma mente alerta, sombrio, ascético, controlado, formidável — assim eu percebia o Dr. Leslie Armstrong. Ele segurava o cartão de visitas do meu amigo, e ergueu o olhar com uma expressão não muito satisfeita em seu severo semblante.

— Já ouvi seu nome, Sr. Sherlock Holmes, e estou a par da sua... profissão, que de modo algum aprovo.

— Nisso, doutor, vai descobrir que está de acordo com todos os criminosos do país — disse meu amigo em voz baixa.

— Enquanto seus esforços são direcionados para a supressão do crime, senhor, devem ter o apoio de todos os membros sensatos da comunidade, embora eu não possa duvidar de que o aparato oficial seja amplamente suficiente para esse propósito. Sua vocação é mais passível de críticas quando se intromete nos segredos dos indivíduos, quando remexe assuntos de família que seria melhor manter ocultos e, a propósito, quando toma tempo de homens mais ocupados que o senhor. No presente momento, por exemplo, eu deveria estar escrevendo um tratado, em vez de conversar com a sua pessoa.

— Sem dúvida, doutor; no entanto, a conversa pode provar ser mais importante do que o tratado. A propósito,

## O TRÊS-QUARTOS DESAPARECIDO

posso dizer que estamos fazendo o contrário do que o senhor muito justamente denuncia, e que estamos tentando evitar algo como a exposição pública de assuntos particulares que necessariamente seguir-se-ia, quando o caso estivesse nas mãos da polícia oficial. Pode me considerar simplesmente um pioneiro irregular que caminha à frente da força regular do país. Vim perguntar-lhe sobre o Sr. Godfrey Staunton.

— O que tem ele?

— Conhece-o, não?

— É meu amigo íntimo.

— Sabe que ele desapareceu?

— Ah, de fato! — Não houve nenhuma mudança de expressão no semblante robusto do médico.

— Saiu do hotel ontem à noite. Ninguém sabe dele.

— Sem dúvida regressará.

— Amanhã é a partida do torneio universitário.

— Não simpatizo com esses jogos infantis. O destino do jovem me interessa profundamente, pois o conheço e gosto dele. A partida nem entra nas minhas considerações.

— Peço que se solidarize, então, com minha investigação do destino do Sr. Staunton. Sabe onde ele está?

— Certamente que não.

— Não o viu desde ontem?

— Não, não o vi.

— O Sr. Staunton era saudável?

— Totalmente.

O RETORNO DE SHERLOCK HOLMES

— Já soube de alguma doença dele?

— Nunca.

Holmes pôs uma folha de papel diante dos olhos do médico.

— Então talvez possa explicar esta fatura de treze guinéus, pagos pelo Sr. Godfrey Staunton mês passado ao Dr. Leslie Armstrong, de Cambridge. Encontrei-a entre os papéis sobre a mesa dele.

O médico ficou rubro de raiva.

— Acho que não tenho nenhum motivo para lhe dar explicações, Sr. Holmes.

Holmes devolveu a fatura ao seu caderno.

— Se prefere uma explicação pública, ela deverá vir, cedo ou tarde — ele disse. — Já falei que posso silenciar aquilo que outros seriam obrigados a publicar, e seria muito mais sensato confidenciar-se abertamente comigo.

— Não sei nada a respeito.

— Recebeu alguma mensagem do Sr. Staunton em Londres?

— Claro que não.

— Céus, céus! Esses telégrafos de novo! — Holmes suspirou com desânimo. — Um telegrama muito urgente lhe foi enviado de Londres por Godfrey Staunton às 18h15 de ontem, um telegrama que sem dúvida está associado ao seu desaparecimento, e no entanto o senhor não o recebeu. É lamentável. Faço questão de ir até a agência telegráfica local registrar uma queixa.

O Dr. Leslie Armstrong saltou de trás de sua escrivaninha, com o rosto sombrio arroxeado pela fúria.

# O TRÊS-QUARTOS DESAPARECIDO

— Vou pedir que saia da minha casa, senhor — ele falou. — Pode dizer ao seu patrão, o Lorde Mount-James, que não quero nenhum envolvimento com ele ou com seus agentes. Não, senhor, nem mais uma palavra! — Ele tocou a sineta com fúria. — John, leve esses cavalheiros até a porta. — Um pomposo mordomo nos acompanhou severamente até a porta, e nos vimos na rua. Holmes caiu na gargalhada.

— O Dr. Leslie Armstrong é certamente um homem de energia e caráter — ele disse. — Ainda não vi ninguém que, se encaminhasse seus talentos desta forma, seria mais exato para preencher a lacuna deixada pelo ilustre Moriarty. E agora, meu pobre Watson, aqui estamos, abandonados e sem amigos, nesta cidade inóspita, que não podemos deixar sem abandonar nosso caso. Esta pequena hospedaria em frente à casa de Armstrong é singularmente adequada às nossas necessidades. Se você puder pedir um quarto na frente e comprar o necessário para a noite, terei tempo para fazer umas poucas averiguações.

Aquelas poucas averiguações provaram ser, no entanto, um processo mais demorado do que Holmes imaginara, pois ele não voltou à hospedaria até quase 21 horas. Estava pálido e desanimado, sujo de poeira, e esgotado pela fome e fadiga. Uma ceia fria estava pronta sobre a mesa, e quando suas necessidades foram satisfeitas e seu cachimbo aceso, ele estava pronto para encarar tudo da forma semicômica e totalmente filosófica que lhe era natural quando suas atividades davam errado. O som das rodas de uma carruagem o fez levantar-se e olhar pela janela. Um *brougham* com uma parelha cinza estava parado sob o brilho do lampião a gás, diante da porta do médico.

— Ficou fora por três horas — disse Holmes —; saiu às 18h30, e aí está de volta. Isso dá um raio de quinze a vinte quilômetros, e ele faz isso uma, ocasionalmente duas vezes por dia.

— Não é incomum para um médico praticante.

— Mas Armstrong não é um médico praticante, na verdade. É palestrante e consultor, mas não gosta da clínica geral, que o distrai de seu trabalho literário. Por que, então, faz essas longas jornadas, que devem parecer-lhe tão abomináveis, e quem é que ele vai visitar?

— O cocheiro dele...

— Meu caro Watson, pode duvidar que foi com ele que falei primeiro? Não sei se isto partiu da depravação inata do sujeito ou de alguma ordem de seu patrão, mas ele foi rude a ponto de açular-me um cachorro em cima. Nem o cão, nem o homem gostaram do aspecto da minha bengala, porém, e a coisa não passou disso. O relacionamento ficou tenso depois disso, e outras perguntas, fora de cogitação. Tudo o que descobri foi graças a um nativo amigável no pátio da nossa própria hospedaria. Foi ele que me falou dos hábitos do doutor e de sua jornada diária. Naquele instante, para corroborar suas palavras, a carruagem se aproximou da porta.

— Você não podia segui-la?

## O TRÊS-QUARTOS DESAPARECIDO

— Excelente, Watson! Você está soltando faíscas hoje. A ideia passou-me pela mente. Há, como você deve ter observado, uma loja de bicicletas ao lado da nossa hospedaria. Corri lá para dentro, comprei uma bicicleta e consegui partir antes que a carruagem sumisse completamente de vista. Alcancei-a rapidamente, e então, mantendo-me a uma distância discreta de uns cem metros, segui suas luzes até que ela saiu da cidade. Estávamos bem encaminhados na estrada rural quando um incidente algo mortificante aconteceu. A carruagem parou, o doutor desceu, andou rapidamente até onde eu também parara e me disse, num excelente tom sardônico, que a estrada era estreita, e que ele esperava que sua carruagem não estivesse impedindo a passagem da minha bicicleta. Nada poderia ser mais admirável do que sua maneira de dizê-lo. Imediatamente passei pela carruagem e, mantendo-me na estrada principal, segui por alguns quilômetros, parando então num lugar conveniente para ver se a carruagem passava. Não havia sinal dela, no entanto; assim, ficou evidente que ela havia enveredado por uma das várias estradas vicinais que eu observara. Pedalei de volta, mas novamente não vi nem sinal da carruagem, e agora, como pode perceber, ela voltou depois de mim. Claro que de início eu não tinha nenhum motivo em particular para associar essas jornadas ao desaparecimento de Godfrey Staunton, e só estava inclinado a investigá-las pelo princípio geral de que tudo que envolve o Dr. Armstrong, no momento, é interessante para nós, mas agora que sei que ele está bastante alerta para qualquer um que o siga nessas excursões, o assunto parece mais importante, e não ficarei satisfeito enquanto não o esclarecer.

— Podemos segui-lo amanhã.

— Podemos? Não é tão fácil como pensa. Você não está familiarizado com a paisagem de Cambridgeshire, está? Ela não se presta para fazer nada às escondidas. Todo o relevo por onde passei esta noite é plano e limpo como a palma de sua mão, e o homem que estamos seguindo não é nenhum tolo, como demonstrou claramente hoje. Mandei um telegrama para Overton pedindo que nos avisasse neste endereço de quaisquer novos desdobramentos em Londres, e enquanto isso, só podemos concentrar nossa atenção no Dr. Armstrong, cujo nome aquela jovem tão cooperativa da agência dos telégrafos permitiu que eu lesse no canhoto da mensagem urgente de Staunton. Ele sabe onde aquele jovem está — sou capaz de jurar —, e se ele sabe, então será culpa nossa se também não pudermos descobrir. No momento, é preciso admitir que o trunfo está nas mãos dele, e como você bem sabe, Watson, não costumo sair do jogo nessas condições.

No entanto, o dia seguinte não nos deixou mais perto da solução do mistério. Um bilhete foi entregue depois do desjejum, que Holmes me passou com um sorriso.

*Senhor [dizia], posso garantir que está perdendo seu tempo seguindo meus movimentos. Eu tenho, como*

# O TRÊS-QUARTOS DESAPARECIDO

*descobriu noite passada, uma janela na parte de trás do meu brougham, e se quiser fazer uma viagem de trinta quilômetros que o levará ao ponto de onde partiu, basta me seguir. Enquanto isso, posso informar que espionar-me não ajudará em nada o Sr. Godfrey Staunton, e estou convencido de que o melhor serviço que o senhor pode prestar àquele cavalheiro é voltar imediatamente para Londres e relatar ao seu empregador que não conseguiu localizá-lo. Seu tempo em Cambridge certamente será desperdiçado.*

*Sinceramente seu, LESLIE ARMSTRONG*

— Um antagonista direto e honesto é o doutor — disse Holmes. — Bem, bem, ele estimula minha curiosidade, e preciso mesmo saber mais antes de deixá-lo.

— A carruagem dele está na porta agora — eu disse. — Lá está ele, entrando nela. Eu o vi olhar para a nossa janela ao fazê-lo. E se eu tentar a sorte com a bicicleta?

— Não, não, meu caro Watson! Com todo o respeito por seu acume natural, acho que você não está à altura do valoroso doutor. Imagino que seja possível alcançar nosso objetivo se eu fizer pessoalmente algumas explorações independentes. Temo ter que deixar você entregue à própria sorte, pois a aparição de *dois* forasteiros curiosos numa zona rural sonolenta poderia suscitar mais mexericos do que eu gostaria. Sem dúvida você descobrirá algumas atrações para se divertir nesta cidade venerável, e espero lhe trazer um relatório mais favorável antes do anoitecer.

# O RETORNO DE SHERLOCK HOLMES

Mais uma vez, no entanto, meu amigo estava destinado a se decepcionar. Ele voltou à noite, exausto e malsucedido.

— Tive um dia vazio, Watson. Depois de descobrir a direção geral do doutor, passei o dia visitando todas as aldeias daquele lado de Cambridge e comparando anotações com proprietários de tabernas e outras agências noticiosas locais. Cobri um pouco de território: Chesterton, Histon, Waterbeach e Oakington foram explorados, um por vez, e cada um mostrou-se decepcionante. A aparição diária de um *brougham* com uma parelha dificilmente poderia passar despercebida em vales tão sonolentos. O doutor marcou ponto mais uma vez. Tem um telegrama para mim?

— Sim; eu o abri. Aqui está: "Peça Pompey a Jeremy Dixon, da Escola Trinity". Não entendi.

— Ah, está bastante claro. É do nosso amigo Overton, em resposta a uma pergunta minha. Vou apenas mandar um bilhete para o Sr. Jeremy Dixon, e não tenho dúvida de que nossa sorte mudará. A propósito, alguma notícia do jogo?

— Sim, o jornal vespertino local traz uma excelente narração na última edição. Oxford ganhou por um gol e dois *tries*. As últimas frases da descrição dizem: "A derrota dos Azuis-Claros pode ser integralmente atribuída à lamentável ausência do ás internacional, Godfrey Staunton, que foi sentida a cada instante do jogo. A falta de combinação na linha de três-quartos e a fraqueza da equipe tanto no ataque quanto na defesa mais do que neutralizaram os esforços de um grupo sólido e aplicado".

# O TRÊS-QUARTOS DESAPARECIDO

— Então as premonições do nosso amigo Overton eram justificadas — disse Holmes. — Pessoalmente, concordo com o Dr. Armstrong, e o rúgbi nem entra nas minhas considerações. Vamos dormir cedo hoje, Watson, pois prevejo que amanhã pode ser um dia cheio.

Fiquei horrorizado com minha primeira visão de Holmes no dia seguinte, pois ele estava sentado perto da lareira, segurando sua pequena seringa hipodérmica. Eu associava esse objeto com a única fraqueza de sua índole, e temi o pior quando o vi brilhando em sua mão. Ele riu da minha expressão de desânimo e deixou-o sobre a mesa.

— Não, meu caro colega, não há motivo para alarme. Ela não é, nesta ocasião, o instrumento do mal, mas provará ser a chave que destrancará nosso mistério. Nesta seringa baseio todas as minhas esperanças. Acabo de voltar de uma pequena expedição de descoberta, e tudo está favorável. Faça um bom desjejum, Watson, pois proponho encontrar o rastro do Dr. Armstrong hoje, e quando o encontrar, não vou parar para descansar ou comer até chegar à sua toca.

— Nesse caso — eu disse —, é melhor fazermos o desjejum na viagem, pois ele resolveu sair mais cedo. Sua carruagem está na porta.

— Não se preocupe. Deixe-o ir. Só com muita esperteza conseguiria ir aonde eu não possa segui-lo. Quando você

# O RETORNO DE SHERLOCK HOLMES

terminar, desça comigo, e vou lhe apresentar um detetive que é eminente especialista no trabalho que nos espera.

Quando descemos, segui Holmes até o estábulo, onde ele abriu a porta de uma baia e tirou de lá um cachorro baixo, orelhudo, branco e bege, algo entre um *beagle* e um *foxhound*.

— Permita-me apresentar Pompey — ele disse. — Pompey é o orgulho dos sabujos locais, não muito veloz, como sua compleição revela, mas um sólido farejador ao seguir rastros. Bem, Pompey, você pode não ser rápido, mas imagino que mesmo assim corra demais para dois cavalheiros londrinos de meia-idade, por isso vou tomar a liberdade de prender esta guia de couro à sua coleira. Agora, garoto, venha, mostre-nos do que é capaz. — Ele o levou até a porta da casa do médico. O cachorro farejou por um instante, e então, com um ganido alto de empolgação, desabalou pela rua, puxando a guia, num esforço para ir mais rápido. Meia hora depois, saíamos da cidade e corríamos por uma estrada rural.

— O que você fez, Holmes? — perguntei.

— É um truque batido e venerável, mas ocasionalmente útil. Entrei no pátio do doutor, hoje de manhã, e despejei minha seringa cheia de anis na roda de trás da carruagem. Um sabujo é capaz de seguir o cheiro de anis daqui até o fim do mundo, e nosso amigo Armstrong teria que cruzar o Rio Cam para despistar Pompey. Oh, o astuto patife! Foi assim que ele me deixou a ver navios naquela noite.

# O TRÊS-QUARTOS DESAPARECIDO

O cachorro havia saído repentinamente da estrada para uma senda coberta de grama. Oitocentos metros depois, a trilha desembocava em outra estrada larga e fazia uma curva fechada à direita, rumo à cidade de onde saíramos. A estrada curvava para o sul da cidade e continuava na direção oposta daquela onde começáramos.

— Esse desvio foi totalmente em nosso benefício, então? — disse Holmes. — Não admira que minhas investigações nessas aldeias não tenham dado em nada. O doutor fez seu jogo até as últimas consequências, e eu gostaria de saber o motivo de tão elaborado embuste. Essa deve ser a aldeia de Trumpington à nossa direita. E, por Jove! Lá está o *brougham* virando a esquina! Rápido, Watson, rápido, ou estamos perdidos!

Ele correu por um portão até um campo, arrastando o relutante Pompey atrás de si. Mal havíamos chegado sob o abrigo da cerca viva quando a carruagem passou sacolejando. Pude vislumbrar o Dr. Armstrong dentro dela, com os ombros curvados, a cabeça afundada nas mãos, a própria imagem do desespero. Percebi, pelo rosto mais sério do meu colega, que ele também vira.

— Temo que nossa cruzada tenha um final sombrio — ele disse. — Não deve demorar até o conhecermos. Venha, Pompey! Ah, é a casa no campo.

Não podia haver dúvida de que chegáramos ao fim de nossa jornada. Pompey corria em círculos e gania ansiosamente diante do portão, onde as marcas das rodas do *brougham* ainda eram visíveis. Uma trilha levava até a casa solitária. Holmes amarrou o cão à cerca e nos apressamos em subir. Meu amigo bateu na porta rústica, e bateu de novo sem resposta. No entanto, a casa não estava deserta, pois um som grave nos chegava aos ouvidos — uma espécie de lamento de agonia e desespero, indescritivelmente melancólico. Holmes parou, indeciso, e então olhou novamente para a estrada que acabáramos de atravessar. Um *brougham* se aproximava, e não havia como confundir aquela parelha cinza.

— Por Jove, o doutor está voltando! — exclamou Holmes. — É a confirmação. Precisamos descobrir o que isto significa antes que ele chegue.

Ele abriu a porta e nós entramos no corredor. O som grave cresceu em nossos ouvidos, até se tornar um gemido longo e profundo de sofrimento. Vinha do andar de cima. Holmes subiu correndo e eu o segui. Ele empurrou uma porta semiaberta e ambos ficamos estarrecidos com a visão diante de nós.

Uma mulher, jovem e linda, jazia morta sobre a cama. Seu rosto calmo e pálido, com os olhos azuis baços e arregalados, repousava sobre um grande emaranhado de cabelos louros. Ao pé da cama, meio sentado, meio ajoelhado, com o rosto mergulhado nos lençóis, estava um jovem cujo corpo era agitado pelos soluços. Tão absorto ele estava em sua amarga dor que não ergueu o olhar, até que a mão de Holmes pousou em seu ombro.

— É o Sr. Godfrey Staunton?

— Sim, sim, sou; mas chegaram tarde demais. Ela está morta.

O homem estava tão fora de si que não pôde entender que não éramos médicos enviados para ajudá-lo. Holmes estava tentando pronunciar algumas palavras de consolo e explicar o alarme que o desaparecimento repentino do rapaz causara aos seus amigos, quando ouviram-se passos na escada, e o rosto pesado, severo e inquisidor do Dr. Amstrong assomou à porta.

— Então, cavalheiros — ele disse —, alcançaram seu objetivo, e certamente escolheram um momento particularmente delicado para sua intrusão. Eu não iria às vias de fato na presença da morte, mas asseguro-lhes de que, fosse eu mais jovem, essa conduta monstruosa não ficaria impune.

— Perdão, Dr. Armstrong, acho que está havendo um pequeno mal-entendido — disse meu amigo com dignidade. — Se me acompanhar escada abaixo, poderemos esclarecer um ao outro quanto a este caso deplorável.

Um minuto depois, o austero médico e nós dois havíamos descido para a sala de estar.

— Bem, senhor? — ele disse.

— Quero que entenda, em primeiro lugar, que não trabalho para o Lorde Mount-James, e que minha solidariedade, nesta questão, vai totalmente de encontro àquele aristocrata. Quando um homem está perdido, meu dever é averiguar o seu destino, mas depois de fazê-lo, o problema termina, no tocante a mim; e contanto que não haja nenhuma conduta criminosa, fico bem mais ansioso para acobertar escândalos particulares do que para dar-lhes publicidade. Se, como imagino, não há nenhuma infração da lei neste caso, pode confiar absolutamente na minha discrição e cooperação para manter os fatos fora dos jornais!

O Dr. Armstrong deu um rápido passo adiante e apertou a mão de Holmes.

— O senhor é um bom homem — ele disse. — Eu o julguei mal. Agradeço aos céus que minha compunção em deixar o pobre Staunton sozinho neste revés tenha me levado a dar meia-volta na carruagem, vindo assim a conhecer melhor o senhor. Sabendo tudo o que sabe, é fácil explicar a situação. Um ano atrás, Godfrey Staunton hospedou-se em Londres por algum tempo e tornou-se apaixonadamente apegado à filha de sua anfitriã, com quem se casou. Ela era tão boa quanto era linda, e tão inteligente quanto era boa. Nenhum homem deveria envergonhar-se de uma esposa assim. Mas Godfrey é herdeiro daquele velho aristocrata ranzinza, e certamente a notícia de seu casamento significaria o fim da herança. Eu conhecia bem o rapaz, e o amava por suas muitas e excelentes qualidades. Fiz tudo o que pude para ajudá-lo a manter as coisas no rumo certo. Tentamos esconder o fato de todos o melhor que podíamos, pois quando um rumor desses se espalha, logo todos ficam a par. Graças a esta casinha solitária e à sua discrição, Godfrey até agora lograra êxito. Seu segredo não era conhecido por ninguém, a não ser

## O TRÊS-QUARTOS DESAPARECIDO

por mim e por uma excelente criada, que no momento foi buscar ajuda em Trumpington. Mas por fim sobreveio um golpe terrível, na guisa da perigosa doença de sua esposa. Era tísica do tipo mais virulento. O pobre rapaz estava à beira da loucura pela dor, no entanto, precisava ir para Londres jogar nessa partida, da qual não poderia ausentar-se sem dar explicações que exporiam o segredo. Tentei reconfortá-lo com um telegrama, e ele me mandou outro em resposta, implorando que eu fizesse tudo o que podia. Esse é o telegrama que o senhor parece, de alguma forma inexplicável, ter visto. Não contei a ele a urgência do caso, pois sabia que ele nada poderia fazer aqui, mas comuniquei a verdade ao pai da garota, e este, muito impensadamente, revelou-a para Godfrey. O resultado foi que ele veio de imediato, num estado que beirava o frenesi, e continuou na mesma situação, ajoelhado ao pé da cama da esposa, até que esta manhã a morte pôs fim ao seu sofrimento. Isso é tudo, Sr. Holmes, e estou certo de que posso contar com sua discrição e a do seu amigo.

Holmes apertou a mão do médico.

— Venha, Watson — ele disse, e saímos daquela casa desolada para o sol pálido do inverno.

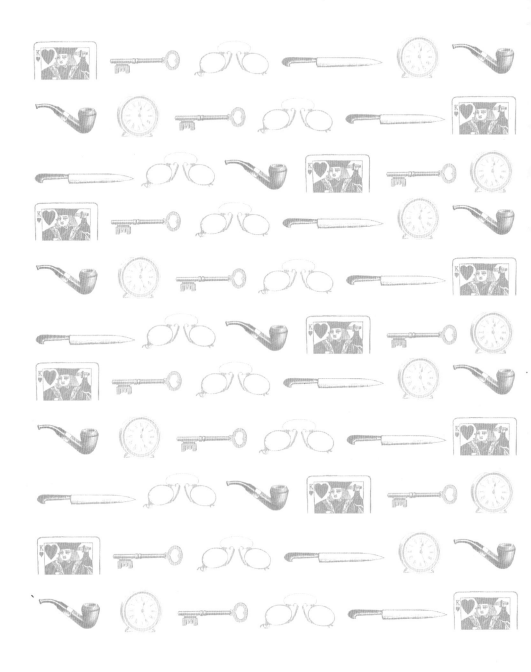

*doze*

# ABBEY GRANGE

Foi numa manhã de frio mordente e gelo, no inverno de 1897, que fui acordado por uma mão no meu ombro. Era Holmes. A vela em sua mão iluminava seu rosto ansioso e encurvado, e me revelou imediatamente que havia algo errado.

— Vamos, Watson, vamos! — ele exclamou. — O jogo já começou. Nem uma palavra! Vista-se e venha!

Dez minutos depois, estávamos os dois num táxi, sacolejando pelas ruas silenciosas a caminho da Estação de Charing Cross. Os primeiros raios fracos da aurora de inverno começavam a surgir e mal enxergávamos a silhueta ocasional de um operário madrugador que passava por nós, borrado e indistinto no nevoeiro leitoso de Londres. Holmes se aconchegou em silêncio em seu casaco espesso, e fiquei feliz em fazer o

## O RETORNO DE SHERLOCK HOLMES

mesmo, pois o ar era cortante, e estávamos ambos em jejum. Foi só depois de tomarmos um chá quente na estação e encontrarmos nossos lugares no trem para Kent que descongelamos o suficiente, ele para falar e eu para ouvir. Holmes tirou um bilhete do bolso e leu em voz alta:

*Abbey Grange, Marsham, Kent, 3h30.*

*Meu caro Sr. Holmes, eu ficaria muito feliz em ter sua assistência imediata no que promete ser um caso assaz memorável. É algo bem ao seu estilo. À parte soltar a madame, providenciarei para que tudo seja mantido exatamente como encontrei, mas rogo que não perca um instante, pois é difícil deixar Sir Eustace ali.*

*Sinceramente seu, STANLEY HOPKINS*

— Hopkins me visitou sete vezes, e em cada ocasião, sua convocação foi totalmente justificada — disse Holmes. — Imagino que cada um dos casos dele tenha encontrado lugar na sua coleção, Watson, e devo admitir que você possui um certo poder de seleção que compensa muita coisa que deploro em suas narrativas. Seu hábito fatal de ver tudo do ponto de vista de uma história, e não de um exercício científico, estraga o que poderia ser uma instrutiva e até clássica série de demonstrações. Você corrompe trabalhos da maior *finesse* e delicadeza para remoer detalhes sensacionais, capazes de empolgar, mas de modo algum instruir o leitor.

## ABBEY GRANGE

— Por que você mesmo não as escreve? — eu perguntei, com certa amargura.

— Farei isso, meu caro Watson, farei isso. Presentemente, como sabe, encontro-me muito ocupado, mas pretendo devotar meus anos de declínio à elaboração de um livro-texto que abordará toda a arte da detecção em um só volume. Nossa atual pesquisa parece ser um caso de assassinato.

— Você acha que Sir Eustace está morto, então?

— Eu diria que sim. A mensagem de Hopkins demonstra considerável agitação, e ele não é um sujeito emocional. Sim, imagino que tenha havido violência e que o corpo tenha sido deixado para que o inspecionemos. Um mero suicídio não teria motivado Hopkins a me procurar. Quanto à soltura da dama, ao que parece, ela foi trancada em seu quarto durante a tragédia. Estamos lidando com gente da alta, Watson; papel fino, monograma "EB", brasão, endereço pitoresco. Acho que o amigo Hopkins justificará sua reputação, e teremos uma manhã interessante. O crime foi cometido antes da meia-noite de ontem.

— Como pode saber disso?

— Mediante uma inspeção do horário dos trens e o cálculo do tempo. A polícia local precisou ser chamada, eles precisaram se comunicar com a Scotland Yard, Hopkins precisou sair, e depois, por sua vez, mandar me chamar. Tudo isso dá uma boa noite de trabalho. Bem, chegamos à Estação de Chislehurst, e logo aplacaremos nossas dúvidas.

Uma viagem de uns três quilômetros por estreitas alamedas rurais nos levou aos portões de um parque, que foram abertos para nós por um velho caseiro, cujo rosto cansado trazia as marcas de algum grande desastre. A avenida atravessava um nobre parque, ladeada por velhos olmos, e terminava numa mansão baixa e ampla, com pilastras na fachada ao estilo paladiano. A parte central era evidentemente muito antiga e coberta por hera, mas as grandes janelas demonstravam que mudanças modernas haviam sido realizadas, e uma ala da casa parecia ser totalmente nova. A figura jovial e o rosto alerta e afoito do inspetor Stanley Hopkins nos receberam na porta.

— Fico muito feliz que tenha vindo, Sr. Holmes. E o senhor também, Dr. Watson! Mas na verdade, se eu pudesse voltar no tempo, não os teria incomodado, pois logo que a madame voltou a si, fez um relato tão claro do caso que não resta muita coisa a fazer. Lembra aquela quadrilha de larápios de Lewisham?

— Quem, os três Randall?

— Exatamente; pai e dois filhos. Foi obra deles. Não tenho dúvidas disso. Fizeram um serviço em Sydenham há duas semanas e foram vistos e descritos. Um tanto ousado cometer outro roubo tão logo e tão perto do primeiro; mas foram eles, sem sombra de dúvida. É um caso para enforcamento, desta vez.

— Sir Eustace está morto, então?

— Sim; sua cabeça foi esmagada com seu próprio atiçador.

— Sir Eustace Brackenstall, segundo o cocheiro me disse.

## ABBEY GRANGE

— Exatamente, um dos homens mais ricos de Kent. Lady Brackenstall está na sala de visitas. Pobre dama, teve uma experiência pavorosa. Parecia semimorta quando a vi. Acho que é melhor que vá falar com ela e ouça a sua versão dos fatos. Então examinaremos a sala de jantar juntos.

Lady Brackenstall não era uma pessoa comum. Raramente vi uma forma tão graciosa, uma presença tão feminina e um rosto tão belo. Ela era loura, de cabelos dourados, olhos azuis, e teria, sem dúvida, a compleição perfeita que acompanha tais tons, não a tivesse sua recente experiência deixado fraca e combalida. Seu sofrimento era físico tanto quanto mental, pois sobre um olho havia um feio inchaço arroxeado, que sua criada, mulher alta e austera, umedecia assiduamente com vinagre e água. A dama jazia exausta sobre um sofá, mas seu olhar rápido e observador ao entrarmos na sala, e a expressão alerta de seus lindos traços, mostravam que seu juízo e sua coragem não haviam sido abalados pela terrível experiência. Ela estava envolta num folgado robe azul e prateado, mas um vestido preto com lantejoulas pendia do sofá ao seu lado.

— Já lhe contei tudo o que aconteceu, Sr. Hopkins — ela disse com voz cansada —; não pode repetir para mim? Bem, se acha necessário, contarei a esses cavalheiros o que aconteceu. Eles já estiveram na sala de jantar?

— Achei que seria melhor que ouvissem seu relato antes.

— Ficarei feliz quando puder tomar as devidas providências. É horrível, para mim, pensar nele ainda jogado ali. — Ela estremeceu e cobriu o rosto por um momento com as mãos. Ao fazer isso, o robe descobriu seu antebraço. Holmes soltou uma exclamação.

— Tem outros ferimentos, madame! O que é isso? — Duas marcas de um vermelho vivo se destacavam num dos membros brancos e lisos. Ela o cobriu rapidamente.

— Não é nada. Não tem nenhuma relação com o horrível incidente da noite passada. Se o senhor e o seu amigo se sentarem, contarei tudo o que eu puder.

"Sou a esposa de Sir Eustace Brackenstall. Casei-me há cerca de um ano. Suponho que seja inútil tentar esconder que nosso casamento não era feliz. Temo que todos os nossos vizinhos poderiam confirmar isso, mesmo se eu tentasse negar. Talvez a culpa em parte seja minha. Fui criada na atmosfera mais livre e menos convencional do sul da Austrália, e esta vida britânica, com suas formalidades e sua afetação, não combina comigo. Mas o principal motivo está no único fato que é sobejamente conhecido por todos: Sir Eustace era comprovadamente um beberrão. Ficar por uma hora com um homem assim é desagradável. Podem imaginar o que significa, para uma mulher sensível e cheia de vida, estar presa a ele noite e dia? É um sacrilégio, um crime, uma vilania afirmar que um casamento assim seja válido. Eu digo que essas suas leis monstruosas vão trazer uma maldição para esta terra — os céus não permitirão que tal perversidade perdure."

## ABBEY GRANGE

Por um instante ela ergueu o corpo, com a face afogueada e os olhos faiscando sob a chaga terrível em sua fronte. Então a mão forte e calmante da austera criada conduziu sua cabeça de volta ao travesseiro, e a fúria selvagem esmoreceu em soluços passionais. Finalmente, ela continuou:

— Vou contar sobre a noite passada. Talvez saibam que nesta casa toda a criadagem dorme na ala moderna. Este bloco central constitui a parte residencial, com a cozinha nos fundos e nosso dormitório no primeiro andar. Minha criada Theresa dorme acima do meu quarto. Não há mais ninguém, e nenhum som conseguiria alarmar quem está na ala mais distante. Esse fato devia ser bem conhecido pelos ladrões, ou eles não teriam agido como agiram.

"Sir Eustace foi se deitar por volta das 22h30. Os criados já haviam ido para a sua ala. Somente minha criada estava acordada, e permanecia em seu quarto no último andar da casa até que eu precisasse dos seus serviços. Eu fiquei até depois das 23 horas nesta sala, absorta num livro. Então fiz uma ronda para ver se estava tudo bem antes de subir. Era meu costume fazer isso pessoalmente, pois, como expliquei, nem sempre podia confiar em Sir Eustace. Fui para a cozinha, a despensa do mordomo, a sala de armas, a sala de bilhar, a sala de estar, e finalmente a sala de jantar. Ao me aproximar da janela, que é coberta por grossas cortinas, senti de repente o vento soprando no meu rosto, e percebi que ela estava aberta. Abri a cortina e me vi frente a frente com um velho de ombros largos que acabara de entrar na sala. A janela é à francesa, comprida, e na verdade funciona como uma porta que leva ao jardim. Eu estava com uma vela acesa na mão, e à sua luz, atrás do primeiro homem, vi dois outros que estavam entrando. Dei um passo para trás, mas o sujeito me agarrou num instante. Primeiro me segurou pelo pulso e depois pela garganta. Abri a boca para gritar, mas ele me deu um soco terrível em cima do olho, derrubando-me no chão. Devo ter ficado inconsciente por alguns minutos, pois quando voltei a mim, descobri que eles haviam arrancado o cordão da sineta e me amarrado firmemente à cadeira de carvalho que fica na cabeceira da mesa de jantar. Eu estava amarrada tão apertada que não conseguia me mover, e um lenço me amordaçava, impedindo-me de emitir qualquer som. Foi nesse instante que meu desventurado marido entrou na sala. Evidentemente, ele ouvira barulhos suspeitos e chegara preparado para a cena que encontrou. Estava em mangas de camisa e calça, trazendo na mão seu porrete de abrunheiro favorito. Ele atacou um dos ladrões, mas outro — o velho — se abaixou, pegou o atiçador da lareira e deu-lhe um golpe terrível quando ele passava. Meu marido caiu sem um gemido e não se moveu mais. Desmaiei mais uma vez, mas novamente deve ter sido por poucos minutos. Quando abri os olhos, descobri que eles haviam coletado a prataria do aparador e aberto uma garrafa de vinho que estava ali. Cada um estava com uma taça na mão. Já contei, não contei, que um era idoso, barbudo, e

## ABBEY GRANGE

os outros eram rapazes jovens e imberbes. Deviam ser um pai e seus dois filhos. Conversavam aos sussurros. Então vieram verificar se eu ainda estava firmemente amarrada. Finalmente, bateram em retirada, fechando a janela ao sair. Passou um bom quarto de hora antes que eu conseguisse tirar a mordaça. Quando o fiz, meus gritos trouxeram a criada em meu socorro. Os outros serviçais logo ouviram o alarme, e chamamos a polícia local, que instantaneamente comunicou-se com Londres. Isso é realmente tudo que posso lhes contar, cavalheiros, e acredito que não será necessário que eu repita essa história tão dolorosa de novo."

— Alguma pergunta, Sr. Holmes? — indagou Hopkins.

— Não abusarei mais da paciência e do tempo de Lady Brackenstall — disse Holmes. — Antes de ir para a sala de jantar, gostaria de ouvir sua experiência. — Ele olhava para a criada.

— Vi os homens antes que eles entrassem na casa — ela disse. — Sentada perto da janela do meu quarto, vi três homens sob o luar, perto do portão da casa do caseiro, mas naquele momento nem pensei nisso. Mais de uma hora depois, ouvi minha senhora gritar, corri para baixo e a encontrei, pobrezinha, como ela disse, e ele no chão, com sangue e miolos espalhados pela sala. Era suficiente para fazer uma mulher perder o juízo, amarrada ali, e com seu próprio vestido manchado dos restos do marido; mas nunca lhe faltou coragem quando era a Srta. Mary Fraser, de Adelaide, e tornar-se Lady Brackenstall, de Abbey Grange, não mudou seu jeito. Os senhores já a interrogaram muito, cavalheiros, e agora ela vai para o seu quarto, só com sua velha Theresa, para o descanso de que tanto precisa.

Com ternura materna, a mulher emaciada pôs o braço ao redor de sua senhora e a levou embora da sala.

— Ela serviu a vida toda à madame — disse Hopkins. — Foi sua ama quando criança, e veio com ela para a Inglaterra quando as duas partiram da Austrália, um ano e meio atrás. Theresa Wright é o nome dela, e esse tipo de criada não se encontra mais hoje em dia. Por aqui, Sr. Holmes, por favor!

O interesse agudo abandonara o rosto expressivo de Holmes, e eu sabia que, junto com o mistério, todo o encanto do caso se fora. Ainda restava uma prisão a ser feita, mas o que eram esses bandidos comuns, para que sujasse suas mãos com eles? Um especialista complexo e sábio que descobrisse ter sido convocado para tratar de um caso de sarampo experimentaria algo parecido com o aborrecimento que eu lia nos olhos do meu amigo. No entanto, a cena na sala de jantar de Abbey Grange era suficientemente estranha para prender sua atenção e reavivar seu minguante interesse.

Era um cômodo muito grande e alto, com teto de carvalho entalhado, painéis de carvalho, e uma bela coleção de cabeças de veado e armas antigas nas paredes. Na extremidade oposta à porta ficava a alta janela à francesa mencionada. Três janelas menores do lado direito enchiam o aposento com o sol frio do inverno. À esquerda ficava uma lareira grande e funda, com uma enorme moldura de carvalho ao redor. Ao lado da lareira havia uma pesada cadeira de carvalho, com braços e barras entre os pés. Uma corda escarlate estava entrelaçada no madeiramento e presa nas pontas na barra inferior. Quando soltaram a dama, a corda fora desenrolada do seu corpo, mas os nós que a prendiam à cadeira estavam intactos. Esses detalhes só nos chamaram a atenção mais tarde, pois nossos pensamentos estavam totalmente dominados pelo terrível objeto que jazia sobre o tapete de pele de tigre diante da lareira.

Era o corpo de um homem alto e robusto, de uns 40 anos. Jazia de costas, com o rosto para cima e os dentes brancos arreganhados em meio à curta barba negra. Suas duas mãos crispadas estavam erguidas acima da cabeça, segurando um pesado bastão de abrunheira. Seus traços escuros, atraentes e aquilinos estavam contorcidos num espasmo de ódio vingador, que imobilizara seu rosto na morte com uma expressão terrivelmente maligna. Ele evidentemente estava na cama ao ouvir o alarme, pois usava uma camisa de noite um tanto janota, bordada, e seus pés estavam descalços. Sua cabeça estava horrivelmente ferida, e a sala toda testemunhava a ferocidade selvagem do golpe que o derrubara. Ao seu lado estava o pesado atiçador, deformado pela concussão. Holmes examinou tanto o objeto quanto a indescritível destruição que ele causara.

— Deve ser um homem muito forte, esse velho Randall — ele comentou.

— Sim — disse Hopkins. — Tenho alguma lembrança do sujeito, e ele é um brutamontes.

— Não deve ter dificuldade em encontrá-lo.

— Nenhuma. Já estávamos de olho nele, e dizia-se que havia fugido para os Estados Unidos. Agora que sabemos que a quadrilha está aqui, não vejo como poderiam escapar. Já avisamos todos os portos marítimos, e uma recompensa será oferecida antes do anoitecer. O que me intriga é como eles podem ter feito algo tão tresloucado, sabendo que a madame os descreveria, e que não deixaríamos de reconhecer a descrição.

— Exatamente. Era de se esperar que eles também tivessem silenciado Lady Brackenstall.

— Podem não ter percebido — sugeri — que ela se recuperara do desmaio.

— Isso é bastante provável. Se ela parecia inconsciente, eles não tirariam sua vida. E quanto a esse pobre sujeito, Hopkins? Já ouvi algumas histórias esquisitas a respeito dele.

— Ele tinha bom coração quando estava sóbrio, mas virava um monstro quando ficava bêbado, ou melhor, quando ficava meio bêbado, pois raramente se embebedava por completo. O demônio parecia possuí-lo nessas ocasiões, e ele era capaz de qualquer coisa. Pelo que ouvi, apesar de toda a sua riqueza e de seu título, por pouco ele não se tornou problema nosso, uma ou duas vezes. Houve um escândalo

## ABBEY GRANGE

referente a ele ensopar um cachorro com petróleo e pôr fogo nele — o cachorro da madame, para piorar as coisas — e o caso só foi acobertado com dificuldade. Ele também atirou uma jarra naquela criada, Theresa Wright; isso também criou problemas. De maneira geral, cá entre nós, a casa ficará mais alegre sem ele. O que está olhando agora?

Holmes estava de joelhos, examinando com grande atenção os nós na corda vermelha que amarrara a dama. Depois, ele perscrutou cuidadosamente a extremidade rota e esgarçada onde ela se partira ao ser puxada pelo ladrão.

— Quando este cordão foi puxado, a sineta deve ter tocado alto na cozinha — ele comentou.

— Ninguém a ouviu. A cozinha fica nos fundos da casa.

— Como o ladrão sabia que ninguém a ouviria? Como ousou puxar um cordão de sineta de forma tão imprudente?

— Exato, Sr. Holmes, exato. O senhor faz a mesma pergunta que me propus repetidas vezes. Não resta dúvida de que esse sujeito devia conhecer a casa e seus hábitos. Devia entender perfeitamente que os criados estariam todos na cama naquele horário, relativamente cedo, e que ninguém poderia ouvir uma sineta tocar na cozinha. Portanto, devia estar mancomunado com um dos criados. Certamente isso é óbvio. Mas os criados são oito, e todos de bom caráter.

— Sem considerar outros aspectos — disse Holmes —, suspeitar-se-ia daquela em cuja cabeça o patrão atirou uma jarra. No entanto, isso seria uma deslealdade para com a senhora à qual essa mulher parece devotada. Bem, bem, ao que tudo indica, é um detalhe menor, e quando você capturar Randall, provavelmente não terá dificuldade em descobrir seus cúmplices. A história da madame certamente seria corroborada, se precisasse ser, por todos os detalhes que vemos diante de nós. — Ele foi até a janela à francesa e escancarou-a. — Não há marcas aqui, mas o chão está duro como pedra, e não seria de se esperar que houvesse mesmo. Vejo que essas velas sobre a lareira foram acesas.

— Sim, era à luz delas, e daquela que a madame trouxe de seu quarto, que os ladrões enxergavam.

— E o que eles levaram?

— Bem, não levaram muito, só meia dúzia de itens de prataria do aparador. Lady Brackenstall acha que eles mesmos ficaram tão abalados com a morte de Sir Eustace que nem saquearam a casa, como normalmente teriam feito.

— Sem dúvida isso é verdade. No entanto, tomaram vinho, pelo que entendi.

— Para fortalecer os nervos.

— Exatamente. Estas três taças sobre o aparador estão intocadas, suponho?

— Sim; e a garrafa também está como a deixaram.

— Vamos olhá-las. Olá, olá! O que é isso?

As três taças estavam juntas, todas úmidas de vinho, e uma delas contendo alguns restos de sedimento da bebida. A garrafa estava perto delas, com dois terços do líquido, e ao seu lado havia uma rolha longa e muito manchada. A aparência da rolha e o pó sobre a garrafa revelavam que não era uma safra comum que os assassinos haviam apreciado.

Uma mudança sobreviera na atitude de Holmes. Ele perdera a expressão relapsa, e mais uma vez vi uma luz atenta de interesse em seus olhos brilhantes e fundos. Ele pegou a rolha e a examinou minuciosamente.

— Como a sacaram? — ele perguntou.

Hopkins apontou para uma gaveta semiaberta. Dentro dela havia alguns guardanapos e um saca-rolhas.

— Lady Brackenstall disse que esse saca-rolhas foi usado?

— Não; lembre-se, ela estava inconsciente no momento em que a garrafa foi aberta.

— De fato. Na verdade, esse saca-rolhas *não* foi usado. A garrafa foi aberta por um saca-rolhas de bolso, provavelmente o de um canivete, medindo não mais do que quatro centímetros. Se você examinar o alto da rolha, vai observar que o saca-rolhas a perfurou três vezes antes que conseguissem sacá-la. Ela não foi varada. Este longo saca-rolhas iria vará-la e sacá-la com um só puxão. Quando você capturar esse sujeito, descobrirá que ele possui um daqueles canivetes multiuso.

— Excelente! — exclamou Hopkins.

— Mas confesso que estas taças me intrigam. Lady Brackenstall realmente *viu* os três homens bebendo, não viu?

— Sim; ela foi clara quanto a isso.

# O RETORNO DE SHERLOCK HOLMES

— Assunto encerrado, então. O que mais há a dizer? No entanto, deve admitir que as três taças são realmente notáveis, Hopkins. O quê, você não vê nada de notável nelas? Bem, bem, deixe estar. Talvez, quando um homem tem conhecimentos e poderes especiais como os meus, isso o encoraje um pouco a procurar uma explicação complexa, mesmo quando uma mais simples está à mão. Claro, deve ser um mero acaso, isso das taças. Então bom dia, Hopkins, acho que não vou ser-lhe útil, e você parece ter esclarecido completamente seu caso. Avise-me quando Randall for preso, e sobre quaisquer ulteriores desdobramentos que possam vir a ocorrer. Acredito que logo terei que parabenizá-lo por uma conclusão bem-sucedida. Venha, Watson, imagino que possamos empregar nosso tempo de forma mais proveitosa em casa.

Durante nossa viagem de volta, eu podia ver, pelo rosto de Holmes, que ele estava profundamente intrigado por algo que observara. De vez em quando, com esforço, ele afastava essa impressão e falava como se o caso estivesse claro, mas então a dúvida o acometia de novo, e seu cenho franzido e olhar distraído demonstravam que seus pensamentos tinham voltado novamente para a grande sala de jantar de Abbey Grange, onde aquela tragédia noturna fora encenada. Finalmente, com um impulso repentino, quando nosso trem estava partindo de uma estação suburbana, ele saltou para a plataforma e me puxou atrás de si.

## ABBEY GRANGE

— Desculpe, caro colega — ele disse, enquanto olhávamos os últimos vagões do nosso trem desaparecendo numa curva —; lamento tornar você a vítima do que pode parecer um mero capricho, mas, por minha vida, Watson, eu simplesmente *não posso* deixar o caso nessas condições. Todos os meus instintos gritam contra isso. Está errado, está tudo errado, juro que está errado. No entanto, a história da madame era completa, a confirmação da criada foi suficiente, os detalhes eram bastante exatos. O que tenho a oferecer contra isso? Três taças de vinho, e só. Mas se eu não tivesse dado as coisas como certas, se eu tivesse examinado tudo com o cuidado que eu teria caso tivéssemos abordado a questão da estaca zero, sem uma história já pronta para deturpar minha mente, eu não teria encontrado algo mais definido para me basear? Claro que sim. Sente-se neste banco, Watson, até que um trem para Chislehurst passe, e permita-me apresentar as provas, implorando em primeiro lugar que varra de sua mente a ideia de que qualquer coisa que a criada ou a madame possam ter dito seja necessariamente verdade. Não podemos permitir que a personalidade encantadora da madame turve nosso juízo.

"Certamente há detalhes na versão dela que, examinados a sangue-frio, despertam suspeitas. Esses ladrões fizeram um roubo considerável em Sydenham há duas semanas. Algum relato sobre eles e sua aparência estava nos jornais, e naturalmente ocorreria a quem desejasse inventar uma história na qual ladrões imaginários tomassem parte. Na verdade, ladrões que fazem um serviço bem-sucedido, via de regra, ficam satisfeitos em aproveitar sua fortuna em paz e sossegados, sem embarcar logo numa nova empreitada perigosa. Também é incomum que ladrões batam numa dama para que ela não grite, já que é de se imaginar que essa seja a maneira mais garantida de fazê-la gritar; é incomum que cometam um assassinato quando estão em maior número e podem dominar um homem; é incomum que se contentem com uma pilhagem limitada quando há tantas outras coisas ao seu alcance; e, finalmente, eu diria que é muito incomum, para homens assim, deixar uma garrafa pela metade. O que você acha de todos esses 'incomuns', Watson?"

— Seu efeito cumulativo certamente é considerável; no entanto, cada um deles é bastante possível, em si mesmo considerado. A coisa mais incomum de todas, ao que me parece, é a madame ter sido amarrada à cadeira.

— Bem, disso não tenho certeza, Watson, pois é evidente que precisariam matá-la ou imobilizá-la, de modo que ela não pudesse avisar imediatamente sobre a fuga deles. De qualquer forma, eu demonstrei, não demonstrei, que existe um certo elemento de improbabilidade na história da madame? E agora, somando-se a tudo isso, vem o incidente das taças de vinho.

— O que têm as taças de vinho?

— Consegue vê-las em sua mente?

— Vejo-as com clareza.

# ABBEY GRANGE

— Foi-nos dito que três homens beberam nelas. Isso lhe parece provável?

— Por que não? Havia vinho nas três taças.

— Exato; mas só havia sedimento numa das taças. Você deve ter notado esse fato. O que isso lhe sugere?

— É mais provável que a última taça a ser enchida contenha o sedimento.

— De modo algum. A garrafa estava cheia, e é inconcebível que as primeiras duas taças estivessem limpas, e a terceira carregada de sedimento. Existem duas explicações possíveis, e somente duas. Uma é que depois que a segunda taça foi enchida, a garrafa tenha sido agitada violentamente, e assim, a terceira taça tenha recebido o sedimento. Isso não parece provável. Não, não; tenho certeza de que estou correto.

— O que, então, você supõe?

— Que só duas taças foram usadas, e que os restos de ambas foram derramados numa terceira, para dar a falsa impressão de que três pessoas estiveram ali. Desse modo, todo o sedimento iria parar na última taça, não? Sim, estou convencido de que foi isso. Mas se encontrei a verdadeira explicação desse único pequeno fenômeno, então, num instante, o caso se eleva do lugar-comum para o altamente memorável, pois isso só pode significar que Lady Brackenstall e sua criada mentiram deliberadamente para nós, que nem uma palavra da história delas merece crédito, que elas têm algum motivo muito forte para acobertar o verdadeiro criminoso, e que devemos reconstituir o caso por nossa conta, sem nenhuma ajuda delas. Essa é a missão que agora nos aguarda, Watson, e aí está o trem para Chislehurst.

Os ocupantes de Abbey Grange ficaram muito surpresos com nosso regresso, mas Sherlock Holmes, ao saber que Stanley Hopkins voltara para a chefatura para fazer seu relatório, tomou posse da sala de jantar, trancou a porta por dentro e dedicou-se por duas horas a uma daquelas minuciosas e extenuantes investigações que formavam a base sólida sobre a qual seus brilhantes edifícios de dedução eram fundados. Sentado num canto como um estudante interessado que observa a demonstração do seu professor, eu seguia cada etapa daquela pesquisa memorável. A janela, as cortinas, o tapete, a cadeira, o cordão — cada objeto foi por sua vez minuciosamente examinado e devidamente ponderado. O corpo do desventurado baronete fora removido, mas todo o resto continuava como havíamos visto pela manhã. Então, para meu assombro, Holmes subiu na moldura da enorme lareira. Bem acima de sua cabeça estavam os poucos centímetros do cordão vermelho que continuavam presos ao fio. Por muito tempo ele olhou para cima, e então, na tentativa de se aproximar, apoiou o joelho numa alça de madeira na parede. Isso pôs sua mão a alguns centímetros do pedaço de cordão; mas não era este, e sim a própria alça, que parecia atrair-lhe a atenção. Finalmente, ele desceu com um salto e uma exclamação de deleite.

## ABBEY GRANGE

— Está tudo bem, Watson — ele disse. — Temos um caso; um dos mais memoráveis em nossa coleção. Mas, meu Deus, como fui lento de raciocínio, e como cheguei perto de cometer o maior deslize da minha vida! Agora, acho que só faltam alguns elos para completar minha corrente.

— Já descobriu seus homens?

— Homem, Watson, homem. Somente um, mas uma pessoa formidável. Forte como um leão — imagine o golpe que curvou aquele atiçador. Um metro e noventa de altura, ativo como um esquilo, ágil com os dedos; finalmente, com uma rapidez de raciocínio notável, pois toda essa história engenhosa é obra dele. Sim, Watson, topamos com o trabalho de um indivíduo muito peculiar. No entanto, neste cordão da sineta, ele nos deu uma pista que não deveria ter deixado dúvida.

— Onde estava a pista?

— Bem, se você arrancar o cordão de uma sineta, Watson, onde imagina que ele vai se partir? Certamente no lugar em que está emendado no fio. Por que se partiria a sete centímetros do alto, como neste caso?

— Porque está esgarçado ali?

— Exatamente. Esta ponta, que podemos examinar, está esgarçada. Ele foi ardiloso o suficiente para fazer isso com sua faca. Mas a outra ponta não está esgarçada. Você não consegue ver daqui, mas se subisse na lareira, veria que ela recebeu um corte limpo, sem nenhum esgarçamento. É possível reconstruir o que aconteceu. O homem precisava do cordão. Não queria arrancá-lo por medo de dar o alarme, tocando a sineta. O que ele fez? Subiu na lareira, não conseguiu alcançar mesmo assim, apoiou o joelho na alça, pode ver a marca na poeira, e usou sua faca no cordão. Faltaram-me uns sete centímetros para alcançá-lo, pelo que deduzo que ele seja no mínimo sete centímetros mais alto do que eu. Veja aquela mancha no assento da cadeira! O que é?

— Sangue.

— Sem dúvida que é sangue. Só isso já invalida a história da madame. Se ela estava sentada na cadeira quando o crime foi cometido, como surgiu essa mancha? Não, não; a mulher foi colocada na cadeira *depois* da morte do marido. Aposto que o vestido preto revela uma mancha correspondente. Ainda não tivemos nosso Waterloo, Watson, mas este é o nosso Marengo, pois começa com derrota e termina em vitória. Agora, gostaria de trocar algumas palavras com a ama Theresa. Precisamos ficar desconfiados por algum tempo, se quisermos obter as informações que desejamos.

Era uma pessoa interessante, essa severa ama australiana. Taciturna, desconfiada, antipática, levou algum tempo até que a atitude agradável de Holmes e sua franca aceitação de tudo o que ela dizia a derretesse para uma cordialidade equivalente. Ela não tentou disfarçar seu ódio pelo falecido empregador.

— Sim, senhor, é verdade que ele atirou a jarra em mim. Eu o ouvi insultando minha senhora, e lhe disse que ele não se

# ABBEY GRANGE

atreveria a falar assim se o irmão dela estivesse aqui. Foi então que ele jogou a jarra. Poderia jogar uma dúzia, contanto que deixasse minha avezinha em paz. Sempre a maltratava, e ela era orgulhosa demais para reclamar. Não quer nem me contar tudo que ele fez com ela. Nunca me falou daquelas marcas no braço que o senhor viu hoje de manhã, mas sei muito bem que são de ser espetada com um broche. O demônio ardiloso; que os céus me perdoem por falar dele assim, agora que está morto, mas se um dia um demônio andou por esse mundo, era ele. Era um doce quando o conhecemos, faz só dezoito meses, e ambas sentimos que pareceram dezoito anos. Ela havia acabado de chegar a Londres. Sim, era a sua primeira viagem, ela nunca havia ficado longe de casa antes. Ele a conquistou com seu título, seu dinheiro e seus falsos modos londrinos. Se ela errou, já pagou por isso, mais do que qualquer mulher já pagou. Em que mês o conhecemos? Bem, eu digo que foi logo depois que chegamos. Chegamos em junho, e foi em julho. Eles se casaram em janeiro do ano seguinte. Sim, ela está na sala de visitas de novo, e com certeza vai recebê-lo, mas não deve exigir demais dela, pois já passou por tudo que uma criatura de carne e osso pode suportar.

Lady Brackenstall estava deitada no mesmo sofá, mas parecia mais animada do que antes. A criada entrara conosco, e voltou a pensar a ferida na testa de sua senhora.

— Espero — disse a dama —, que não tenham vindo me interrogar de novo.

— Não — Holmes respondeu, com seu tom de voz mais gentil —, não quero lhe causar qualquer aflição desnecessária, Lady Brackenstall, e meu único desejo é facilitar as coisas para a senhora, pois estou convencido de que é uma mulher que muito sofreu. Se me tratar como amigo e confiar em mim, descobrirá que faço jus à sua confiança.

— O que quer que eu faça?

— Que me conte a verdade.

— Sr. Holmes!

— Não, não, Lady Brackenstall, não adianta. Pode ter ouvido falar da modesta reputação que possuo. Aposto-a toda no fato de que sua história é absolutamente inventada.

Dama e criada estavam olhando para Holmes com o rosto pálido e olhar assustado.

— Que sujeito impudente! — exclamou Theresa. — Quer dizer que minha senhora lhe contou uma mentira?

Holmes se levantou da poltrona.

— Não tem nada para me contar?

— Já lhe contei tudo.

— Reflita, Lady Brackenstall. Não é melhor ser sincera?

Por um instante, a hesitação passou por sua linda face. Então algum novo pensamento forte fê-la coalescer como uma máscara.

— Já contei tudo o que sei.

Holmes pegou seu chapéu e deu de ombros.

— Eu sinto muito — ele disse, e sem mais uma palavra, saímos da sala e da casa. Havia um lago no parque, e meu amigo

## ABBEY GRANGE

me levou para lá. Estava congelado, mas restava um único buraco, para uso de um cisne solitário. Holmes olhou para ele, depois passou pelo portão da casa do caseiro. Então rabiscou um curto bilhete para Stanley Hopkins e o deixou com o caseiro.

— Podemos acertar ou podemos errar, mas temos que fazer algo pelo amigo Hopkins, só para justificar esta segunda visita — ele disse. — Ainda não vou confidenciar-me com ele. Acho que nosso próximo teatro de operações deve ser a agência marítima da linha Adelaide-Southampton, que fica no fim da Pall Mall, se bem me lembro. Há uma segunda linha de vapores que liga o sul da Austrália com a Inglaterra, mas vamos atrás do peixe maior primeiro.

O cartão de visitas de Holmes, enviado ao gerente, garantiu atenção imediata, e ele não demorou em adquirir todas as informações de que precisava. Em junho de 1895, somente um dos seus navios de linha chegara a um porto doméstico. Foi o *Pedra de Gibraltar*, sua maior e melhor embarcação. Uma consulta à lista de passageiros mostrou que a Srta. Fraser, de Adelaide, com sua criada, viajara nele. O navio estava agora a caminho da Austrália, em algum lugar ao sul do Canal de Suez. Seus oficiais eram os mesmos de 1895, com uma exceção. O primeiro oficial, Sr. Jack Croker, fora promovido a capitão e iria assumir o novo navio da linha, o *Bass Rock*, que zarparia dali a dois dias de Southampton. Croker morava em Sydenham, mas provavelmente viria naquela manhã para receber instruções, se quiséssemos esperar por ele.

Não; o Sr. Holmes não desejava vê-lo, mas ficaria feliz em saber mais sobre sua ficha e seu caráter.

Sua ficha era magnífica. Não havia um oficial na frota que lhe chegasse aos pés. Quanto ao seu caráter, era confiável em serviço, mas um sujeito feroz e desesperado em terra firme, pavio curto, irascível, porém leal, honesto e de bom coração. Essa era a essência das informações que Holmes tinha ao sair do escritório da Companhia Adelaide-Southampton. Dali ele seguiu para a Scotland Yard, mas em vez de entrar, ficou sentado no táxi, com a testa baixa, perdido em pensamentos profundos. Finalmente, foi para a agência de telégrafos de Charing Cross, enviou uma mensagem, e então, por fim, rumamos mais uma vez para a Baker Street.

— Não, eu não consegui, Watson — ele disse, quando voltamos para nossos aposentos. — Quando expedissem aquele mandado, nada no mundo poderia salvá-lo. Uma ou duas vezes na minha carreira, senti que fiz realmente mais mal descobrindo o criminoso do que ele fizera com seu crime. Aprendi a ser cauteloso, agora, e prefiro pregar peças na lei inglesa do que na minha consciência. Vamos saber um pouco mais antes de agirmos.

Antes do anoitecer, recebemos uma visita do inspetor Stanley Hopkins. As coisas não iam muito bem para ele.

— Acredito que o senhor é um mago, Sr. Holmes. Acho realmente, às vezes, que o senhor tem poderes que não são humanos. Como é que podia saber que a prataria roubada estava no fundo daquele lago?

## ABBEY GRANGE

— Eu não sabia.

— Mas me mandou examiná-lo.

— Encontrou-a, então?

— Sim, encontrei.

— Fico muito feliz em tê-lo ajudado.

— Mas não me ajudou. Tornou o caso muito mais difícil. Que espécie de ladrões é essa que rouba prataria e depois a joga no lago mais próximo?

— Certamente foi um comportamento um tanto excêntrico. Eu apenas me baseei na ideia de que, se a prataria tivesse sido levada por uma pessoa que não a queria, que a levou apenas como um disfarce, como foi o caso, naturalmente essa pessoa estaria ansiosa para livrar-se dela.

— Mas como o senhor foi ter uma ideia dessas?

— Bem, achei que fosse possível. Quando a pessoa saiu pela janela à francesa, lá estava o lago, com um buraquinho tentador, bem diante do seu nariz. Poderia haver esconderijo melhor?

— Ah, um esconderijo; assim está melhor! — exclamou Stanley Hopkins. — Sim, sim, agora entendi tudo! Era cedo, havia gente nas estradas, a pessoa ficou com medo de ser vista com a prataria, por isso a jogou no lago, pretendendo voltar para pegá-la quando a barra estivesse limpa. Excelente, Sr. Holmes; isso é melhor do que sua ideia de um disfarce.

— Deveras; o senhor tem uma teoria admirável. Não tenho dúvida de que minhas ideias eram assaz tresloucadas, mas deve admitir que acabaram por descobrir a prataria.

# O RETORNO DE SHERLOCK HOLMES

— Sim, senhor; sim. Foi tudo obra sua. Mas tenho um grave contratempo.

— Um contratempo?

— Sim, Sr. Holmes. A quadrilha dos Randall foi presa em Nova York esta manhã.

— Céus, Hopkins. Isso certamente vai um pouco de encontro à sua teoria de que eles cometeram um assassinato em Kent ontem à noite.

— É fatal, Sr. Holmes, absolutamente fatal. No entanto, há outras quadrilhas com três membros além dos Randall, ou pode ser alguma nova quadrilha da qual a polícia nunca ouviu falar.

— De fato; é perfeitamente possível. Como assim? Vai embora?

— Sim, Sr. Holmes; não descansarei enquanto não chegar ao fundo deste caso. Suponho que não tenha nenhuma sugestão para me dar?

— Eu já dei.

— Qual?

— Bem, sugeri um disfarce.

— Mas por quê, Sr. Holmes, por quê?

— Ah, eis a questão, naturalmente. Mas recomendo a ideia à sua mente. Talvez descubra que há algum valor nela. Não vai ficar para o jantar? Bem, adeus, e mande notícias de seu progresso.

O jantar havia terminado e a mesa estava limpa antes que Holmes tocasse no assunto de novo. Ele acendera seu cachimbo,

## ABBEY GRANGE

e com os pés metidos em chinelos, aproximava-os do brilho reconfortante do fogo. De repente, olhou para o relógio.

— Espero desdobramentos, Watson.

— Quando?

— Agora; dentro de alguns minutos. Ouso dizer que você achou que agi mal com Stanley Hopkins há pouco?

— Confio no seu bom senso.

— Uma resposta mui sensível, Watson. Veja a coisa desta forma: o que sei é extraoficial; o que ele sabe é oficial. Eu tenho o direito de fazer um juízo privado, mas ele não tem. Deve revelar tudo, ou estará traindo seu dever. Num caso duvidoso, eu não o poria numa situação tão dolorosa, por isso reservo minha informação até que eu tenha total clareza sobre o assunto.

— Mas quando será isso?

— A hora chegou. Agora você presenciará a última cena de um dramazinho memorável.

Ouviu-se um barulho na escada, e nossa porta se abriu para o mais belo espécime masculino que já passou por ela. Era um jovem muito alto, com bigode louro, olhos azuis, pele bronzeada pelo sol dos trópicos, e um passo ágil que revelava que sua enorme figura era tão ativa quanto forte. Ele fechou a porta atrás de si e ficou parado, de punhos cerrados e ofegante, contendo alguma sobrepujante emoção.

— Sente-se, Capitão Croker. Recebeu meu telegrama?

Nosso visitante desabou numa poltrona e nos encarou com um olhar inquisidor.

— Recebi seu telegrama, e vim no horário que o senhor mencionou. Soube que esteve no escritório da companhia. Não havia como fugir do senhor. Diga logo a pior parte. O que vai fazer comigo? Me prender? Fale, homem! Não pode ficar aí parado e brincar comigo como um gato faz com um rato.

— Dê-lhe um charuto — disse Holmes. — Morda isso, Capitão Croker, e controle seus nervos. Eu não estaria aqui fumando com o senhor se achasse que é um criminoso comum, pode ter certeza disso. Seja sincero comigo e poderemos fazer algum bem. Tente algum truque comigo e vou esmagá-lo.

— O que quer que eu faça?

— Um relato do que aconteceu de verdade em Abbey Grange ontem à noite; *de verdade*, veja bem, sem acrescentar nem tirar nada. Já sei tanto que, se o senhor se desviar um centímetro da verdade, vou soprar este apito na janela para chamar a polícia, e o caso estará fora das minhas mãos para sempre.

O marinheiro pensou um pouco. Depois bateu na perna com sua manopla bronzeada.

— Vou arriscar — ele exclamou. — Acredito que o senhor seja um homem de palavra, e um homem branco, então contarei toda a história. Mas vou dizer uma coisa primeiro. No que se refere a mim, não me arrependo de nada e nada temo; faria tudo de novo e ficaria orgulhoso do que fiz. Maldito seja o animal, se ele tivesse tantas vidas quanto um gato, todas eu tiraria! Mas é a dama, Mary, Mary Fraser, pois nunca vou chamá-la por aquele nome amaldiçoado. Quando penso que

# ABBEY GRANGE

posso lhe causar problemas, eu, que daria a vida só para pôr um sorriso em seu amado rosto, é isso que me tira todo o ânimo. No entanto — no entanto —, o que me restava fazer? Contarei minha história, cavalheiros, e depois perguntarei a cada um, de homem para homem, o que me restava fazer.

"Preciso voltar um pouco no tempo. O senhor parece saber tudo, então imagino que saiba que a conheci quando ela era passageira e eu, primeiro oficial, no *Pedra de Gibraltar*. Desde o primeiro dia em que a vi, ela se tornou a única mulher para mim. A cada dia daquela viagem eu a amava mais, e muitas vezes, desde então, me ajoelhei na escuridão da guarda noturna e beijei o tombadilho daquele navio, pois sabia que seus amados pés o haviam trilhado. Ela nunca se comprometeu comigo. Tratou-me mais honestamente do que qualquer outra mulher jamais tratou um homem. Não tenho nenhuma queixa quanto a isso. De minha parte, tudo era amor, e da parte dela, tudo boa camaradagem e amizade. Quando nos separamos, ela estava livre, mas eu jamais o seria novamente.

"Na próxima vez que voltei do mar, eu soube do seu casamento. Bem, por que ela não deveria se casar com quem quisesse? Título de nobreza e dinheiro — a quem cairiam melhor do que a ela? Ela nascera para tudo o que era belo e delicado. Não lamentei pelo seu casamento. Não sou um cão egoísta assim. Alegrei-me por sua boa sorte, e por ela não ter-se desperdiçado com um marujo sem um tostão. Eu amava Mary Fraser tanto assim.

"Bem, pensei que nunca mais iria vê-la; mas na última viagem, fui promovido, e o novo navio ainda não havia sido lançado, então precisei esperar uns meses com minha tripulação em Sydenham. Um dia, numa estrada rural, encontrei Theresa Wright, sua velha criada. Ela me falou da madame, dele, de tudo. Vou lhes dizer, cavalheiros, aquilo quase me enlouqueceu. Um bêbado dos infernos levantar a mão contra aquela cujas botas não era digno de lamber! Encontrei-me com Theresa de novo. Depois, com a própria Mary — e depois encontrei-a de novo. Então ela não quis me encontrar mais. Mas no dia seguinte, recebi o aviso de que minha viagem começaria em uma semana e resolvi ir vê-la uma última vez antes de partir. Theresa sempre foi minha amiga, pois amava Mary e odiava aquele canalha quase tanto quanto eu. Ela me revelou todos os hábitos da casa. Mary costumava ler em seu quarto, no andar de baixo. Entrei escondido noite passada e arranhei a janela. De início, ela não quis abrir, mas sei agora que no fundo me amava, e que não poderia me deixar ao relento na noite fria. Ela pediu sussurrando que eu fosse até a janela grande da frente, e encontrei-a aberta, dando-me acesso à sala de jantar. Mais uma vez, ouvi de seus lábios coisas que fizeram meu sangue ferver, e mais uma vez amaldiçoei aquele bruto que maltratava a mulher que eu amava. Bem, cavalheiros, eu estava com ela perto da janela, em total inocência, como o céu me é testemunha, quando ele irrompeu feito um louco na sala, chamando-a

## ABBEY GRANGE

pelo nome mais aviltante que um homem pode usar para referir-se a uma mulher, e golpeou-a no rosto com o bastão que trazia nas mãos. Peguei o atiçador e tivemos uma luta justa. Vejam aqui, no meu braço, onde seu primeiro golpe me atingiu. Então foi minha vez, e eu o espatifei como se fosse uma abóbora podre. Acham que lamentei? Eu não! Era a vida dele ou a minha; mas, bem mais do que isso — era a vida dele ou a dela, pois como eu poderia deixá-la em poder daquele louco? Foi assim que o matei. Agi errado? Bem, então, o que os cavalheiros fariam se estivessem na minha situação?

"Ela gritara ao ser golpeada, e isso atraiu a velha Theresa do seu quarto no andar de cima. Havia uma garrafa de vinho sobre o aparador, e eu a abri e derramei um pouco nos lábios de Mary, pois ela estava semimorta pelo choque. Depois tomei um pouco também. Theresa estava fria como gelo, e o plano foi tanto ideia dela quanto minha. Precisávamos fazer parecer que ladrões haviam cometido o ato. Theresa ficou repetindo nossa história para a sua senhora, enquanto eu subia e cortava o cordão da sineta. Então a amarrei em sua cadeira, e esgarcei a ponta do cordão para que parecesse natural, senão se perguntariam como um ladrão poderia ter subido ali para cortá-la. Em seguida, peguei alguns itens da baixela de prata, para dar a ideia de um roubo, e deixei as duas mulheres ali, mandando que alertassem todos depois de me dar um quarto de hora de vantagem. Joguei a prataria no lago e corri para Sydenham, sentindo que ao menos uma vez na vida eu tivera realmente uma noite de bom trabalho. E essa é a verdade, toda a verdade, Sr. Holmes, ainda que me custe a forca."

Holmes fumou por algum tempo em silêncio. Então atravessou a sala e apertou a mão do nosso visitante.

— É o que eu acho — ele disse. — Sei que cada palavra é verdade, pois o senhor não disse nada que eu já não soubesse. Só um acrobata ou um marinheiro poderia ter alcançado o cordão daquela alça, e só um marinheiro poderia ter feito os nós com os quais o cordão foi amarrado à cadeira. Somente uma vez a madame tivera contato com marinheiros, e foi nessa viagem, e tratava-se de alguém de seu antigo estilo de vida, já que ela estava se esforçando tanto para protegê-lo, e assim demonstrar que o amava. Veja como foi fácil pôr as mãos no senhor, quando enveredei pela trilha certa.

— Pensei que a polícia jamais fosse descobrir nosso disfarce.

— E a polícia não descobriu; nem vai descobrir, pelo que acredito. Agora, olhe aqui, Capitão Croker, este é um caso muito grave, embora eu esteja disposto a admitir que o senhor agiu sob a mais extrema provocação a que um homem possa estar sujeito. Não sei ao certo se sua ação não seria declarada legítima defesa da própria vida. De qualquer forma, quem deve decidir isso é um júri britânico. Até lá, reservo-lhe tanta simpatia que se o senhor decidir desaparecer nas próximas 24 horas, prometo que ninguém irá impedi-lo.

— E então tudo será revelado?

— Certamente será revelado.

## ABBEY GRANGE

O marinheiro ficou rubro de raiva.

— Que espécie de proposta é essa para ser feita a um homem? Conheço a lei o suficiente para compreender que Mary seria julgada como cúmplice. Acha que eu a deixaria sozinha para aguentar o tranco e sairia de fininho? Não, senhor; que façam o pior que puderem comigo, mas pelo amor de Deus, Sr. Holmes, encontre alguma maneira de manter minha pobre Mary longe dos tribunais.

Holmes pela segunda vez estendeu a mão para o marinheiro.

— Eu só estava testando o senhor, e provou ser sincero sempre. Bem, é uma grande responsabilidade que assumo, mas dei a Hopkins uma excelente sugestão, e se ele não souber usá-la, não posso fazer mais nada. Veja bem, Capitão Croker, faremos isso na devida forma da lei. O senhor é o prisioneiro. Watson, você é um júri britânico, e nunca conheci um homem mais eminentemente adequado a representar um. Eu sou o juiz. Bem, cavalheiros do júri, os senhores ouviram as evidências. Declaram o prisioneiro culpado ou inocente?

— Inocente, meritíssimo — eu disse.

— *Vox populi, vox Dei*. Está livre, Capitão Croker. Contanto que a lei não encontre outra vítima, o senhor está a salvo de mim. Procure novamente essa dama daqui a um ano, e que o futuro dos dois justifique a sentença que pronunciamos esta noite.

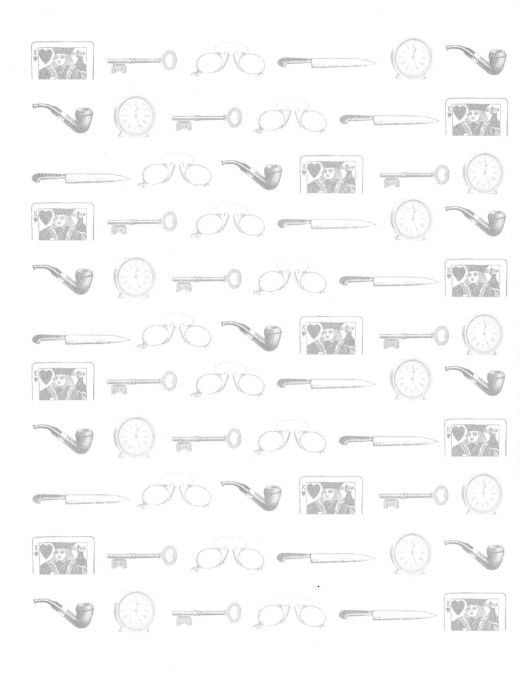

*treze*

# A SEGUNDA MANCHA

Eu pretendia que "A Aventura de Abbey Grange" fosse a última das façanhas do meu amigo, o Sr. Sherlock Holmes, que eu comunicaria ao público na vida. Essa minha resolução não se devia a qualquer falta de material, já que tenho anotações sobre muitas centenas de casos que nunca mencionei; tampouco fora causada por uma diminuição no interesse, da parte de meus leitores, pela personalidade singular e métodos únicos desse homem notável. O verdadeiro motivo residia na relutância que o Sr. Holmes demonstrava pela publicação contínua de suas experiências. Enquanto ele praticava a profissão, o registro de seus êxitos tinha algum valor prático para ele; mas desde que se retirou definitivamente de Londres e dedicou-se a estudar e criar abelhas nas planícies de Sussex, a notoriedade tornou-se odiosa para Holmes, e ele exigiu peremptoriamente que seus desejos nessa questão fossem observados à risca. Foi somente quando argumentei com ele que eu prometera publicar "A Aventura da Segunda Mancha" no momento certo, e que seria apropriado que esta longa série de episódios culminasse com o caso internacional mais importante que ele já fora convocado a esclarecer, que finalmente consegui obter seu consentimento para que um relato cuidadosamente reservado do incidente fosse por fim apresentado ao público. Se, ao contar a história, pareço um pouco vago acerca de certos detalhes, o público de imediato compreenderá que há um excelente motivo para a minha reticência.

Foi, então, num ano, e até numa década que ficarão indefinidos, que uma manhã de terça-feira, no outono, encontramos dois visitantes de renome europeu entre as paredes de nossos humildes aposentos na Baker Street. Um, austero, de nariz altivo, olhar aquilino e dominante, era ninguém menos que o ilustre Lorde Bellinger, por duas vezes primeiro-ministro inglês. O outro, escuro, contido e elegante, mal chegado à meia-idade, e dotado de todas as belezas físicas e mentais, era o honorável Trelawney Hope, Secretário de Assuntos Europeus, o estadista mais em ascensão no país. Eles se sentaram lado a lado em nossa otomana cheia de jornais, e era fácil perceber, por seus semblantes exaustos e ansiosos, que um caso da importância mais premente os trouxera. As mãos magras com

# A SEGUNDA MANCHA

veias azuladas do premiê apertavam com força o cabo de marfim de seu guarda-chuva, e seu rosto magro e ascético olhava tristemente para Holmes e para mim. O secretário europeu puxava nervosamente o bigode e brincava com as medalhinhas da corrente do seu relógio.

— Quando descobri minha perda, Sr. Holmes, às oito desta manhã, avisei imediatamente o primeiro-ministro. Foi por sugestão dele que procuramos o senhor.

— Informaram a polícia?

— Não, senhor — disse o primeiro-ministro, com a atitude célere e decisiva pela qual era famoso. — Não fizemos isso, tampouco é possível que o façamos. Informar a polícia significa, a longo prazo, informar o público. Isso é o que desejamos particularmente evitar.

— E por quê, senhor?

— Porque o documento em questão é de tão imensa importância que sua publicação poderia facilmente, eu deveria quase dizer provavelmente, levar a complicações europeias do maior ímpeto. Não é exagero dizer que a paz ou a guerra podem depender dessa questão. A menos que sua recuperação possa ser realizada com o mais completo sigilo, tanto faz recuperá-lo ou não, pois o objetivo daqueles que o levaram é que seu conteúdo seja conhecido por todos.

— Entendo. Bem, Sr. Trelawney Hope, eu ficaria muito grato se me contasse exatamente as circunstâncias em que esse documento desapareceu.

O RETORNO DE SHERLOCK HOLMES

— Isso pode ser feito em poucas palavras, Sr. Holmes. A carta, pois era uma carta de um potentado estrangeiro, foi recebida seis dias atrás. Era de tamanha importância que nunca a deixei em meu cofre, mas levava-a toda noite para a minha casa em Whitehall Terrace e deixava-a em meu quarto de dormir, numa caixa de despacho fechada a chave. Estava ali ontem à noite. Disso tenho certeza. Cheguei a abrir a caixa enquanto me vestia para o jantar e vi o documento lá dentro. Esta manhã, ele havia desaparecido. A caixa de despacho ficara ao lado do espelho, sobre minha penteadeira, a noite toda. Eu tenho sono leve e minha esposa também. Ambos estamos dispostos a jurar que ninguém poderia ter entrado no quarto durante a noite. No entanto, repito que o documento sumiu.

— A que horas o senhor janta?

— Às 19h30.

— Quanto tempo passou até que o senhor fosse para a cama?

— Minha esposa estava no teatro. Eu a esperei acordado. Fomos para o nosso quarto depois das 23h30.

— Então por quatro horas a caixa de despacho ficou sem vigilância?

— Ninguém tem permissão para entrar naquele quarto, salvo a criada pela manhã e meu pajem, ou a criada particular da minha esposa durante o dia. Ambos são serviçais de confiança que estão conosco há algum tempo. Além disso, não teriam

# A SEGUNDA MANCHA

como saber que havia algo mais valioso que os documentos rotineiros do departamento na minha caixa de despacho.

— Quem sabia da existência daquela carta?

— Ninguém na casa.

— Certamente sua esposa sabia?

— Não, senhor; eu não disse nada à minha esposa até dar pela falta do documento esta manhã.

O primeiro-ministro balançou a cabeça em aprovação.

— Sei há muito tempo, senhor, como é elevado seu senso de dever público — ele disse. — Eu tinha certeza de que, no caso de um segredo dessa importância, ele sobrepujaria os laços domésticos mais íntimos.

O secretário europeu fez uma reverência.

— O senhor apenas me faz justiça. Até esta manhã, eu não havia dito uma palavra à minha esposa sobre o assunto.

— Ela poderia ter descoberto?

— Não, Sr. Holmes, não poderia ter descoberto; ninguém poderia ter descoberto.

— Já perdeu algum documento antes?

— Não, senhor.

— Quem no país sabia da existência dessa carta?

— Cada membro do Gabinete foi informado sobre ela ontem; mas o voto de sigilo que protege todas as reuniões do Gabinete foi reforçado pelo aviso solene do primeiro-ministro. Céus, e pensar que algumas horas depois eu mesmo a perderia! — Seu belo rosto estava distorcido por um espasmo de desespero, e ele arrancava os cabelos. Por um momento, tivemos um vislumbre do homem natural — impulsivo, ardente, marcadamente sensível. A seguir, a máscara aristocrática voltou ao seu lugar, e a voz suave havia retornado.

— Além dos membros do Gabinete, existem dois ou talvez três chefes de departamento que sabem da carta. Mais ninguém no país, Sr. Holmes, garanto.

— E no estrangeiro?

— Acredito que ninguém no estrangeiro a tenha visto, além do homem que a escreveu. Estou bem convencido de que seus ministros e os canais oficiais de costume não foram utilizados.

Holmes considerou isso por algum tempo.

— Agora, senhor, preciso perguntar mais particularmente o que é esse documento, e por que seu desaparecimento teria tais consequências cataclísmicas?

Os dois estadistas trocaram um olhar rápido, e o premiê franziu as sobrancelhas hirsutas.

— Sr. Holmes, o envelope é longo e fino, de cor azul-clara. Há um lacre de cera vermelha com o selo de um leão agachado. Está endereçado em letra de mão grande e a traços grossos para...

— Temo — disse Holmes — que, por mais interessantes e de fato essenciais que sejam esses detalhes, minha investigação precise ir mais à raiz das coisas. O que *era* a carta?

— Esse é um segredo de Estado da mais vital importância, e temo não poder lhe contar, tampouco acho que seja necessário. Se, com a ajuda dos poderes que dizem que possui, o

# A SEGUNDA MANCHA

senhor puder encontrar um envelope como o que eu descrevi, com seu conteúdo, terá servido bem ao seu país, e merecido todas as recompensas que esteja ao nosso alcance conceder.

Sherlock Holmes levantou-se com um sorriso.

— Os senhores são dois dos homens mais ocupados do país — ele disse —, e à minha maneira modesta, eu também tenho muitos afazeres. Lamento profundamente não poder ajudá-los nesse caso, e qualquer continuação desta reunião seria um desperdício de tempo.

O premiê saltou de pé com aquele brilho rápido e feroz nos olhos fundos que já fez todo o Gabinete se encolher.

— Não estou acostumado... — ele começou, mas dominou sua ira e voltou a se sentar. Por um minuto ou mais, ficamos todos em silêncio. Então, o velho estadista deu de ombros.

— Precisamos aceitar suas condições, Sr. Holmes. Sem dúvida, o senhor tem razão, e é insensato esperarmos que aja, a menos que lhe concedamos nossa total confiança.

— Concordo, senhor — disse o estadista mais jovem.

— Então vou lhes contar, valendo-me totalmente da honra do senhor e do seu colega, o Dr. Watson. Posso também apelar ao seu patriotismo, pois não consigo imaginar infortúnio maior para o país do que a divulgação deste assunto.

— Pode confiar em nós com segurança.

— A carta, pois, é de um certo potentado estrangeiro contrariado com alguns desenvolvimentos coloniais recentes deste país. Ela foi escrita às pressas, e totalmente sob a própria responsabilidade do autor. Consultas revelaram que seus ministros nada sabiam sobre o assunto. Ao mesmo tempo, foi lavrada de maneira tão infeliz, e certas frases são de uma natureza tão provocadora, que sua publicação indubitavelmente levaria a um sentimento dos mais perigosos neste país. Haveria tanta efervescência, senhor, que não hesito em dizer que a uma semana da publicação dessa carta, este país estaria envolvido numa grande guerra.

Holmes escreveu um nome numa tira de papel e a entregou ao premiê.

— Exatamente. Foi ele. E foi essa carta, essa carta que pode muito bem significar um gasto de um bilhão e custar a vida de cem mil homens, que se perdeu de forma tão inexplicável.

— Informaram o remetente?

— Sim, senhor, um telegrama em código foi despachado.

— Talvez ele deseje a publicação da carta.

— Não, senhor, temos fortes motivos para crer que ele já entende que agiu de forma indiscreta e temperamental. Seria um golpe maior para ele e seu país se a carta fosse divulgada.

— Se é assim, é do interesse de quem que a carta seja divulgada? Por que alguém iria querer roubá-la ou publicá-la?

— Aí, Sr. Holmes, entramos no terreno da alta política internacional. Mas se o senhor considerar a situação europeia, não terá dificuldade em perceber o motivo. A Europa toda é um campo armado. Existem duas ligas que compõem um equilíbrio exato de poder militar. A Grã-Bretanha é o fiel da

## A SEGUNDA MANCHA

balança. Se a Grã-Bretanha fosse levada a guerrear com uma confederação, garantiria a supremacia da outra confederação, quer ela entrasse em guerra, quer não. Entende?

— Muito claramente. Então, é de interesse dos inimigos desse potentado obter e publicar essa carta, de modo a promover um cisma entre o país dele e o nosso?

— Sim, senhor.

— E para quem esse documento seria enviado, caso caísse nas mãos de um inimigo?

— Para qualquer uma das grandes chancelarias da Europa. Deve estar velozmente a caminho, no presente momento, tão rápido quanto o vapor consegue levá-lo.

O Sr. Trelawney Hope baixou a cabeça para o peito e gemeu alto. O premiê pôs a mão delicadamente em seu ombro.

— É seu infortúnio, caro colega. Ninguém pode culpá--lo. Não houve precaução que você negligenciasse. Agora, Sr. Holmes, já possui todos os fatos. Que ações recomenda?

Holmes balançou a cabeça tristemente.

— O senhor acha que, a menos que esse documento seja recuperado, haverá uma guerra?

— Acho que é muito provável.

— Então, senhor, prepare-se para a guerra.

— São palavras duras, Sr. Holmes.

— Considere os fatos, senhor. É inconcebível que ela tenha sido levada depois das 23h30, pois, pelo que entendi, o Sr. Hope e a esposa estavam no quarto daquela hora até que o sumiço foi descoberto. Ela foi levada, então, ontem à noite, entre 19h30 e 23h30, provavelmente cedo, já que quem a levou evidentemente sabia que ela estava lá, e é óbvio que tentaria pegá-la quanto antes. Então, senhor, se um documento dessa importância foi levado a essa hora, onde pode estar agora? Ninguém tem motivo algum para guardá-lo. Ele foi passado rapidamente para aqueles que dele precisam. Que chance temos agora de alcançá-lo, ou mesmo localizá-lo? Está fora do nosso alcance.

O primeiro-ministro levantou-se da otomana.

— O que diz é perfeitamente lógico, Sr. Holmes. Sinto que a questão não está mesmo em nossas mãos.

— Vamos presumir, em nome da argumentação, que o documento tenha sido levado pela criada ou pelo pajem...

— Ambos são serviçais antigos e experimentados.

— O senhor disse que seu quarto fica no segundo andar, que não é acessível de fora, e que por dentro ninguém poderia subir até ele sem ser visto. Deve, então, ter sido alguém da casa que pegou a carta. Para quem o ladrão a levaria? Para um dos vários espiões e agentes secretos internacionais, cujos nomes me são toleravelmente familiares. Existem três que, pode-se dizer, são os líderes dessa profissão. Vou começar minha pesquisa procurando-os e descobrindo se cada um deles está em seu posto. Se um deles estiver ausente, especialmente se tiver se ausentado ontem à noite, teremos alguma indicação do rumo que o documento tomou.

# A SEGUNDA MANCHA

— Por que ele se ausentaria? — perguntou o secretário europeu. — Poderia muito bem entregar a carta a alguma embaixada em Londres.

— Imagino que não. Esses agentes trabalham de forma independente, e suas relações com as embaixadas amiúde são tensas.

O primeiro-ministro balançou a cabeça em aquiescência.

— Acredito que tenha razão, Sr. Holmes. Ele levaria um tesouro tão valioso até o quartel-general em mãos. Acho que seu plano de ação é excelente. Enquanto isso, Hope, não podemos negligenciar nossos outros deveres por conta desse único infortúnio. Se houver algum novo desdobramento durante o dia, faremos contato, e sem dúvida o senhor nos informará os resultados de sua investigação.

Os dois estadistas fizeram uma reverência e saíram cabisbaixos da sala.

Depois que nossos visitantes ilustres partiram, Holmes acendeu seu cachimbo em silêncio e ficou por algum tempo perdido nos pensamentos mais profundos. Eu abrira o jornal matutino, e estava absorto num crime sensacional que acontecera em Londres na noite anterior, quando meu amigo soltou uma exclamação, saltou de pé e deixou o cachimbo sobre a moldura da lareira.

— Sim — ele disse —, não há maneira melhor de abordar o caso. A situação é desesperada, mas não está totalmente perdida. Agora mesmo, se pudermos ter certeza de qual deles a pegou, ainda é possível que ele não a tenha passado adiante. Afinal, é uma questão de dinheiro com esses sujeitos, e eu tenho o apoio do Tesouro Britânico. Se ela estiver no mercado, vou comprá-la, ainda que isso aumente o imposto de renda em um *penny*. É concebível que o sujeito a retenha para ver quanto este lado oferece, antes de tentar a sorte com o outro. Somente estes três seriam capazes de entrar num jogo tão arriscado: Oberstein, La Rothiere e Eduardo Lucas. Vou encontrar cada um deles.

Eu olhei para o meu jornal.

— Esse Eduardo Lucas mora na Godolphin Street?

— Sim.

— Você não vai encontrá-lo.

— Por que não?

— Ele foi assassinado em sua casa noite passada.

Meu amigo me deixara atônito tantas vezes, no decurso de nossas aventuras, que foi com exultação que percebi quão completamente atônito eu o deixara. Ficou com o olhar perdido, perplexo, e então arrancou o jornal das minhas mãos. Este era o parágrafo que eu estava lendo quando ele se levantou:

ASSASSINATO EM WESTMINSTER

Um crime de natureza misteriosa foi cometido noite passada na Godolphin Street, 16, uma das fileiras antigas e isoladas de casas do século XVIII que ficam entre o rio e a Abadia, quase à sombra da grande

## A SEGUNDA MANCHA

torre das Casas do Parlamento. Essa pequena porém seleta mansão era habitada havia alguns anos pelo Sr. Eduardo Lucas, conhecido nos círculos sociais tanto por sua personalidade encantadora quanto por ter a merecida reputação de ser um dos melhores tenores amadores do país. O Sr. Lucas era solteiro, tinha 34 anos, e em sua casa empregava a Sra. Pringle, uma governanta idosa, e Mitton, seu pajem. A mulher se recolhia cedo e dormia no último andar da casa. O pajem havia saído para visitar um amigo em Hammersmith. Das 22 horas em diante, o Sr. Lucas estava sozinho em casa. O que aconteceu nesse ínterim ainda não foi esclarecido, mas às 23h45, o policial Barrett, passando pela Godolphin Street, observou que a porta do número 16 estava aberta. Ele bateu, mas não obteve resposta. Percebendo uma luz no quarto da frente da casa, ele avançou para o corredor e bateu novamente, mas sem resposta. Então abriu a porta e entrou. O quarto estava em total desordem, com a mobília toda empurrada para um lado, e no meio, uma cadeira com o encosto no chão. Ao lado dessa cadeira, e ainda agarrando uma de suas pernas, jazia o infeliz morador da casa. Ele fora apunhalado no coração, e deve ter morrido instantaneamente. O punhal com o qual o crime foi cometido era uma adaga indiana curva, retirada de um conjunto de armas orientais

## O RETORNO DE SHERLOCK HOLMES

que adornava uma das paredes. Roubo não parece ter sido o motivo do crime, pois ninguém tentou levar nenhum objeto de valor do quarto. O Sr. Eduardo Lucas era tão conhecido e popular que seu destino violento e misterioso despertará doloroso interesse e intensa comiseração num grande círculo de amizades.

— Bem, Watson, o que acha disso? — perguntou Holmes, depois de uma longa pausa.

— É uma coincidência intrigante.

— Uma coincidência! Aqui está um dos três homens que mencionamos como possíveis atores neste drama, e ele sofre uma morte violenta exatamente no horário em que sabemos que o drama estava sendo encenado. As probabilidades são enormes de isso não ser coincidência. Não existem números para representá-las. Não, meu caro Watson, os dois acontecimentos estão conectados, *devem* estar conectados. Cabe a nós encontrar a conexão.

— Mas agora a polícia oficial deve saber de tudo.

— De modo algum. Ela sabe tudo o que vê na Godolphin Street. Não sabe, e nem vai saber, nada sobre Whitehall Terrace. Só *nós* sabemos dos dois acontecimentos e podemos traçar a relação entre eles. Existe um detalhe óbvio que ter-me-ia, em todo caso, levado a suspeitar de Lucas. A Godolphin Street de Westminster fica poucos minutos a pé de Whitehall Terrace. Os outros agentes secretos que citei moram no extremo West End. Era mais fácil, portanto, para Lucas do que para os outros estabelecer uma conexão ou receber uma mensagem da casa do secretário europeu, um detalhezinho; no entanto, como os acontecimentos estão comprimidos em poucas horas, ele pode se provar essencial. Olá! O que temos aqui?

A Sra. Hudson havia aparecido com o cartão de visitas de uma dama em sua bandeja. Holmes olhou-o, ergueu as sobrancelhas e passou-o para mim.

— Peça que Lady Hilda Trelawney Hope tenha a bondade de subir — ele disse.

Um momento depois, nosso modesto apartamento, já tão distinto desde aquela manhã, foi ulteriormente honrado pela entrada da mulher mais encantadora de Londres. Eu muito ouvira falar da beleza da filha mais nova do Duque de Belminster, mas nenhuma descrição, e nenhuma contemplação de fotografias sem cor, me preparara para o encanto sutil, delicado, a bela coloração daquele formoso rosto. No entanto, naquela manhã de outono, não seria a sua beleza a primeira coisa a impressionar um observador. A face era adorável, mas estava pálida de emoção; os olhos brilhavam, mas era o brilho da febre; a boca sensível estava apertada e tensa, num esforço de autocontrole. O terror — não a beleza — foi a primeira coisa a saltar aos olhos quando nossa linda visitante parou por um momento emoldurada na porta aberta.

— Meu marido esteve aqui, Sr. Holmes?

## O RETORNO DE SHERLOCK HOLMES

— Sim, madame, ele esteve.

— Sr. Holmes, imploro que não conte a ele sobre esta visita. — Holmes baixou a cabeça friamente e indicou uma poltrona à dama.

— A senhora me coloca numa situação muito delicada. Rogo que se sente e me diga o que deseja; mas temo não poder fazer qualquer promessa incondicional.

Ela deslizou pela sala e sentou-se de costas para a janela. Era uma presença majestosa — alta, graciosa e intensamente feminina.

— Sr. Holmes — ela disse, abrindo e fechando as mãos metidas em luvas brancas ao falar —, serei franca com o senhor, na esperança de que isso possa induzi-lo a retribuir-me a franqueza. Existe confiança completa entre meu marido e eu em todos os assuntos, salvo um. Esse assunto é a política. Sobre isso, seus lábios estão lacrados. Ele não me conta nada. Bem, estou ciente de que houve uma ocorrência deplorável em nossa casa na noite passada. Sei que um documento desapareceu. Mas como a questão é política, meu marido se recusa a fazer-me uma confidência completa. Agora é essencial — essencial, eu digo — que eu entenda completamente o assunto. O senhor é a única pessoa, à parte esses políticos, que sabe a verdade dos fatos. Eu imploro, então, Sr. Holmes, que me conte exatamente o que aconteceu e o que isso vai causar. Conte-me tudo, Sr. Holmes. Não deixe que o cuidado

# A SEGUNDA MANCHA

com os interesses do seu cliente o cale, pois garanto que os interesses dele, se apenas ele entendesse isso, seriam mais bem atendidos confiando completamente em mim. O que era esse documento que foi roubado?

— Madame, o que me pede é realmente impossível.

Ela gemeu e afundou o rosto nas mãos.

— Precisa entender que é assim, madame. Se o seu marido acha adequado mantê-la às escuras quanto a esse caso, serei eu, que só fui informado da verdade depois de jurar segredo profissional, a contar o que ele omitiu? Não é justo pedir isso. É a ele que deve pedir.

— Eu pedi. Vim procurar o senhor como último recurso. Mas mesmo sem me contar nada definido, Sr. Holmes, far-me--ia um grande favor se me esclarecesse quanto a um detalhe.

— Qual, madame?

— A carreira política do meu marido pode ser prejudicada por esse incidente?

— Bem, madame, a menos que ele seja reparado, certamente o efeito será lamentável.

— Ah! — Ela inspirou rapidamente, como alguém cujas dúvidas foram resolvidas. — Mais uma pergunta, Sr. Holmes. De uma expressão que meu marido deixou escapar no choque inicial por esse desastre depreendi que terríveis consequências públicas podem advir da perda desse documento.

— Se ele disse isso, eu certamente não posso negar.

— De que natureza seriam?

— Não, madame, novamente a senhora me pergunta mais do que posso responder.

— Então não tomarei mais o seu tempo. Não posso culpá-lo, Sr. Holmes, por ter-se recusado a falar mais livremente, e o senhor, por sua vez, não vai, tenho certeza, pensar mal de mim porque desejo, mesmo contra a vontade dele, partilhar das ansiedades do meu marido. Mais uma vez, rogo que não diga nada sobre minha visita. — Ela nos olhou da porta, e tive uma última impressão daquele rosto lindo e torturado, os olhos assustados e a boca tensa. E então ela se foi.

— Bem, Watson, o belo sexo é seu departamento — disse Holmes com um sorriso, quando o minguante *fru-fru* das saias foi interrompido pelo bater da porta. — Quais as intenções da bela dama? O que ela queria realmente?

— Suas próprias palavras foram bastante claras, e sua ansiedade, muito natural, isso é certo.

— Hum! Pense na aparência dela, Watson, em sua atitude, sua suposta agitação, sua inquietude, sua tenacidade ao fazer perguntas. Lembre-se, ela pertence a uma casta que não demonstra emoções à toa.

— Ela certamente estava muito agitada.

— Lembre-se também da curiosa franqueza com que nos garantiu que era melhor para seu marido que ela soubesse de tudo. O que ela quis dizer com isso? E você deve ter observado, Watson, como ela se posicionou para ficar contra a luz. Não queria que víssemos sua expressão.

# A SEGUNDA MANCHA

— Sim; ela escolheu a única poltrona nessa posição.

— No entanto, os motivos das mulheres são tão impenetráveis. Você deve se lembrar da mulher de Margate de quem suspeitei pelo mesmo motivo. Ela não havia empoado o nariz, essa provou ser a solução correta. Como construir algo sobre tal areia movediça? O gesto mais trivial delas pode conter volumes de significado, e sua conduta mais extraordinária pode ser causada por um grampo ou um bobe. Bom dia, Watson.

— Vai sair?

— Sim; passarei a manhã na Godolphin Street, com nossos amigos da polícia regular. A solução do nosso problema está com Eduardo Lucas, embora eu deva admitir que não faço a mínima ideia de que forma ela possa tomar. É um erro capital tecer teorias antecipando-se aos fatos. Fique em guarda, meu bom Watson, e receba quaisquer novos visitantes. Virei almoçar com você, se eu puder.

Por todo aquele dia, e no seguinte, e no seguinte, Holmes se manteve num humor que seus amigos chamariam de taciturno, e outros, de moroso. Ele saía, voltava, fumava sem parar, tocava trechos em seu violino, perdia-se em devaneios, devorava sanduíches em horários estranhos, e mal respondia às perguntas casuais que eu lhe fazia. Era evidente, para mim, que as coisas não iam bem com ele ou com sua busca. Ele não dizia nada sobre o caso, e foi pelos jornais que fiquei sabendo dos detalhes do inquérito e da prisão e subsequente soltura de John Mitton, o pajem do falecido. O júri do legista pronunciou o óbvio "homicídio deliberado", mas os culpados continuaram mais desconhecidos do que nunca. Nenhum motivo foi sugerido. O quarto estava cheio de objetos de valor, mas nenhum fora levado. Os documentos do morto não foram tocados. Foram cuidadosamente examinados, e demonstraram que ele era um esforçado estudante de política internacional, mexeriqueiro inveterado, exímio linguista e incansável missivista. Conhecia intimamente os principais políticos de vários países. Mas nada sensacional foi descoberto entre os documentos que enchiam suas gavetas. Quanto aos seus relacionamentos com mulheres, pareciam ser promíscuos, mas superficiais. Ele tinha muitas conhecidas, mas poucas amigas, e nenhuma que amasse. Seus hábitos eram regulares, e sua conduta, inofensiva. Sua morte era um mistério total, e provavelmente continuaria assim.

Quanto à prisão de John Mitton, o pajem, foi motivada pelo desespero, como alternativa à inação absoluta. Mas ninguém pôde apresentar provas contra ele. Visitara amigos em Hammersmith naquela noite. O álibi era completo. É verdade que ele partiu para casa num horário que deveria tê-lo levado a Westminster antes da hora em que o crime fora descoberto, mas sua explicação de que fizera parte do caminho a pé parecia bastante provável, pois a noite estava muito bonita. Ele chegara mesmo à meia-noite e pareceu arrasado pela tragédia

## A SEGUNDA MANCHA

inesperada. Sempre se dera bem com o patrão. Vários dos pertences do morto — notadamente uma pequena caixa de navalhas — foram encontrados nas caixas do pajem, mas ele explicou que eram presentes do falecido, e a governanta pôde corroborar a história. Mitton trabalhava para Lucas havia três anos. Era digno de nota que Lucas não levava Mitton quando ia para o continente. Às vezes visitava Paris por três meses, mas Mitton ficava cuidando da casa da Godolphin Street. Quanto à governanta, ela nada ouvira na noite do crime. Se o patrão recebera um visitante, ele mesmo o fizera entrar.

Assim, por três manhãs, o mistério continuou, pelo que pude acompanhar nos jornais. Se Holmes sabia mais, guardou para si, mas como ele me contou que o inspetor Lestrade se confidenciara sobre o caso, eu sabia que ele estava a par de todos os desdobramentos. No quarto dia, apareceu um longo telegrama de Paris que pareceu resolver toda a questão.

A polícia parisiense acaba de descobrir algo (dizia o *Daily Telegraph*) que levanta o véu que envolvia o trágico destino do Sr. Eduardo Lucas, morto com violência na noite da última segunda-feira na Godolphin Street, em Westminster. Nossos leitores lembrarão que o falecido cavalheiro foi encontrado apunhalado em seu quarto, e que se suspeitara do seu pajem, mas um álibi destruíra essa teoria. Ontem, uma dama, que era conhecida como Madame Henri Fournaye e morava numa pequena

## O RETORNO DE SHERLOCK HOLMES

vila na Rue Austerlitz, foi denunciada às autoridades pelos criados como louca. Um exame demonstrou que ela de fato desenvolvera uma mania de cunho perigoso e permanente. Investigando, a polícia descobriu que Madame Henri Fournaye só retornara de uma viagem a Londres na terça-feira passada, e que existem provas que a envolvem no crime de Westminster. Uma comparação de fotografias provou conclusivamente que Mounsieur Henri Fournaye e Eduardo Lucas eram na verdade a mesma pessoa, e que o falecido, por alguma razão, levava uma vida dupla em Londres e Paris. Madame Fournaye, que é de origem *creole*, é de natureza extremamente irascível, e já sofrera no passado ataques de ciúme que chegavam ao frenesi. Conjectura-se que foi num desses ataques que ela cometeu o terrível crime que tanta sensação causou em Londres. Seus movimentos na noite de segunda-feira ainda não foram rastreados, mas não resta dúvida de que uma mulher correspondente à sua descrição foi notada por muitos na Estação de Charing Cross, na manhã de terça-feira, pela aparência tresloucada e violência dos gestos. É provável, portanto, que o crime tenha sido cometido durante a loucura, ou tenha produzido o efeito imediato de fazer a infeliz perder o juízo. No momento, ela é incapaz de dar qualquer depoimento coerente, e os médicos não têm esperanças de que volte à razão. Existem evidências

## A SEGUNDA MANCHA

de que uma mulher, que podia ser Madame Fournaye, fora vista por algumas horas na noite de segunda-feira observando a casa da Godolphin Street.

— O que acha disso, Holmes? — Eu havia lido o relato em voz alta para ele, enquanto ele terminava o desjejum.

— Meu caro Watson — ele disse, levantando-se da mesa e andando de um lado para o outro da sala —, você tem uma paciência de mártir, mas se não lhe contei nada nos últimos três dias, é porque não havia nada a ser contado. Mesmo agora, esse relato de Paris não nos ajuda muito.

— Certamente é definitivo com relação à morte do homem.

— A morte do homem é um mero incidente, um episódio trivial, em comparação com nossa verdadeira tarefa, que é localizar esse documento e evitar uma catástrofe europeia. Só uma coisa importante aconteceu nos últimos três dias: o fato de que nada aconteceu. Recebo relatórios quase de hora em hora do governo, e é certo que em nenhum lugar da Europa há qualquer sinal de perturbações. Agora, se a carta estivesse circulando, não, não *pode* estar circulando, mas se não está circulando, onde pode estar? Quem está com ela? Por que ela é retida? Essa é a pergunta que martela meu cérebro. Foi mesmo uma coincidência Lucas ter morrido na noite em que a carta desapareceu? A carta chegou às mãos dele? Nesse caso, por que não está nas suas coisas? Essa esposa doida dele a levou embora? Nesse caso, a carta está na casa dela, em Paris? Como posso procurá-la sem despertar suspeitas na polícia francesa? É um caso, meu caro Watson, em que a lei é tão perigosa para nós quanto os criminosos. Todos estão contra nós, e no entanto os interesses em jogo são colossais. Se eu levar este caso a bom termo, certamente representará uma glória que coroará minha carreira. Ah, aqui estão as últimas notícias do front! — Ele olhou apressadamente o bilhete que lhe fora entregue. — Olá! Lestrade parece ter observado algo interessante. Ponha seu chapéu, Watson, e passearemos juntos até Westminster.

Era a minha primeira visita ao local do crime — uma casa alta, esquálida, estreita, elegante, formal e sólida como o século que a criara. Os traços de buldogue de Lestrade nos olhavam da janela da frente, e ele nos recebeu com simpatia depois que um policial corpulento abriu a porta e nos deixou entrar. O quarto onde fomos admitidos era aquele em que o crime fora cometido, mas não restava nenhum sinal da tragédia, à parte uma mancha feia e irregular no tapete. Era um pequeno tapete indiano, quadrado, de feltro espesso no meio do quarto, rodeado por uma grande área de um belo assoalho antigo de madeira, feito de tacos quadrados polidos, reluzentes. Acima da lareira havia uma magnífica coleção de armas, uma das quais fora usada naquela noite trágica. Perto da janela, uma suntuosa escrivaninha, e cada detalhe do cômodo, os quadros, tapetes e arrases, tudo indicava um gosto luxuoso, beirando a afeminação.

— Viu as notícas de Paris? — perguntou Lestrade.

Holmes balançou a cabeça.

## A SEGUNDA MANCHA

— Nossos amigos franceses parecem ter acertado na mosca desta vez. Sem dúvida, foi como eles disseram. Ela bateu na porta, uma visita surpresa, imagino, pois ele dividia sua vida em compartimentos estanques. Ele a fez entrar, não podia deixá-la na rua. Ela contou como o localizara, repreendeu-o, uma coisa levou à outra, e então, com aquela adaga tão ao alcance da mão, o fim logo veio. Não foi tudo feito num instante, porém, porque estas cadeiras estavam todas empurradas do lado de lá, e ele segurava uma, como se tivesse tentado usá-la para defender-se da mulher. Está tudo tão claro como se tivéssemos presenciado a cena.

Holmes ergueu as sobrancelhas.

— E mesmo assim você mandou me chamar?

— Ah, sim, isso é outra questão, uma insignificância, mas o tipo de coisa que interessa ao senhor, esquisita, sabe, e o que poderia chamar de uma aberração. Não tem nada a ver com o fato principal, não pode ter, pelo visto.

— O que é, então?

— Bem, o senhor sabe que, depois de um crime dessa natureza, tomamos o máximo cuidado para manter as coisas em suas posições. Nada foi mexido. Um policial montou guarda aqui dia e noite. Hoje de manhã, quando o homem foi enterrado e a investigação concluída, no tocante a este quarto, achamos que poderíamos fazer um pouco de ordem. Este tapete. Veja, não está pregado, apenas colocado aqui. Pudemos erguê-lo. Encontramos...

— Sim? Encontraram...?

O rosto de Holmes ficou tenso com a ansiedade.

— Bem, aposto que o senhor não adivinharia nem em cem anos o que encontramos. Está vendo aquela mancha no tapete? Então, boa parte do sangue deve tê-lo encharcado e atravessado, não deve?

— Sem dúvida deve...

— Bem, ficará surpreso em ouvir que não há uma mancha no lugar correspondente deste assoalho de madeira clara.

— Nenhuma mancha! Mas deve haver...

— Sim; era de se esperar. Mas o fato é que não há.

Ele pegou o canto do tapete e, erguendo-o, mostrou que de fato era assim.

— Mas o lado de baixo do tapete está tão manchado quanto o de cima. Deveria ter deixado uma marca.

Lestrade deu uma risadinha deliciada por ter deixado perplexo o famoso especialista.

— Agora vou lhe mostrar a explicação. *Existe* uma segunda mancha, mas não corresponde à primeira. Veja com seus próprios olhos. — Enquanto falava, ele ergueu outra parte do tapete, e ali, de fato, havia uma grande nódoa escarlate sobre o desenho quadrado do velho piso branco. — O que acha disso, Sr. Holmes?

— Ora, é muito simples. As duas manchas correspondiam, mas o tapete foi virado. Como era quadrado e não estava pregado, foi fácil fazê-lo.

## A SEGUNDA MANCHA

— A polícia oficial não precisa do seu auxílio, Sr. Holmes, para entender que o tapete deve ter sido virado. Isso está bastante claro, pois as manchas ficam uma em cima da outra, se o colocarmos assim. Mas o que quero saber é: quem virou o tapete e por quê?

Eu podia ver, pelo rosto rígido de Holmes, que ele vibrava de empolgação por dentro.

— Olhe aqui, Lestrade! — ele disse. — Aquele policial no corredor vigiou o local o tempo todo?

— Vigiou, sim.

— Bem, aceite o meu conselho. Interrogue-o cuidadosamente. Não o faça na nossa frente. Vamos esperar aqui. Leve-o para o quarto dos fundos. Será mais provável obter dele uma confissão se estiverem a sós. Pergunte-lhe como se atreveu a deixar alguém ficar sozinho neste quarto. Não pergunte se ele fez isso. Entenda como um fato. Diga que *sabe* que alguém esteve aqui. Dê um aperto nele. Diga-lhe que uma confissão completa é a sua única chance de ser perdoado. Faça exatamente o que eu disse!

— Por Deus, se ele sabe de algo, vou arrancar isso dele! — exclamou Lestrade. Ele correu para fora, e alguns momentos depois, sua voz de verdugo ecoou do quarto dos fundos.

— Agora, Watson, agora! — exclamou Holmes, com sofreguidão frenética. Toda a força demoníaca do homem, mascarada por aquela atitude letárgica, explodiu num

O RETORNO DE SHERLOCK HOLMES

paroxismo de energia. Ele arrancou o tapete do chão, e num instante estava de gatinhas, forçando cada um dos quadrados de madeira no local. Um deles virou de lado quando ele enfiou as unhas sob a borda. Tinha dobradiças, como a tampa de uma caixa. Uma pequena cavidade negra abria-se debaixo dele. Holmes enfiou ali a mão ansiosa, e a retirou com um rosnado amargo de raiva e decepção. Estava vazia.

— Rápido, Watson, rápido! Ponha tudo no lugar! — A tampa de madeira foi recolocada e o tapete acabava de ser alisado quando a voz de Lestrade veio do corredor. Ele encontrou Holmes languidamente encostado na moldura da lareira, resignado e paciente, tentando disfarçar seus insofreáveis bocejos.

— Lamento tê-lo feito esperar, Sr. Holmes, percebo que está morrendo de tédio com toda essa questão. Bem, ele confessou mesmo. Venha cá, MacPherson. Conte a estes cavalheiros sua indesculpável conduta.

O policial grandalhão, muito vermelho e arrependido, entrou timidamente no quarto.

— Não fiz por mal, senhor, pode acreditar. A jovem apareceu na porta ontem à tarde; errou de casa, na verdade. Aí começamos a conversar. É muito solitário ficar de guarda aqui o dia todo.

— Bem, e o que aconteceu então?

— Ela queria ver onde o crime acontecera, disse que tinha lido tudo a respeito nos jornais. Era uma jovem muito respeitável, falava bonito, e achei que não faria mal deixá-la dar

## A SEGUNDA MANCHA

uma olhadinha. Quando ela viu aquela mancha no tapete, desabou no chão e ficou como morta. Eu corri para os fundos e trouxe água, mas não consegui fazê-la acordar. Aí fui até o bar da esquina, o Ivy Plant, pegar *brandy*, mas quando voltei, a garota já tinha se recuperado e ido embora, envergonhada, eu diria, não quis nem me ver mais.

— E quanto a mexer no tapete?

— Bem, senhor, ele estava um pouco amarrotado quando voltei. Veja bem, ela caiu sobre ele, o chão é liso e o tapete está solto. Eu o alisei depois.

— É para você aprender que não pode me enganar, agente MacPherson — disse Lestrade com dignidade. — Sem dúvida pensou que sua infração jamais seria descoberta; no entanto, assim que pus os olhos no tapete, convenci-me de que alguém havia entrado no quarto. Sorte sua, homem, que nada foi roubado, ou você iria se ver em maus lençóis. Lamento ter que convocá-lo por um assunto tão insignificante, Sr. Holmes, mas achei que o fato da segunda mancha não corresponder à primeira poderia lhe interessar.

— Certamente foi muito interessante. Essa mulher só esteve aqui uma vez, agente?

— Sim, senhor, somente uma.

— Quem era?

— Não sei o nome dela, senhor. Procurava o endereço de um anúncio pedindo datilógrafas, e veio ao número errado; uma jovem muito agradável e gentil, senhor.

— Alta? Bonita?

— Sim, senhor; era uma garota crescida. Pode-se dizer que era bonita. Alguns diriam até que era linda. "Oh, senhor, deixe-me dar uma olhadinha!", ela dizia. Tinha um jeito gracioso, convincente, digamos, e achei que não faria mal só deixar que olhasse da porta.

— Como ela estava vestida?

— Discretamente, senhor; com um longo manto até os pés.

— Que horas eram?

— Estava escurecendo naquela hora. Quando voltei com o *brandy*, estavam acendendo os lampiões.

— Muito bem — disse Holmes. — Venha, Watson, acho que temos coisas mais importantes a fazer.

Quando saímos, Lestrade ficou no quarto, enquanto o policial penitente abria a porta para nós. Holmes virou-se sobre o degrau, segurando algo na mão. O policial olhou, concentrado.

— Bom Deus, senhor! — ele exclamou, com assombro no rosto. Holmes pôs um dedo sobre os lábios, enfiou a mão no bolso do colete, e caiu na gargalhada quando chegamos à rua. — Excelente! — ele disse. — Venha, amigo Watson, já tocou a sineta para o último ato. Ficará aliviado em saber que não haverá guerra, que o honorável Trelawney Hope não terá sua brilhante carreira prejudicada, que o soberano indiscreto não será punido por sua indiscrição, que o primeiro-ministro não terá que lidar com nenhuma complicação europeia, e que, com um pouco de tato e

## A SEGUNDA MANCHA

diplomacia de nossa parte, ninguém perderá um centavo no que poderia ter sido um acidente dos piores.

Minha mente encheu-se de admiração por aquele homem extraordinário.

— Você resolveu o caso! — exclamei.

— Longe disso, Watson. Há alguns detalhes que continuam mais obscuros do que nunca. Mas temos tanto material que será nossa culpa se não obtivermos o restante. Iremos imediatamente para Whitehall Terrace e levaremos a questão ao seu clímax.

Quando chegamos à residência do secretário europeu, foi por Lady Hilda Trelawney Hope que Sherlock Holmes perguntou. Fomos levados à sua sala de visitas.

— Sr. Holmes! — disse a dama, e seu rosto corou de indignação. — Certamente isso é bem pouco justo e generoso de sua parte. Eu desejava, conforme expliquei, manter minha visita ao senhor em segredo, temendo que meu marido achasse que eu estava me intrometendo em seus negócios. No entanto, o senhor me compromete vindo aqui, e assim demonstrando que temos uma relação profissional.

— Infelizmente, madame, não tive alternativa. Fui encarregado de recuperar esse documento imensamente importante. Devo, portanto, pedir, madame, que faça a gentileza de colocá-lo em minhas mãos.

A dama saltou de pé, perdendo num instante toda a cor do seu lindo rosto. Seus olhos faiscavam — ela cambaleava —, achei que fosse desmaiar. Então, com grande esforço, ela se recuperou do choque, e a perplexidade e a indignação supremas afugentaram qualquer outra expressão do seu semblante.

— O senhor... me insulta, Sr. Holmes.

— Vamos, vamos, madame, não adianta. Entregue a carta.

Ela correu para a sineta.

— O mordomo os acompanhará até a saída.

— Não toque a sineta, Lady Hilda. Se o fizer, meus sinceros esforços para evitar um escândalo serão frustrados. Entregue a carta e tudo ficará bem. Se colaborar comigo, posso cuidar de tudo. Se ficar contra mim, terei que denunciá-la.

Ela se manteve altivamente desafiadora, uma figura majestosa, com os olhos pregados nos dele, como se pudesse ler sua alma. Sua mão segurava a sineta, mas ela desistira de tocá-la.

— Está tentando me assustar. Não demonstra muita hombridade, Sr. Holmes, vindo aqui intimidar uma mulher. O senhor diz que sabe de algo. O que sabe?

— Por favor, sente-se, madame. Se cair, vai se machucar. Não vou falar enquanto não se sentar. Obrigado.

— Dou-lhe cinco minutos, Sr. Holmes.

— Um é suficiente, Lady Hilda. Sei que visitou Eduardo Lucas, que lhe deu esse documento, que voltou engenhosamente ao quarto ontem à noite, e sei de que maneira tirou a carta do esconderijo debaixo do tapete.

Ela o olhou com o rosto mortalmente pálido, e engoliu em seco duas vezes antes de conseguir falar.

# A SEGUNDA MANCHA

— Está louco, Sr. Holmes; está louco! — ela exclamou finalmente.

Ele tirou um pequeno pedaço de papelão do bolso. Era o rosto de uma mulher, recortado de um retrato.

— Levei isto porque achei que poderia ser útil — ele disse. — O policial a reconheceu.

Ela deu um gemido e sua cabeça caiu no encosto da poltrona.

— Vamos, Lady Hilda. A senhora está com a carta. A questão ainda pode ser acertada. Não tenho desejo algum de lhe causar problemas. Meu dever se encerra quando eu devolver a carta perdida ao seu marido. Aceite meu conselho e seja franca comigo; é a sua única chance.

A coragem da dama era admirável. Mesmo diante disso, ela não reconhecia a derrota.

— Repito, Sr. Holmes, que está acometido de alguma ilusão absurda.

Holmes levantou-se da poltrona.

— Lamento pela senhora, Lady Hilda. Fiz o melhor que pude para ajudá-la; percebo que foi tudo em vão.

Ele tocou a sineta. O mordomo entrou.

— O Sr. Trelawney Hope está?

— Ele chegará, senhor, às 12h45.

Holmes consultou seu relógio.

— Ainda falta um quarto de hora — ele disse. — Muito bem, vou aguardar.

O mordomo mal fechara a porta atrás de si, e Lady Hilda lançou-se de joelhos aos pés de Holmes, com as mãos estendidas, seu lindo rosto erguido e molhado de lágrimas.

— Oh, poupe-me, Sr. Holmes! Poupe-me! — ela implorava, num frenesi suplicante. — Pelo amor de Deus, não conte a ele! Eu o amo tanto! Não deixaria nem uma sombra cruzar sua vida, e sei que isso partiria aquele nobre coração.

Holmes pôs a dama de pé.

— Fico grato, madame, por ver que recobrou o bom senso, ainda que no último momento! Não há um instante a perder. Onde está a carta?

Ela correu até uma escrivaninha, destrancou-a e puxou um longo envelope azul.

— Aqui está, Sr. Holmes. Quisessem os céus que eu jamais a tivesse visto!

— Como podemos devolvê-la? — Holmes resmungou. — Rápido, rápido, precisamos pensar em algo! Onde está a caixa de despacho?

— Ainda no quarto dele.

— Que golpe de sorte! Depressa, madame, traga-a para cá.

Um momento depois, ela aparecia com uma fina caixa vermelha nas mãos.

— Como a abriu antes? Tem uma cópia da chave? Claro que tem. Abra-a!

De seu decote, Lady Hilda tirara uma pequena chave. A caixa foi aberta. Estava cheia de papéis. Holmes meteu o envelope azul bem no meio deles, entre as páginas de algum outro documento. A caixa foi fechada, trancada e devolvida ao quarto.

— Agora estamos prontos para ele — disse Holmes —; ainda nos restam dez minutos. Estou fazendo grandes esforços para protegê-la, Lady Hilda. Em troca, vai usar esse tempo para me contar com franqueza o verdadeiro significado dessa extraordinária situação.

— Sr. Holmes, vou contar tudo — exclamou a dama. — Oh, Sr. Holmes, eu deceparia minha mão direita antes de lhe causar um só momento de dor! Não existe mulher em toda a Londres que ame o marido mais do que eu; no entanto, se ele soubesse como agi, como fui forçada a agir, jamais me perdoaria. Pois sua própria honra é tão elevada que ele não poderia esquecer ou perdoar os lapsos de ninguém. Ajude-me, Sr. Holmes! Minha felicidade, a dele, nossas vidas estão em jogo!

— Rápido, madame, o tempo está acabando!

— Foi uma carta minha, Sr. Holmes, uma carta indiscreta, escrita antes do meu casamento; uma carta tola, de uma garota impulsiva e apaixonada. Eu não fiz por mal; no entanto, ele a teria considerado criminosa. Se lesse tal carta, sua confiança seria destruída para sempre. Faz anos que a escrevi. Pensei que todo o caso tivesse sido esquecido. Então, finalmente, ouvi desse homem, Lucas, que a carta chegara às suas mãos, e que ele a mostraria ao meu marido. Implorei por sua misericórdia. Ele disse que devolveria minha carta se eu lhe entregasse um certo documento que descreveu, que estava na caixa de despacho do meu marido. Ele tinha algum espião no escritório que lhe revelara a existência desse documento. Garantiu-me que nenhum mal sobreviria ao meu marido. Ponha-se na minha situação, Sr. Holmes! O que eu podia fazer?

— Confidenciar-se com seu marido.

— Eu não podia, Sr. Holmes, não podia! Por um lado, a ruína parecia certa; por outro, ainda que parecesse terrível roubar documentos do meu marido, em matéria de política, eu não podia entender as consequências, ao passo que, em matéria de amor e confiança, elas afiguravam-se-me com total clareza. Então eu o fiz, Sr. Holmes! Tirei um molde da chave dele; o tal de Lucas forneceu a cópia. Abri a caixa de despacho, peguei o documento e o levei até a Godolphin Street.

— O que aconteceu ali, madame?

— Bati à porta, conforme o combinado. Lucas abriu. Eu o segui até seu quarto, deixando a porta aberta atrás de mim, pois temia ficar a sós com ele. Lembrei que havia uma mulher na rua quando entrei. Nossa negociação logo estava concluída. Ele tinha a minha carta em sua escrivaninha; eu lhe entreguei o documento. Ele me entregou a carta. Nesse instante, um som veio da porta. Ouvimos passos no corredor. Lucas ergueu rapidamente o tapete, guardou o documento ali, em algum esconderijo, e o cobriu.

"O que aconteceu a seguir parece um pesadelo. Tenho uma visão de um rosto escuro e ensandecido, de uma voz de mulher que gritava em francês: 'Minha espera não foi

# A SEGUNDA MANCHA

em vão. Finalmente, finalmente encontrei você com ela!'. Houve uma luta selvagem. Eu o vi com uma cadeira na mão, e um punhal brilhava na dela. Fugi daquela cena horripilante, fugi da casa, e só na manhã seguinte, pelo jornal, soube do terrível resultado. Naquela noite, fiquei feliz, pois tinha a minha carta, e ainda não sabia o que o futuro me reservava.

"Foi só na manhã seguinte que percebi que eu apenas trocara um problema por outro. A angústia do meu marido com a perda do documento subiu-me à cabeça. Quase não consegui me conter, por pouco não me ajoelhei ali mesmo a seus pés para contar o que fizera. Mas isso também significaria uma confissão do passado. Procurei o senhor naquela manhã para entender a total enormidade do meu crime. Desde o momento que a compreendi, só tive uma ideia em mente: devolver o documento ao meu marido. Devia estar ainda onde Lucas o colocara, pois fora escondido antes que aquela mulher medonha entrasse no quarto. Não fosse pela chegada dela, eu não saberia onde era o esconderijo. Como eu poderia entrar no quarto? Por dois dias vigiei o lugar, mas a porta nunca ficava aberta. Ontem à noite, fiz uma última tentativa. O que fiz e como consegui, o senhor já sabe. Eu trouxe o documento de volta, e pensei em destruí-lo, já que não via maneira de devolvê-lo sem confessar minha culpa ao meu marido. Céus, ouço seus passos na escada!"

O secretário europeu entrou na sala, agitado.

— Alguma novidade, Sr. Holmes, alguma novidade? — ele exclamou.

— Tenho alguma esperança.

— Ah, graças a Deus! — Seu rosto ficou radiante. — O primeiro-ministro está almoçando comigo. Ele pode partilhar dessa esperança? O homem tem nervos de aço; no entanto, sei que ele quase não dorme desde esse terrível acontecimento. Jacobs, pode pedir ao primeiro-ministro que suba aqui? Quanto a você, querida, infelizmente, vamos falar de política. Vamos encontrá-la daqui a alguns minutos na sala de jantar.

Os gestos do primeiro-ministro eram contidos, mas eu podia ver, pelo brilho dos seus olhos e o tremor de suas mãos ossudas, que sua empolgação era comparável à de seu jovem colega.

— Soube que tem algo a informar, Sr. Holmes?

— Puramente negativo ainda — meu amigo respondeu. — Investiguei em todos os lugares onde ela poderia estar, e tenho certeza de que não há perigo de que alguém faça uso dela.

— Mas isso não basta, Sr. Holmes. Não podemos ficar sentados para sempre sobre um vulcão desses. Precisamos de algo definitivo.

— Tenho esperanças de conseguir. Por isso estou aqui. Quanto mais penso no caso, mais me convenço de que a carta nunca saiu desta casa.

— Sr. Holmes!

— Se tivesse saído, certamente já teria vindo a público.

— Mas por que alguém a roubaria para mantê-la nesta casa?

## A SEGUNDA MANCHA

— Não estou convencido de que alguém a roubou.

— Então como ela saiu da caixa de despacho?

— Não estou convencido de que ela chegou a sair da caixa de despacho.

— Sr. Holmes, este é um péssimo momento para piadinhas. Asseguro-lhe que a carta saiu da caixa.

— O senhor examinou a caixa depois da manhã de terça-feira?

— Não; não foi necessário.

— Pode ser que não tenha visto a carta.

— Impossível, eu digo.

— Mas eu não estou convencido disso; já vi coisas assim acontecerem. Presumo que haja outros papéis nela. Bem, pode ter-se misturado a eles.

— Estava por cima.

— Alguém pode ter agitado a caixa e misturado.

— Não, não; eu tirei tudo de dentro.

— É muito fácil verificar, Hope! — disse o premiê. — Vamos trazer essa caixa aqui.

O secretário tocou a sineta.

— Jacobs, traga a minha caixa de despacho. Isto é uma perda de tempo que beira a farsa, mas se nada mais vai convencê-lo, assim será feito. Obrigado, Jacobs; deixe-a aqui. A chave fica sempre presa à corrente do meu relógio. Aqui estão os papéis, veja. Carta do Lorde Merrow, relatório de Sir Charles Hardy, memorando de Belgrado, anotação referente aos impostos russo-germânicos sobre os cereais, carta de

Madri, bilhete do Lorde Flowers... Pelos céus! O que é isto? Lorde Bellinger! Lorde Bellinger!

O premiê arrancou o envelope azul da mão dele.

— Sim, é ela; e está intacta. Hope, meus parabéns!

— Obrigado! Obrigado! Que peso saiu-me do peito! Mas isso é inconcebível, impossível! Sr. Holmes, é um mago, um feiticeiro! Como sabia que ela estava aqui?

— Por saber que não estava em nenhum outro lugar.

— Não acredito no que vejo! — Ele correu até a porta. — Onde está a minha esposa? Preciso avisar que tudo está bem. Hilda! Hilda! — Ouvimos sua voz na escada.

O premiê dirigiu-se a Holmes com um brilho no olhar.

— Vamos, senhor — ele disse. — Nem tudo é o que parece aqui. Como a carta voltou para a caixa?

Holmes sorriu e desviou o rosto do exame penetrante daqueles olhos maravilhosos.

— Nós também temos nossos segredos diplomáticos — ele disse, e pegando seu chapéu, dirigiu-se para a porta.